**Escritos Psicanalíticos
sobre Literatura e Arte**

Coleção Estudos
Dirigida por J. Guinsburg

Equipe de realização – Tradução: Natan Norbert Zins e Geraldo Gerson de Souza; Revisão de texto: Ruth Röhl; Revisão de provas: Olga Cafalcchio; Sobrecapa: Adriana Garcia; Produção: Ricardo W. Neves, Adriana Garcia e Heda Maria Lopes.

Georg Groddeck

ESCRITOS PSICANALÍTICOS SOBRE LITERATURA E ARTE

SELECIONADOS E EDITADOS POR
EGENOLF ROEDER VON DIERSBURG

EDITORA PERSPECTIVA

Copyright © by Lines Verlag, Wiesbaden, 1964.

Título do original alemão
Psychoanalytische Schriften zur Literatur und Kunst

Direitos reservados em língua portuguesa à
EDITORA PERSPECTIVA S.A.
Av. Brigadeiro Luís Antônio, 3025
01401-000 – São Paulo – SP – Brasil
Telefax: (0--11) 3885-8388
www.editoraperspectiva.com.br
2001

Sumário

PREFÁCIO IX

ILUSTRAÇÕES 1

PARTE I: DEUS-NATUREZA 11
    Um Filho da Terra 21
    Sobre a Linguagem 23
    Caráter e Tipo 39

PARTE II: TRAGICOMÉDIA 55
    Nora 67
    Rebekka West 87

PARTE III: PSICANÁLISE 103
    O Anel dos Nibelungos 115
    Música e Inconsciente 133
    Peer Gynt 139
    Fausto 163
    Uma Citação do *Fausto* 191
    João Felpudo 195

PARTE IV: SÍMBOLO 209
    Expressionismo 221
    Do Isso 227

Sobre o Anão e o Gigante..................... 237
Do Viver e Morrer 259
A Melancolia de Dürer 275
Visita a um Museu 277

Prefácio

> *Se te dá veneno um sábio,*
> *Bebe-o sem medo;*
> *Se te dá antídoto um louco,*
> *Derrama-o.*
>
> OMAR, fabricante de tendas.

De 1929 até 1934, a editora londrina C. W. Daniel Co. publicou uma coleção, em três volumes, dos escritos de Georg Groddeck, com seleção, tradução e introdução de V. M. E. Collins, em colaboração com Oscar Köllerström e o Dr. Boss. Por isso, tornou-se um dever de honra do mundo editorial alemão preparar uma edição semelhante no idioma original. O que impossibilitou esse empreendimento nos anos subseqüentes é de domínio público; como tantas outras coisas de valor permanente, também os livros de Georg Groddeck foram lançados à fogueira, em 1933, na cidade que ele escolhera por pátria. Em 1961, a Limes Verlag de Wiesbaden deu início à reimpressão do *Livro d'Isso**, com uma introdução de Lawrence Durrell. O volume de textos selecionados sobre literatura e arte, aqui apresentado, dá prosseguimento à série. Como terceiro volume estão previstos os *Estudos Psicanalíticos sobre Psicossomática***.

---

* Trad. bras., São Paulo, Perspectiva, 1984.
** Trad. bras., São Paulo, Perspectiva, 1992.

Um agradecimento especial do editor e da casa editora merece a Srta. Margarete Honegger, de Zurique, cujos conselhos trouxeram benefícios a esta edição.

Egenolf Roeder von Diersburg

Ilustrações

1. Seurat, *A Grande Jatte* (detalhe).

2. Picasso, *Mulher Deitada*.

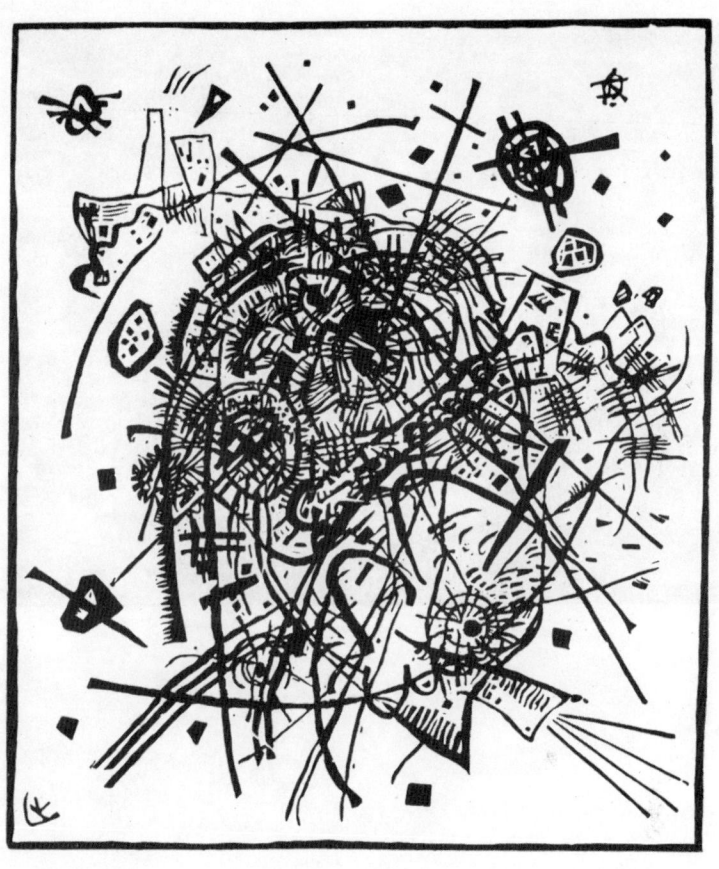

3. Kandinsky, *Pequenos Mundos*.

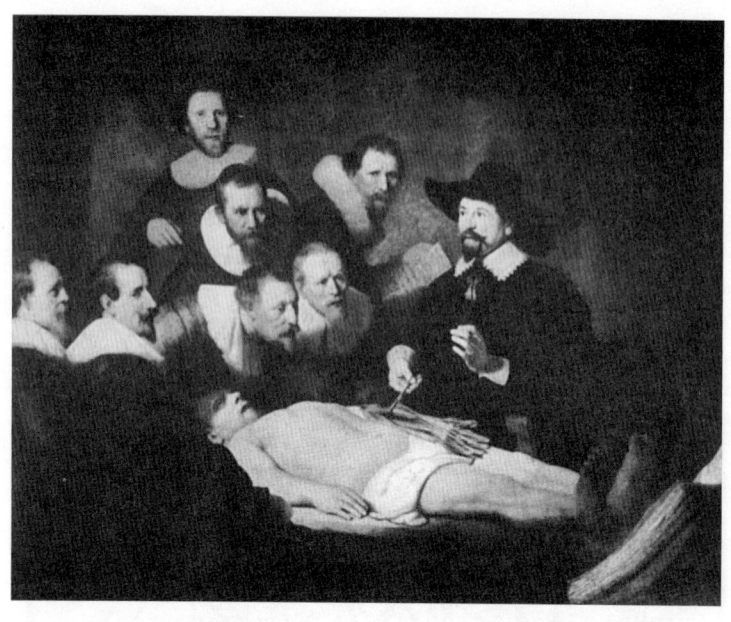

4. Rembrandt, *Anatomia do Dr. Tulp*.

5. Jan Steen, *O Médico*.

6. J. Davidsz de Heem, *A Grande Natureza-morta com o Ninho de Pássaro*.

7. Mignon, *A Pequena Natureza-morta com o Ninho de Pássaro*.

Parte I

Deus-Natureza

Georg Groddeck nasceu numa camada de cultura e formação patrícia e protestante da Alemanha do norte. À sua morte, a venerável Igreja de Santa Maria de Danzig ter-lhe-ia concedido, segundo um velho costume, um "dobre completo". Em sua casa paterna as tradições liberais eram vivazes. Venerava-se de modo especial a memória do avô materno, Koberstein, conhecido historiador da literatura, que Groddeck representou sob o nome de Professor Hildebrand no romance de família *Um Filho da Terra*. Não parece inoportuno, pois, reproduzir, no início dos estudos de Groddeck sobre literatura e arte, um trecho deste livro, que mostra a ligação vivaz entre o membro mais jovem da família – isto é, Georg Groddeck, aliás Wolfgang Guntram – e o ambiente da casa paterna. A seguir Groddeck freqüentou a escola de Pforte, por onde passaram Nietzsche e Wilamovitz; e ainda menino e adolescente, absorveu de forma indelével o helenismo e o espírito goethiano. Esses diversos elementos culturais confluem na sua visão de mundo e de vida, que ele esboçou, pela primeira vez, na série de conferências "Rumo ao Deus-natureza".

A mais importante concepção de Groddeck, o *Isso*, recebeu de Sigmund Freud um modelo formal inadequado, como está exposto em outro contexto; Freud chamou o Isso de insígnia do inconsciente individual no sentido de Groddeck, que para Freud era um dos seus discípulos, embora o mais teimoso. Contra a interpretação freudiana do Isso, tal como vem exposta no *Livro d'Isso*, em formulação das mais profundas, Groddeck manifestou-se uma única vez; fê-lo no seu último livro publicado, *O Homem como Símbolo*, e com uma única frase curta: "Acho necessário ressaltar que uma dessas formas", ou seja, o Isso "é o ego", isto é, o consciente. Freud não percebeu que o Isso de Groddeck não tem a menor relação com a psicanálise em si; que é, antes, uma expressão para designar "o grande mistério do mundo", que Groddeck chama eventualmente de deus-natureza não só nas primeiras conferências, dando-lhes o título, mas também no *Livro d'Isso*. Os versos que cunham essa expressão:

> O que pode um homem ganhar mais na vida
> Do que o que lhe revela o deus-natureza:
> Como ele dissolve o sólido em espírito,
> Como ele mantém sólido o que o espírito gerou,

são do período final de Goethe. Mas a concepção de mundo representada pela designação "deus-natureza" data da época de Spinoza. Nos anos que medeiam os dois períodos de estudo intensivo da *Ethica*, fruto maduro portanto do primeiro entusiasmo juvenil, Goethe escreveu o fragmento sobre a "Natureza". Na primeira conferência de Groddeck sobre "deus-natureza" vemos um comentário continuando as palavras introdutórias do fragmento de Goethe, e na teoria do Isso um detalhamento de suas teses fundamentais; na verdade, uma paráfrase saída da pena de um pensador não menos independente.

"Natureza!" – escreve Goethe. – "Estamos envoltos e cingidos por ela – impossibilitados de sair dela." *Quidquid est, in Deo est*. Segundo Groddeck, Goethe voltou a mostrar o meio "*de ver a parte no todo*" e, o que dá no mesmo, de "olhar *as coisas no todo*"; o modo de reconhecer que a parte responde pelo todo, o todo pela parte. Quando Goethe continua: "Somos incapazes de penetrar mais fundo nela", na natureza, dificilmente se deve interpretá-lo apenas no sentido físico; a física fez que o homem pouco a pouco penetrasse cada vez mais fundo. Em termos psicológicos, a frase significa a impossibilidade de avançar no inconsciente, no conteúdo de consciência do Grande Isso, ao qual Goethe se dirige em seguida: "Ela tem pensado", a natureza, "e medita continuamente; mas não como ser humano, porém como natureza". Contudo, com a sua descoberta Freud abriu uma brecha nessa impossibilidade. A frase: "Àquele que a segue com confiança ela aperta ao peito como uma criança" em si não diz nada de novo: a Natureza é a Grande Mãe. Nos escritos de Groddeck ela assume uma posição cada vez mais preponderante sobre todas as outras coisas. A natureza "continua conosco até estarmos cansados e cairmos do seu regaço"; Groddeck consegue dar um passo decisivo para além dessa concepção; para ele não existe nenhum "cair fora" do deus-natureza. Escreve no *Livro d'Isso*, repetindo insistentemente: "Por fim, da escuridão do inconsciente surge a imago da mãe; pois todo desejo, toda voluptuosidade está impregnada do anseio de chegar de novo ao regaço da mãe". Na obra *O Homem como Símbolo*, fala com mais clareza ainda da "lembrança inconsciente da vida paradisíaca no ventre materno" e da "saudade inconsciente desse ventre materno". Portanto, desejo de morte. "Ninguém se ajeita facilmente com este ente mãe; ela nos embala nos seus braços até o túmulo", diz ele mais tarde no *Livro d'Isso*; e antes: "A mãe é o berço e a sepultura, dá vida para morrer". Mas, quando Goethe escreve: "A natureza se recompensa e se pune a si mesma, se alegra e se tortura a si mesma", parece-nos estar ouvindo Groddeck. O médico, neste caso, dispõe da experiência com ataques histéricos de convulsão, que comprovam isso de maneira bastante explícita. "De vez em quando o Isso ri de si mesmo".

O verdadeiro tema da conferência inicial da série *Rumo ao Deus-natureza* permanece, no entanto, mesmo que de longe prepondere o trecho ligado construtivamente sobre o Isso, o que é assinalado no primeiro parágrafo de "Sobre a Linguagem". A frase do fragmento de Goethe: "A natureza gosta da ilusão" pode ser entendida como uma epígrafe para as exposições que se seguem. O problema da "mentira" criativa permeia todo o pensamento e a obra literária de Groddeck; deve ser considerado em contexto especial (p. 108). Aqui ele é contraposto às "mentiras da ignorância", cuja exposição instiga Groddeck a uma descrição subseqüente da linguagem como criação e criadora da cultura. No começo dizia-se que a linguagem era o "esteio da cultura"; depois, que tinha um "efeito inibidor de toda cultura". Encontrar a ambivalência em todas as esferas de vida continua sendo um dos traços fundamentais do modo de pensar e de expor de Groddeck, que confere um encanto próprio à leitura de seus escritos. Ao lado das idéias que, como ele mesmo insinua, são mais ou menos comuns aos alemães cultos da sua época e dos pensamentos realmente originais, encontram-se discernimentos que à primeira vista podem parecer triviais. Este, por exemplo: "Falar fluentemente uma língua estrangeira é tanto mais difícil quanto mais se está habituado a pensar". Também o idioma materno flui mais facilmente da boca daqueles que palram à toa do que da boca daqueles que estão acostumados a escolher e pesar as palavras. Mas, para Groddeck, a observação contém um sentido diferente, ou seja, o de esclarecer a si mesmo e aos seus ouvintes: Assim como o significado das palavras de um idioma não coincide exatamente com o das palavras de outro idioma, tampouco o alcance e conteúdo do seu conceito coincide com a coisa real que elas querem descrever. Nesta primeira conferência desponta um outro problema que nos anos posteriores irá ocupar Groddeck não só como filósofo da linguagem, mas também como médico psicanalítico (p. 109): o contínuo desgaste da palavra. A princípio, apenas "a palavra isolada" parece "desvalorizada"; assim oferece-se ainda a possibilidade de refugiar-se na "frase" carregada de sentido. Aqui ainda compreendida meramente a partir da situação cultural geral: "Exageramos, porque as palavras são ocas, não têm mais ressonância".

As conferências sobre o deus-natureza abarcam todos os temas, que serão diversificados, aprofundados e ampliados nos escritos posteriores de Groddeck. Além do Isso e da mentira criativa, a polaridade básica da criação artística em geral, que sempre retorna em formas variáveis em primeiro lugar, na segunda conferência, é entendida como um contraste entre *descrição de caráter* e *descrição de tipo*. É Goethe novamente quem fornece o modelo. Na primeira conferência, era ele que não só ensinava a sabedoria "de ver o todo na parte", como também tentava viver de acordo com esta máxima. Na segunda conferência, ele é o criador de dramas cujos heróis, sujeitos àquela sabedoria universal, "não são caracteres, mas tipos"; e é isso que o transforma em modelo para Groddeck, mesmo que seus dramas como tais pudessem ser "mercadoria de má qualidade". Também aqui à prática está ligada a teoria sobre a qual se baseia Groddeck. Seu interesse, primariamente, não é estético, mas metafísico, embora, onde a metafísica se evidencia com pretensões explícitas, ele faça troça dela e goste de lembrar-se da origem acidental de seu nome. Essa teoria, na primeira parte do ensaio "Shakespeare e nenhum fim", está envolta tão cuidadosamente de admiração pelo maior dramaturgo do Ocidente que se deve, primeiramente, extrair dela a crítica que contém: os dramas de Shakespeare "não são para os olhos do corpo", portanto, não são próprios para o palco: ele age pela palavra, e "isso se transmite de maneira melhor na leitura". E "se é incumbência do espírito universal guardar segredos, a finalidade do poeta", especialmente quando se trata de Shakespeare, "é divulgar o segredo". Antes é mencionado o lema de que parte Groddeck: "Segundo a relação dos caracteres construímos certas personagens; todos os participantes parecem ter concordado em não nos deixar no escuro acerca de nada". Descrição de caráter ofende o segredo do deus-natureza. Por fim, Goethe, não sem ironia: As personagens de Shakespeare seriam a "encarnação sonora de ingleses". Portanto, caracteres.

Faz-se necessário um esclarecimento, no qual Groddeck viu o traço decisivo e, no mais das vezes, oculto das personagens de Goethe, de maneira que ele, "sendo homem inteligente, ri dos disparates que se cometem com o Fausto, o Egmont, a Clarinha ou a Margarida". Em primeiro lugar, Groddeck contrapõe rudemente, sem maiores explicações, o seu julgamento àquele que é corrente "nas escolas e também nos livros de estética". A chave encontra-se de novo no ensaio de Goethe sobre Shakespeare, na segunda parte. Lá se lê: "A velha tragédia se baseia num dever-ser inevitável. Mas todo dever-ser é despótico. Em contrapartida, o *querer* é livre". E depois a conclusão: "Eis a razão pela qual a nossa arte continua eternamente separada da antiga". E mais: "A pessoa, vista do lado do caráter, deve; mas, como homem, ela quer". Groddeck sobre *Hermann e Dorothea*: Nela "cessa todo o característico, e fica apenas o homem em si". A afirmação de Groddeck é, se é que se pode falar assim, oposta categoricamente ao imperativo categórico do dever, com o qual ele tinha de debater-se penosamente como médico da alma. Para ele também a vontade é livre; todavia, não a do indivíduo, mas a do Isso pela qual "somos vividos", como formula *O Livro d'Isso*; de novo em concordância com a "Natureza" de Goethe, que carrega toda a responsabilidade, somente ela: "Àquele que a segue com confiança ela aperta ao peito". Assim, por paradoxal que isso possa ser, repugnava a Groddeck que, para favorecer a formação de caráter do discípulo, se atribuísse a Fausto, que afinal se torna ele mesmo um mestre-escola celestial, um "esforço de aspiração" e se permitisse que ele fosse redimido por causa disso. Adiante (p. 110) iremos ler e falar mais a respeito. É característico do estilo de pensar de Groddeck que suas concepções sobre a vida e a arte se formem bem cedo, estejam presentes desde sempre, para serem depois fundamentadas empiricamente no curso de seu desenvolvimento.

Groddeck vai além da crítica goethiana de Shakespeare, nega ao grande britânico, embora não a categoria de poeta – longe disso –, a sua característica específica: Shakespeare seria, antes, um pintor de caracteres, um psicólogo; "ele é um ator que escolhe uma parte da verdade e a falseia em verdade total". Groddeck retornará (p. 59) exatamente àquilo que, em face disso, é a função do verdadeiro poeta; o que é dito na segunda conferência deve ser encarado como provisório. A objeção que ele levanta à poesia de Shakespeare é a mesma que, na primeira conferência, havia sido dirigida à linguagem em si: ela "mente", porque "tem de mentir"; nenhuma palavra é suficiente para exaurir o todo do deus-natureza, por isso a cada vez deve ser escolhida arbitrariamente uma parte. O "julgamento destrutivo", diante do qual depois o próprio Groddeck se intimida, atinge Shakespeare apenas como o "mais poderoso representante" da literatura dos últimos séculos. Na sua degradação, que é condicionada pelo tempo, e da qual Goethe constrói uma exceção, Groddeck vê claramente uma evolução igual à que está sendo observada na antiga maneira de pensar, na transição para o sofismo e o socratismo: "eles estudam a si mesmos e a seus próximos, aprofundam-se na observação da alma humana". O verdadeiro poeta se comporta como a planta, a árvore: "inserir-se na vida da natureza, devolvendo à Grande Mãe o que recebeu e homenageando-a com veneração". Groddeck aprendeu de Goethe: "As obras de arte são obras da natureza, tanto quanto as montanhas e os rios". Ela é, como se dizia no fragmento sobre a "natureza", "a única artista". O ditirambo com que Groddeck louva a atuação da natureza mediante árvore e fonte, terra e universo, pode subsistir ao lado dos mais belos versos do "De rerum natura" de Lucrécio.

O tratamento da questão abordada aqui segundo a maneira de ser do poeta encontra sua seqüência imediata na série de conferências proferidas um ano mais tarde, *Tragédia ou Comédia?* Outros problemas das duas primeiras conferências estão mais próximos de uma solução no decurso de muitos anos. Como, sobretudo, a relação do homem com o universo, o "nascer e o fundir-se da personalidade do homem, do ego no deus-natureza", que se pode encontrar tanto no ser quanto no conhecimento. Groddeck opõe o cristianismo ao budismo e considera o dogma da imortalidade do ego "uma teoria funesta". Mas esta teoria, da maneira como ele a compreende, é justamente uma reminiscência muito mal digerida da aula de religião protestante; Groddeck desconhece a concepção segundo a qual a Igreja invisível é o *corpus mysticum*, no qual "Ele, a cabeça, nós, os membros", a fusão do homem no todo é compreendida de maneira incomparavelmente clara e concreta. E, além desta relação simples entre o todo e a parte, que era descrita acertadamente como um "consumir-se", existem outras maneiras de fusão com o todo: o "fundir-se", no qual é deixada em aberto uma certa equivalência dos dois elementos confluentes. A relação correspondente do homem, enquanto microcosmo, com o universo, enquanto macrocosmo, surge ocasionalmente nos escritos de Groddeck; impossível não ouvir, quando o herói do seu romance satírico, *O Pesquisador de Almas*, muda seu sobrenome para Weltlein ("Mundinho"). Trata-se, então, de uma relação entre o homem indivíduo e o todo universal, tal como é descrita, em *O Homem como Símbolo*, como o simbólico: "No símbolo, duas coisas são conjugadas, elas são a mesma coisa". Do livro que se encontrava em preparação quando a última doença lhe tirou a pena da mão, é mantido o esboço de uma fundamentação preponderantemente fisiológica: *Do Ver*. Seu segundo título, *Do Mundo do Olho*, leva à igualdade hermético-órfica de cosmo e homem, especialmente ao olho humano, tal como aparece no poema de Empédocles, "Sobre a Natureza", este reservatório da mais antiga sabedoria. O poeta não a enuncia, ele a mostra na imagem: a escura pupila retrata a planície terrestre: a íris, o oceano; o corpo vítreo, a camada de ar; a córnea transparente, a abóbada de éter. O que Groddeck teria feito disto continua sendo uma questão aberta.

As conferências três a cinco giram mais ou menos em círculo. Isto já se torna visível exteriormente pela quinta repetição dos versos de Goethe, com que terminou a segunda conferência:

E enquanto não possuíres...

Trata-se, no caso, preponderantemente, de problemas gerais da cultura da humanidade, de forma que não é cogitada uma reprodução dos textos na seleção para literatura e arte. Se os versos de Goethe tivessem, em primeiro lugar, prometido ao homem uma vida plena de sentido se ele renunciasse à ilusão de ser, juntamente com sua Terra, o centro do mundo, então eles, na primeira repetição, se relacionariam com a concepção básica do livro: "O homem não é nada à parte, um pedaço de deus-natureza, morre e é". Na vez seguinte ele corrobora o entendimento da ciência moderna segundo o qual as fronteiras entre o homem e o animal, entre o animal e a planta se confundem, pelo que ele é privado de sua pretensa primazia: "Ele não tem nenhum direito, tem apenas deveres". Quer dizer, aqueles em relação ao deus-natureza, tal como ele se manifesta dentro dele, responderia Groddeck, se se quisesse prendê-lo à contradição com o que foi dito anteriormente. Seguem-se considerações que se cristalizam cada vez mais em torno de um problema que irá acompanhar Groddeck durante todos os anos de seu trabalho como escritor e médico e mostra facetas sempre novas, o "problema da mulher". Numa publicação muito precoce sob este título (1903) ainda se percebe pouca coisa dos conhecimentos maduros dos tempos posteriores. É diferente o tratamento em *Rumo ao Deus-natureza*. Quando se lê que a mulher não seria "jamais uma personalidade", poder-se-ia pensar na opinião defendida na Antiguidade de que a mulher não tem alma. Entretanto, Groddeck, com a sua afirmação, pensa prestar à mulher a maior reverência que se pode imaginar: "A mulher não é uma personalidade, mas deus-natureza, totalmente límpido". Um ser no qual o mundo ressoa com as palavras da citação de Goethe, agora repetida pela quarta vez. Groddeck lamenta profundamente o seu tempo do feminismo, "que quer ensinar ao homem moral feminina", por outro lado desvia a mulher da sua missão, que "não pode ser avaliada pela medida humana". E "levar para fora dessas condições só a mulher pode", porque ela "carrega dentro de si o morra-e-seja". Ela deve educar o filho "para a audácia e o desprezo da felicidade"; mas à filha ela deve transmitir seu foro mais íntimo, deve mostrar-lhe a borboleta e dizer-lhe: "Veja, isto és tu, que és o morra-e-seja". E: "Entende que tu és um símbolo do mundo". Então soam pela última vez os versos de Goethe: "Uma alegoria de Deus, é isto a mulher".

A interpretação de Groddeck para o "morra-e-seja" se baseia na versão publicada por Goethe, especialmente da penúltima estrofe, que termina:

E no fim, ávida da luz,
Tu, borboleta, és queimada.

Mas no caso a epígrafe, adjudicada ao indivíduo, assim como a mãe anima a filha a aprender a sofrer alegremente o destino da borboleta, não deveria de fato soar de modo inverso: "Seja e morra"? – Assim como para outros poemas do *Westöstlich Diwan*, Goethe forneceu também variantes orais para a "Saudade bem-aventurada", exatamente para a penúltima estrofe. Que no melhor dos casos tem garantidos os versos de conclusão:

> Quando o homem velho em pó se torna,
> O novo é despertado.

De fato, dessa forma a epígrafe é justificada, e torna-se também compreensível que Goethe a profira somente no círculo fechado de amigos, o que, pelos versos de introdução:

> Por mais que eu tenha resistido,
> No fim me entreguei,

deveria ser interpretado como confissão de uma conversão pessoal ao dogma cristão, enquanto se trata apenas de uma veleidade poética passageira. Mas por que "deveria a multidão igualmente escarnecer", se a confissão tivesse sido feita publicamente e, assim, a sério? – Naquele tempo, isto teria correspondido ainda assim à fé da maioria. Existe uma terceira versão da penúltima estrofe, que antecipa igualmente as duas objeções:

> E o distante se torna para ti mais luminoso,
> E o lume por cem multiplicado,
> E o próximo, mais maravilhoso.
> De repente tu és subjugado.

Todavia, em todos os tempos, só se poderá "dizê-lo aos sábios". Como é característico para aquele que experimentou: Não o distante, mas "o próximo se torna mais maravilhoso". Da intensidade extática da experiência sexual até a "morte simbólica por amor", que, segundo *O Livro d'Isso*, ocorre realmente, ascende, repetindo a relação de ambivalência, uma outra forma de êxtase. "Morte em labaredas" também ela, figurativamente falando; também a natureza, se for entendida à maneira de Platão: "Esta natureza a-espacial e a-temporal do súbito". Deus-natureza. Se se quiser procurar este sentido em Groddeck, deve-se percorrer o seu caminho com ele até o fim, ao já mencionado manuscrito póstumo *Do Ver* e seu terceiro título, *Do Ver sem Olhos*.

Um Filho da Terra

Brigitte guardava com amor e veneração a memória do pai. Ele fora um germanista e acumulara, com infatigável aplicação, uma plenitude de conhecimentos, que legou à filha talentosa. Nele, o idealista capaz de entusiasmar a si mesmo e aos outros com o traço de amabilidade humana, tudo se tornava puro, e sua inesgotável bondade lhe granjeara amigos em toda parte. Nunca era bastante o que Wolfgang podia ouvir sobre este homem, e suas idéias e pensamentos se formavam à imagem do avô; e mesmo que ainda fosse pequeno demais para perceber a sua importância, ainda assim era suficientemente grande para ver a beleza que tomava o rosto da mãe quando ela falava do avô. Essa beleza transfigurada o afetava. Ele se lembrava claramente de como, um dia, estava passeando na chuva, sob o alpendre da casa, tão ereto e digno quanto possível, as mãos nas costas. Uma velha empregada que passava o saudou: "Eh! meu doce franguinho, o que você faz aqui?", e ele replicara com as palavras indignadas: "Não sou nenhum franguinho doce, sou o professor Hildebrand".

Nesse ínterim, Wolfgang alcançara maior liberdade de movimento, que a casa espaçosa oferecia ampla oportunidade de praticar. O largo vestíbulo estimulava a imaginação. Um antigo portão de carvalho, com uma aldrava imensa, lembrava a porta de um cárcere e um portão de castelo. A sombria escada em arco, que descia até a cozinha e a adega por sob a sacada de pedra, e na qual as vozes repercutiam misteriosamente lúgubres, podia muito bem conduzir a úmidos calabouços. Um grande relógio gótico atraía o olhar. Era uma festa para as crianças quando o velho relojoeiro coxo, de nariz pontiagudo e grandes óculos de chifre, puxava para cima os pesos reluzentes. Um vão de escada espaçoso atravessava os andares, e era bastante divertido jogar, do patamar mais alto, caroços de cereja nos transeuntes ou, para horror da mãe, deslizar pelo corrimão de madeira. Um prazer supremo era percorrer, pela mão da mãe, a fileira de quartos, usualmente que estavam muito bem fechados aos instintos devastadores das crianças. Gravuras de cobre de obras-primas da Renascença ornamentavam as paredes, sibilas sérias e madonas risonhas saudavam as crianças, e dos armários e rebordos das chaminés as cabeças dos deuses eternos, que na casa paterna despertaram para nova vida em novas alturas olímpicas, olhavam para baixo. Em toda parte dominava o espírito da era goethiana, e não era sem razão que D. Brigitte chamava de sua Bíblia o pequeno volume de versos de Goethe que lhe ornava a mesa de costura.

Sobre a Linguagem

Os Senhores não esperem de mim que, nestas conferências, eu lhes trace um retrato perfeito de nosso tempo. E se esperam de mim algo de novo ficarão desapontados. O que tenho a dizer está nas ruas, e todo mundo o vê, talvez melhor do que eu, com certeza de maneira diferente de mim. No entanto, vale a pena mais uma vez observar fatos conhecidos com os olhos de um estranho, e se daí não resultar outra coisa senão uma intensa controvérsia de opiniões, isso para mim já é suficiente.

Com essas palavras acho-me em meio ao meu tema de hoje. Pois, para trocar opiniões, é preciso falar, e sobre o nosso modo de falar é que desejo conversar um pouco com os Senhores.

Diariamente e a toda hora nos servimos de um instrumento, isto é, da linguagem, e ela se tornou para nós algo tão natural que quase nunca refletimos sobre o que ocorre com essa ferramenta, da mesma maneira que usamos o lenço sem indagar a antiguidade do costume e de sua origem. É isso o que acontece com os objetos cotidianos.

Uma coisa é evidente: a linguagem é o esteio da cultura. É a condição básica da comunicação humana. A linguagem criou as religiões e a arte, construiu as estradas e difundiu o comércio pelo mundo. Na verdade, é o meio de transformar os pensamentos em ato, e, eternamente fecunda, provoca novas idéias. Não se pode imaginar a agricultura sem a linguagem, tanto quanto a filosofia, o conforto da casa, sim, mesmo a casa é erigida por ela, todos os atos, pensamentos e sentimentos, até o amor e o ódio, mesmo Deus e a natureza são dependentes da linguagem. Tudo isso é inteligível por si mesmo. Peço-lhes, porém, que olhem mais uma vez ao seu redor e procurem representar com o olhar e os pensamentos, da maneira mais penetrante possível, tudo o que é linguagem. Gostaria que, pelo menos durante um curto período, se entregassem totalmente à visão dessa maravilha. Quanto mais longe os Senhores deixarem exercer a fantasia, quanto mais rápido ela sobrevoar o mundo, tanto melhor será para o nosso entendimento mútuo.

Agora lhes peço que detenham os olhos sobre o inverso, o efeito da linguagem inibidor de toda cultura, as correntes indissolúveis com que a linguagem amordaça nosso modo de pensar e de agir. É conhecido o ditado: "O homem possui a linguagem para esconder seus pensamentos". A respeito disso, que cada um pense como quiser. No entanto, é coisa totalmente diferente quando a linguagem é, em geral, capaz de expressar os pensamentos. Todos nós sabemos, por experiência própria, que ela não pode fazê-lo, que não consegue representar com justeza os pensamentos mais valiosos e mais profundos. Isso é disposto sabiamente pela natureza, pois o mais profundo e o mais íntimo somente ao homem pertence. O pensamento intrínseco do homem é silencioso, subterrâneo, inconsciente, e a disputa entre a força criadora e essa natureza muda faz parte da vida interior do homem. O interior mudo, no caso, é o humano autêntico, seja ele chamado alma ou espírito ou qualquer outra coisa. É comum a todos, é o geral, é o que caracteriza o ser humano; a força criadora, porém, representa o valor do ser humano. O quanto ele pode comunicar do seu íntimo, tornar eficiente, vivo, e o quanto é valioso o criado dessa maneira, é isso que diferencia grandes e pequenos, que diferencia do povo o poeta, que é, por certo, o maior de todos os mortais. No entanto, mesmo o poeta mais esplendoroso só pode colocar em palavras uma parte mínima do seu pensamento; sua parcela melhor permanece tão muda quanto está em todos, e ele peca quando a divulga. É impudico. Ele se perderia e cessaria de existir como indivíduo se fosse capaz de se entregar totalmente. Aqui, como já se disse, é imposto, por meio da linguagem, um freio que reprime de maneira salutar. Pois é, a natureza tem tanto medo de se manifestar tal como ela é que não permite de modo algum que a vida interior pense em palavras, nem mesmo em palavras mudas. De repente temos aqui algo que ninguém sabe de onde veio. A vida é um abismo de impenetrável escuridão, do qual ascendem formas estranhas. Como borboletas que perdem a beleza assim que o dedo as toca, assim são os pensamentos quando se constituem de palavras. Se algo desse interior tem de ser comunicado, e isso acontece principalmente na relação entre o homem e a mulher, é o gesto, o toque, o brilho do olho, talvez a emissão de um som, talvez até a música, mas nunca a linguagem. As barreiras são insuperáveis.

Eis uma delas: o homem não consegue colocar em palavras a sua maneira de ser, o falar não o capacita nem um pouquinho a dizer a verdade. E, dando um passo além, percebe-se que no ato de falar já está implícito o falseamento da verdade. Falamos de um pedaço de pão, de um copo d'água, de um quadro, de uma estrela, como se fossem coisas que repousassem sobre si mesmas, com limites definidos. Mas isso é errado. Essas coisas não existem como coisas isoladas, tampouco as percebemos como uma coisa única. Quando vemos um copo d'água, enxergamos ao mesmo tempo a mesa sobre a qual ele está, ou a mão que o carrega, o quarto dentro do qual está a mesa, ou o homem a quem pertence essa mão. Ou uma outra representação: o pedaço de pão é um pedaço de pão, sem dúvida. Todo mundo o conhece e designa. Mas deixem-no num lugar qualquer por apenas dois dias. Então, continua sendo para nós um pedaço de pão, mas nesse ínterim ele se modificou, mesmo para os sentidos mais embotados ele se transformou. Está duro e seco, está mofado. Apesar disso, todos nós dizemos: isso é um pedaço de pão que ficou do outro dia. Mas isso também é verdadeiro? Não. Basta tocá-lo ou mordê-lo, para se saber que não é mais o mesmo. Então recorremos a um subterfúgio e dizemos: Ele ficou velho. Ora, o que significa isso, ele ficou velho? Quando ele ficou velho? Hoje? Ontem? Não, ele ficou velho aos poucos. Aos poucos? Quando então começou isso? Pode-se muito bem perguntar dessa maneira, e no final a resposta é: ele nunca começou a ser velho. Ele se transformou continuamente, ininterruptamente, não era o mesmo nem na menor fração de segundo, nem mesmo no momento em que o seguramos na mão, mas ele se transformava continuamente por causa de forças totalmente definidas, que vivem dentro dele e o mantêm em conexão com o todo. Sim, compreendemos imediatamente: o pão só existe como ente individual porque o designamos, porque o tiramos do contexto de modo totalmente arbitrário e falso, porque falamos dele.

Estamos aqui diante de um fato: cada palavra da nossa linguagem, seja ela vocalizada ou construída silenciosamente no cérebro, é uma mentira que violenta os fatos, que nos leva a contemplar o mundo de maneira errada e a pensar de modo errado. Pois, assim como acontece com o pão, ocorre com a água, que não pára um só momento de evaporar, torna-se mais fria ou mais quente, nela cai poeira continuamente, e a luz e as correntes da eletricidade. Separamos uma gota e a colocamos sob o microscópio, e perguntamos admirados: É isso a mesma água, a água que bebo? Lá dentro aparecem milhares e milhares de animais que lutam entre si, amam, respiram, se alimentam, morrem e nascem. Ou um quadro. Estamos na frente dele e o olhamos. Como parece escuro! Isto o pintor fez mal, todo confuso, todo borrado e sem vida. Aqui uma linha dura demais, lá uma porção de carne informe. E então da janela desce um raio de luz sobre o quadro. É o mesmo quadro. Mas o que aconteceu com ele? De repente ele é outro, resplandecente, cheio de cores; a arte se nos apresenta triunfante. Um pouco de sol nos prova que o quadro não existia por si, que ele está em conexão com o mundo, que a nossa linguagem é que nos pregou uma mentira. Ou a estrela. Vemo-la brilhar lá em cima no céu. Mas sabemos muito bem que ela se transforma continuamente. Milhões de anos antes era uma nebulosa, daqui a milhões de anos estará dissolvida. Sim, talvez nesse momento já não seja mais um astro luminoso, vemos agora apenas a luz que partiu dela há milhares de anos, quando ainda existia, quando ainda era incandescente.

A linguagem mente, ela tem de mentir, isso é da sua natureza humana. E todos compreendem a resposta com que Cristo assentia ao romano: a verdade não está no céu nem na terra, também não está entre o céu e a terra. É da índole da linguagem ser imprecisa, adulterar, sim, é da natureza do ser humano. Do mesmo modo, porém, é da natureza do ser humano tornar-se mais verdadeiro, e quanto mais elevada for a sua constituição, tanto mais ele deve retificar essa imprecisão do falar. Isto se aplica sobretudo ao falar silencioso, ao falar consigo mesmo, ao pensar. Entre nós alemães viveu um homem que, sendo modelar em tudo, também reconheceu isso e o assinalou claramente: Goethe. Uma frase que ele sempre repetiu e repetiu, oralmente e por escrito, e segundo a qual ele, que é talvez o único entre todos os homens que procurou viver conscientemente, diz: Deve-se considerar cada coisa como parte de um todo. Observem o todo na parte, e a parte no todo. – São esses os caminhos da pesquisa. O objeto que está à sua frente, segurem-no firme, olhem-no e apalpem-no de todos os lados, contemplem-no como um todo, mas, quando fizerem isso, lembrem-se de que esse todo aparente é apenas uma parte, um membro subalterno. Se quiserem examinar um braço, não se preocupem com o fato de ele estar ligado a um corpo, tentem percebê-lo e compreendê-lo como um ente. Mas depois lembrem-se de que este braço nada é sem a pessoa a quem ele pertence, e que essa pessoa é uma parte de seus pais, e que estes pais são compostos da carne dos animais e dos frutos da mata, e que o raio de sol desperta os frutos e aquece os animais, e que o sol gira nos mundos ao redor de outros sóis e recebe o seu existir de outros astros.

Ora, os Senhores dirão, essas são histórias conhecidas, isso todo mundo sabe, e para isso não é necessário chamar o velho Goethe. Todos nós sabemos disso. Sim, sabemos disso. Mas não vivemos de acordo com isso. E viver de acordo com isso é exatamente a meta, a meta inalcançável e, no entanto, tão necessária. Ninguém é capaz de sentir todo objeto como parte, sentir a si mesmo como parte. E, no entanto, é esse o caminho que conduz à verdade, o único caminho, o caminho que devemos tomar, o caminho que iremos tomar. Fácil ele não é. Pois quem de nós, nesse momento, ao observar por acaso uma xícara ou a toalha de mesa ou o vizinho ou a mim mesmo, quem vê nessa xícara, nessa toalha, nesse homem o todo do mundo? Ninguém. Ninguém nem mesmo o tenta. E ainda assim é preciso. E, todavia, essa tentativa transformará o mundo todo, o mundo interior, a religião e a ciência. E Goethe tentou isso.

É estranho o que aconteceu com a fama de Goethe como pesquisador. A ciência do seu tempo o rejeitou por ser um diletante, até um diletante importuno, e por mais de meio século seus escritos de ciência natural foram postos de lado por absurdos. Depois tornou-se moda exaltá-lo como precursor de Darwin; no entanto, ele está muito abaixo do mestre inglês. Mas pouco a pouco se percebe que ele era um tanto diferente de um precursor apenas, e tem-se despertada a compreensão para as palavras do fisiólogo Müller, que na década de 30, sob o escárnio de todo o mundo, ousou dizer: Goethe foi maior como pesquisador da natureza do que como poeta. É, agora já podemos suspeitar do que os séculos vindouros irão dizer dele com toda a razão: foi um dos maiores pesquisadores de todos os tempos. Mostrou à ciência um novo caminho, exatamente aquele que vê a parte no todo, que compreende o todo aparente como símbolo do universo, que vê simbolicamente o mundo inteiro numa flor, num animal, num seixo, no olho humano, no sol, que repensa construtivamente o mundo a partir desta flor, deste seixo, isto é, cria de novo, investiga as coisas sem as decompor, mas as vê na totalidade. Ele mostrou à ciência este caminho, que, na pesquisa até agora totalmente não-experimentada e desconhecida, irá produzir resultados insuspeitados, assim como ela já agora, quando mal encetou o caminho, converte contos de fada em verdade, confirma, na teoria das irradiações, as velhas lendas hindus da luz variegada que emana dos seres, realiza na transformação dos metais em outros metais o sonho dos alquimistas e garimpeiros de ouro. Goethe indicou novos caminhos à vida. A antiga concepção de mundo que via no homem o remate da criação desaparecerá e surgirá uma nova vida com nova religião. Aquilo que agora chamamos cristianismo, a doutrina do pecado do homem e da salvação, desaparecerá. Isso porque o homem não é nada em si mesmo, ele existe apenas como parte dependente.

Os Senhores dirão novamente que tudo, ver o todo na parte, reconhecer que o homem não é nada, tudo isso milhares de pessoas já ensinaram antes de Goethe, e no entanto o mundo continuou seu caminho tranqüilamente. A sabedoria goethiana é muito antiga, mais antiga que as muralhas assírias. Certamente. Milhares pensaram isso antes dele, mas nenhum tentou transformar esse pensamento em ação, nenhum tentou deixá-lo acontecer, viver de acordo com ele. E agora escolham alguma coisa da vida de Goethe, um dia qualquer, uma palavra qualquer, um poema ou uma intuição qualquer. Em todo lugar, os Senhores irão encontrar a tentativa de fazer que o todo apareça na parte, de apresentar o todo aparente como uma parte. Ele jamais esqueceu que se achava no meio de um mundo, reagindo sobre ele como criação deste mundo. Em todo lugar onde ele se manifesta e oferece o seu interior mais íntimo, encontra-se esta expressão: seja objetivo. Poder-se-ia acreditar muitas vezes, ao topar nele sempre e sempre com esta expressão que caracteriza o grau máximo de auto-renúncia, que ele se assemelhasse aos pensadores hindus, que procuram a meta da objetivação, da abstração de si mesmos, da desumanização. Mas o hindu tenta sair fora do mundo para alcançar sua meta; Goethe, porém, se precipitou no mundo, na vida plena e tentou objetivá-la, ele, não abdicando absolutamente do mundo, mas cheio de vida, talvez o homem mais cheio de vida de todos os tempos.

Não se admirem de que eu tente falar com tanta insistência. Eu me propus apresentar as correntes da época moderna, e, nesse caso, a primeira palavra cabe a esse homem em quem se personifica o anseio da era moderna por objetivação, por uma nova concepção de mundo que não considera o homem Deus, em quem se personifica a religião futura. Pois é certo que ela virá e não será em tempos muito distantes.

Naturalmente, não quero afirmar que Goethe era um homem objetivo. Isso é totalmente impossível; todo homem é subjetivo, ninguém pode abstrair-se de si mesmo, mas dever-se-ia tentá-lo. E quem o tenta, mesmo que por um momento apenas, percebe imediatamente como isso é infinitamente difícil, como uma tentativa dessas é bem capaz de purificar o homem em mil chamas e transformá-lo no seu íntimo mais interior. Pois não só a arrogância do homem, criada artificialmente, com a sua crença em imortalidade e salvação eterna, contradiz este anseio, mas também todos os nossos hábitos, todo o nosso modo de pensar e sentir, toda a nossa vida, sobretudo a nossa linguagem.

E assim estou de retorno à minha frase: a linguagem inibe a cultura. Lembrem-se apenas que a linguagem possui uma palavra que diz eu, uma palavra que sempre ecoa em toda parte e que penetra e domina toda a nossa vida. E agora tentem compreender o que é porventura um eu. Tentem compreender esse eu, separá-lo, percebê-lo isoladamente. Os Senhores verão que é impossível. Não existe nenhum eu, é uma mentira, uma desfiguração quando se diz: eu penso, eu vivo. Dever-se-ia dizer: isso pensa, isso vive. "Isso" quer dizer o grande mistério do mundo. Não existe um eu. A ciência há muito o provou, mesmo às almas pedantes, desde que ela soube que esse eu é composto de milhões de eus menores; sim, cada dia produz uma nova prova científica do fato de o sangue que circula em nós ser um ente tão autônomo quanto o eu no qual ele circula, e de que o homem é tão dependente e tão indissolúvel do todo quanto o sangue o é do homem. A ciência prova diariamente ainda que cada órgão, o cérebro, o coração, cada glândula do corpo, cada célula é uma coisa com vontade própria e inteligência própria, mas que não passa de uma parte que é causada pelo todo e que atua sobre o todo. Tudo flui. Com toda a certeza não existe um eu. É um erro da linguagem e lamentavelmente um erro fatal. Porque ninguém é capaz de libertar-se dessa palavra "eu". Encontramo-nos então diante de um mistério profundo da natureza que não se pode explicar. A consciência de ser um indivíduo, um eu, é a original, totalmente aderida ao ser humano. Que a razão, a ciência, a religião provem de modo irrefutável que é uma ilusão que o ser humano prefira deixar tirar-lhe a pele e continuar sobrevivendo esfolado a jamais cessar de sentir-se como todo, como individualidade, como eu. Isso faz parte da natureza do ser humano, é uma característica dele, do mesmo modo que a forma redonda de sua cabeça ou a configuração de sua mão. E todos sabemos também que na autoconsciência reside uma grande força do ser humano, pode-se até dizer que, no esforço de se provar diante do mundo, na luta para valorizar a individualidade está imerso todo o conteúdo da vida. Quanto mais fortemente o ser humano se destacar do mundo que o rodeia, tanto mais ele realizará; quanto mais alto ele elevar esse eu-mesmo, alçá-lo acima dos outros, tanto mais poderoso ele será, tanto mais força exercerá também sobre outros.

Mas então acontece com a consciência do eu esse impulso natural, o mesmo que ocorre com todos os impulsos da alma humana. Igual ao que se faz com um ramo que brota da planta, deve-se contê-lo, podá-lo, do contrário ele destruirá a justa proporção do ser humano. Assim, a sede de felicidade é a força mais interna da alma feminina; e a causa mais profunda do sofrimento da mulher é ela não saber dominar essa sede de felicidade. Assim, o instinto de autoconservação constitui a proteção e defesa da vida, mas, desgovernado, ele degenera em medo. A força do instinto é enorme, é elementar, e promovê-la artificialmente significa aniquilar o todo em favor da parte, um julgamento sério, que nos esclarece sobre os erros de nossa educação e nos avisa do perigo ameaçador. A vida se defende também desse perigo, e não menos da sua ferramenta: a linguagem. Ao lado da sede de felicidade ela coloca a histeria; as palavras glutão, devasso, bêbado, covarde estigmatizam aquele que obedece cegamente às forças naturais. Honra, obediência, diligência, espírito de sacrifício, cada uma dessas palavras significa um freio que foi imposto aos elementos indomados. Também se tentou milhares de vezes refrear a consciência do eu; egocentrismo e egoísmo são palavras duras de crítica à linguagem. Mas quão pouco elas podem contra a palavra eu. Elas esvoaçam à sua frente, a alma do homem está saciada da consciência de sua personalidade, de sua fé em si mesma e de sua importância. Todo ser humano se julga o centro do mundo. Isso faz parte da sua natureza. A humanidade também está consciente dessa mentira, das mais perniciosas da linguagem. A abnegação é considerada, provavelmente em toda parte, a mais alta virtude, ela é cultivada sempre que o homem quer aperfeiçoar-se.

Nos dois ápices da religião, no cristianismo e de modo mais acentuado no budismo, a abnegação, a renúncia ao próprio eu, é proposta como meta de todo esforço. De fato, o budismo, que considero justamente a concepção mais abrangente – ele não se detém no ser humano, mas se estende também aos animais –, o budismo, digo, ou pelo menos suas idéias básicas ganham um espaço cada vez maior na alma do europeu. Mas para a nossa época o decisivo ainda é o cristianismo, e precisamente o dogma, tal como se vem desenvolvendo pouco a pouco no espírito invejoso do homem oprimido, o dogma da imortalidade do eu e da recompensa divina e do castigo eterno a que este eu está sujeito. Trata-se de uma teoria funesta. Essa teoria não reprime de modo algum os impulsos elementares do eu, mas permite que cresçam até se tornarem um poder terrível, sim, ela, como se tem razão de temer, roeu a força mais interna das nações européias. Devo talvez retornar a isso em outro contexto, uma vez que a idéia da posição central do ser humano com suas concepções de um Deus que só pensa no bem-estar do ser humano, a idéia da dominação do mundo pelo ser humano, do sacrifício de Deus em favor do ser humano, uma vez que tudo isso, na verdade, é ainda e sempre o eixo dos acontecimentos e do pensamento. No momento, essas poucas palavras que acabo de proferir são suficientes para caracterizar a minha posição perante essas questões, a minha posição de desprezo frente à arrogância do eu humano elevada à loucura.

Apenas desejo chamar a atenção para um fato. Uma das diferenças fundamentais entre o moderno e o antigo é a posição da religião em face da natureza. O grego via Deus em toda parte. Para ele a natureza era uma coisa venerável, algo que despertava terror. Nós, modernos, com a nossa falta de escrúpulos nua e crua, não conseguimos compreender por que o grego dos bons tempos observava hábitos tão estranhos quando cortava uma árvore ou caçava um animal. Rimos do medo supersticioso. Infelizmente, junto com o medo, perdemos também o temor sagrado. Não temos para com a natureza outra relação a não ser a do explorador para com o explorado. Pois o sentimento natural que nutrimos é um sentimento de luxo do esteta instruído, também não é nenhum sentimento sagrado de temor, mas um considerar e apalpar impertinente, que é regido pela frase. Para nós a natureza deixou de ser divina. A isso devemos, aliás, todos os nossos progressos na técnica, na civilização, mas, em troca, perdemos em cultura, em valor interior da alma. O homem da Antiguidade não pretendia ser o centro do universo, o dono da terra, oh! não, antes ao contrário. E observem agora o fato estranho de as línguas antigas expressarem o eu apenas pela terminação do verbo. Para nós, o eu da linguagem se transformou num obstáculo de difícil superação quando se quer reconhecer a insignificância do indivíduo homem e impregnar vida, religião e poesia do sagrado temor da natureza. Aquele que observa escrupulosamente a Europa moderna fica assustado diante da nossa falta de cultura, por mais elevado que possa ser o refinamento da civilização. Mas o único período que se pode chamar de princípio da cultura, o Renascimento, se originou num povo que sempre perseverou no costume dos antigos, num povo para o qual a palavra eu, *io*, é quase desconhecida. E mesmo atualmente ainda se encontra, neste povo morto e quase totalmente degenerado, uma relação com a natureza que a nós, alemães, pode parecer tosca, bárbara, desprezível, mas que, ainda assim, revela o deus-natureza.

Volto a empregar a expressão de Goethe: deus-natureza. É de propósito que volto a falar desse homem. Pois a nossa relação com a natureza começa a modificar-se. Um novo mundo se abre diante de nós, um mundo do qual pode provir uma cultura, no qual o deus-natureza encontrará respeito, esse sentimento que mal conhecemos pelo nome. Se alguma coisa pode reconciliar com a vida, que na sua pressa e cobiça sufoca a respiração, é a visão dessa corrente imperceptível de dedicação respeitosa ao deus-natureza.

No entanto, não se deve certamente subestimar os obstáculos, as rochas, desertos de areia e pântanos que obstruem a corrente. Não se deve subestimar sobretudo a força da herança lingüística. Não é apenas a mentira "eu" que nos detém. Eu já disse, essa mentira é da natureza do ser humano. É impossível dominá-la totalmente, também não é preciso fazê-lo. Pois o que pertence humanamente ao ser humano é justificado e merece respeito. Mas a nós nos legaram palavras que são claras mentiras da ignorância, que sabemos ser mentiras, e que, no entanto, estão tão firmemente arraigadas na linguagem, que não podemos passar sem elas, e que nós mesmos nos surpreendemos quando percebemos casualmente que são mentiras. Pensem na palavra "céu". Quanto de valores de cultura, de vigor e de vida não está ligado a essa palavra tão mentirosa? Gravada na alma da criança, ela permanece inarraigável dentro do nosso interior mais profundo, para jamais ser destruída, fazendo brotar sempre e sempre ervas daninhas. Ou a palavra "alma", uma palavra que dilacera o ser humano em duas partes, uma herança terrível, uma maldição da nossa vida que se alastra cada vez mais. Eu mal poderia imaginar um feito maior do que escrever a história desta palavra "alma". É impossível, sei disso muito bem. Pois, assim como ninguém é capaz de ver os seus próprios olhos, também ninguém pode definir esta palavra "alma". Mas podemos muito bem dizer: a fé na alma, ou seja, a fé em algo que existe quando muito na imaginação, essa fé é a base sobre a qual se constrói toda a vida moderna. Os antigos pensavam de modo diferente. Os asiáticos pensam de modo diferente. Mas é em vão que nos esforçaremos para sacudir de nossa existência essa tolice. Pois a linguagem a consolidou para toda a eternidade da nossa existência.

* * *

Os Senhores querem outros exemplos? Tomem então a palavra "átomo" sobre a qual repousa a nossa ciência. Certamente, é uma mentira, certamente é uma tolice que quase nem dá para imaginar; pois, de que maneira alguma coisa poderia ser indivisível? Ou, então, a palavra "vida". Algo vive. Sim, e no caso sabemos que não existe outra coisa senão o ser vivo, que a pedra é tão viva quanto o pássaro que nela pousa. Falamos da morte e a tememos, mas sabemos que a morte não existe. Falamos de cinco sentidos, mas há muito sabemos que existem mais alguns. Falamos de povos estabelecidos, mas vemos que os europeus são um povo nômade. Chamamo-nos alemães e a nossos vizinhos, austríacos, suíços ou holandeses, no entanto falamos a mesma língua, provimos do mesmo tronco, somos primos e irmãos. Pode-se prever desde já os trágicos resultados que terá essa tolice ridícula de somente nós nos considerarmos alemães. E o que dizer de um nome como russo ou belga? O nosso pouco entendimento do que se passa realmente no império dos czares deve-se, em grande parte, ao fato de nós, seduzidos pela linguagem, imaginarmos os russos como um povo homogêneo. Entretanto, oferecem um quadro muito mais variegado que o Império Romano de Augusto, um verdadeiro caos de raças e povos, um emaranhado babilônico de idiomas.

Os Senhores talvez se surpreendam com o que representam para as correntes do tempo moderno essas discussões áridas e bastante contestáveis sobre a linguagem. No entanto, tenho procurado dessa maneira construir uma base sobre a qual talvez se possa continuar trabalhando. Já expressei a minha convicção de que nos achamos no início de uma cultura autêntica, diante de uma tentativa de restaurar a harmonia, interrompida há milênios, entre o homem e a natureza. Mil sinais indicam que isso está acontecendo. Apenas é necessário perguntar se a Europa ainda possui força suficiente para desenvolver os embriões que estão surgindo. Certamente não pretendo responder a essa questão, que isso ainda não é possível, mas examiná-la já oferece interesse suficiente para as nossas reuniões. E se se quiser examiná-la deve-se, em primeiro lugar, provar a ferramenta com que deve ser construída esta nova era, isto é, como já salientei no começo, a linguagem. O espírito das línguas é um dos sinais que revelam a direção da corrente, quase o mais seguro. Infelizmente, não revela muita coisa de bom para a possibilidade de uma alta evolução cultural na Europa. Devo fazê-los passear um pouco mais por esse labirinto de palavras, para que fique claro o que quero dizer. E não me censurem por ter escolhido para isso o idioma alemão. Até onde alcançam os meus conhecimentos de idiomas estrangeiros, neles acontece a mesma coisa.

Mencionei anteriormente a palavra "alemão". Não é curioso que o polonês Kantorowicz seja considerado alemão, enquanto Gottfried Keller ou Karl Spitteler ou Böcklin sejam chamados de suíços? Isto é no mínimo uma coisa imprecisa. Kantorowicz é e continua sendo polonês e quando muito é súdito do império alemão, mas nunca alemão; Keller é alemão dos pés à cabeça e, incidentalmente, cidadão da Suíça. Usar Alemanha e Império Alemão como sinônimos é um grave erro de linguagem, que certamente no correr dos tempos ocasionará erros no modo de pensar e de agir. A incúria da fala abre aqui um abismo artificial, que com o tempo será difícil transpor.

Neste caso particular, a linguagem é descuidada. E nos ocorre igualmente que existem milhares de casos idênticos. Falamos que o sol nasce e que a lua nasce. No entanto, isso é mera tolice. São dois acontecimentos opostos. De fato, a lua nasce, pois ela gira ao redor da terra. Mas o sol está parado, e nós é que giramos em torno dele. Somente uma linguagem descuidada pode designar da mesma maneira dois acontecimentos tão diferentes. Por isso, não é de estranhar que a descoberta de Copérnico ainda não tenha penetrado na cabeça dos homens. Recentemente, chamou-me a atenção o fato de ter eu dito a um conhecido que fui* de Dortmund a Amsterdam. É uma grande tolice. Na minha vida inteira nunca andei tanto. Ou um doente me conta que teve uma noite horrível, e sabe-se depois que ficou apenas uma hora sem dormir. É lamentável se nos assustamos com isso. Horror e medo, que raça medrosa deve ser esta, se quisermos dar crédito à linguagem. Hoje em dia, o homem se diverte terrivelmente, ele acha um vestido novo tremendamente lindo.

Não sabemos mais o que significa a palavra, nossa linguagem não pensa mais. Querido amigo, me diz alguém, uma dupla mentira e difamação dos mais elevados conceitos, o amor e a amizade. O homem não me ama, nem sou seu amigo, ele até usa as palavras com escárnio. O nosso coração poderia partir-se se se pensasse quanto abuso irrefletido se comete com a palavra "amor". Conto à minha mulher que vi o sr. Müller conversar com a sra. Schulze. Absurdo, nenhum dos dois conversou, conversar é coisa totalmente diferente de falar**. Pois é, em quase toda palavra tenho de dizer a mim mesmo: Pare, você só está dizendo coisas idiotas. Tantas são as frases que construí hoje à noite quantas as inadvertências que se revelam. E acontece o mesmo em todo lugar e com todas as pessoas. Tentem uma única vez, prestem atenção no que o outro, ou no que os Senhores mesmos dizem: em cada três palavras há um erro de pensamento. Ou peguem algo impresso, não um jornal, nele está tudo errado, não, a obra de algum grande escritor, talvez Keller, ou mesmo Goethe, para não mencionar Nietzsche, o artista da palavra. Os Senhores irão simplesmente rir de tantas bobagens que se encontram já na primeira página. Isto é um indício crítico da nossa capacidade de evolução. Quando uma linguagem se tornou totalmente irreflexiva, quando as palavras

* No alemão: *Ich sei gegangen*, fui, caminhei, andei. (N. da T.)
** No alemão: *reden*, traduzido aqui por conversar, e *sprechen*, falar. (N. da T.)

não exprimem mais o que significam, é difícil esperar um futuro. Isso é o balbucio infantil da senilidade. Não conseguimos mais distinguir com nitidez o significado das palavras, elas se confundem entre si, já não contêm seiva nem força.

Esse envelhecer se traduz também numa outra particularidade da nossa fala. Exageramos nas expressões. Como as palavras são ocas, não têm mais ressonância, a frase é que deve soar. Prestem atenção mais uma vez na quantidade de superlativos que se empregam na nossa fala. Quantas vezes nos aconteceu experimentarmos a coisa mais bela! Quantas vezes temos achado algo monumentalmente idiota! Quantos milhares de vezes temos achado algum mísero talento ou uma morte invejável. Que diabo, uma linguagem honesta não deveria achar nada invejável. E quanta coisa não é maravilhosa! E ao mesmo tempo não acreditamos em maravilhas, infelizmente, infelizmente. Porque estamos cercados de maravilhas.

Tudo isso é ruim, e o pior é que justamente os sentimentos e forças mais valiosos dos homens têm sido depreciados pela linguagem. Já falei de amor e amizade; voltemos porém à maravilha. Admiramos uma bela mulher, uma vista magnífica, uma pintura insuperável, uma mesa festivamente arrumada, um champanhe gelado e um tapete de couro. Isto atingiu um ponto tal que já nada mais podemos admirar. Todos nós estamos tão desencantados e presunçosos que já não somos capazes de admirar, embora pudéssemos aprendê-lo com cada folha de grama e com cada pulga. Esse atributo do homem, o mais bonito, poder admirar, já não o possuímos. Apenas o imaginamos. Na realidade, estamos totalmente impregnados da falsa sabedoria do *nil admirari*, do nada admirar. Ainda não chegamos tão longe quanto o inglês com seu *very fine indeed* ou quanto o italiano com o *bellissimo*, o *stupendo*. Mas devemos confessar-nos que um idioma que procede dessa maneira com os conceitos é infantil, é senil. Não temos mais sentimentos verdadeiros, juvenis, e por isso temos de nos embriagar artificialmente com palavras. É óbvio aonde isso nos vai levar. Em primeiro lugar, ao modo errado de pensar, pouco a pouco a ver e ouvir de forma errada. Convençam-se de uma coisa: poucas pessoas sabem ver e ouvir, muitas não sabem distinguir entre redondo e quadrado mesmo que se esforcem, muitas aplaudem uma música ruim só porque ela exagera, muitas compram uma obra de arte ruim só porque ela é exagerada, assim como muitas acreditam que um homem mau é bom só porque tem uma boa prosa. É preciso ter uma fé muito grande para ainda esperar muita coisa do futuro.

A palavra isolada não tem valor. Infelizmente, as coisas não param por aí. Todo dialeto regional o é também, sim, todo mundo se esforça por destruí-lo completamente, o Estado à frente e os eruditos atrás. De vez em quando nos ocorre cometermos um sacrilégio quando privamos o povo de sua individualidade, e, apesar disso, continuamos a nos entusiasmar com as escolas primárias e a educação uniforme de todas as camadas. Observa-se aí uma corrente do tempo, e uma que leva realmente ao fim, ao apagar das diferenças, da hierarquia sobre a qual descansa, senão o mundo, pelo menos certamente a cultura. É realmente um espetáculo triste. Assim como as roupas sóbrias da nossa época expulsam gradativamente o traje regional, de maneira que apenas alguns pobres visionários ousam tentar mantê-lo vivo, acontece o mesmo com a linguagem do povo, de forma mais lenta porém igualmente segura, e é possível calcular o tempo em que será falado em todo lugar o alemão falado na Câmara saxã, aguado e purificado de todos os pensamentos, que Lutero ainda usava; pois aqueles poucos e bons talentos e poetas realmente não irão detê-lo, quando o comércio e especialmente a escola difundirem o alemão escrito.

A escola, a educação, sobretudo nossas mães. Não se contentam mais em apenas destruir o dialeto, esforçam-se por destruir a própria língua materna, naturalmente com toda a inocência, com toda a idiota inocência. O que há de melhor, segundo preceitos modernos, do que falar línguas estrangeiras? Ora, já é difícil para o alemão expressar seus pensamentos de maneira mais ou menos precisa em alemão. Ele jamais o consegue numa língua estranha. Na língua estranha ele fala de uma maneira ainda mais imprecisa do que na sua própria, muitas vezes o uso da palavra não corresponde exatamente à idéia que se tem. Se, quando falamos inglês, não nos ocorre uma certa expressão, empregamos uma outra, sem hesitar, e com uma certeza tanto maior quanto mais fluentemente falamos. Num caso isolado, isso não tem importância. É tão raro nossa gente culta expressar algum pensamento próprio que no final não é importante se repetem idéias precitadas em alemão, em inglês ou em francês. Contudo, quanto mais comum se torna falar em línguas estrangeiras, tanto maior é o perigo de que a negligência atinja também alguns círculos que ainda possuem uma consciência intelectual, sobretudo de que o homem que pensa esteja sendo induzido ao desleixo em palavra e pensamento. Mesmo agora não é de bom-tom que a pessoa que se preze fale inglês ou francês sem fluência; mas falar correntemente é tanto mais difícil quanto mais se costuma pensar. O fato é conhecido. Goethe, embora se tenha esforçado desde a mais tenra infância a aprender algo, nunca conseguiu mais do que manter uma conversação em francês ou em italiano com dificuldade, sem falar do inglês, e Nietzsche não conseguiu nem isso, apesar de ter vivido muitos anos na Itália e na França. Pessoas assim seriam, portanto, nas nossas circunstâncias, obrigadas a improvisar para não parecerem ridículas. E apesar disso sou da opinião de que um único erro de Goethe ou de Nietzsche contra a sua consciência intelectual ocasionaria dano maior do que a vantagem que obtêm as nossas mocinhas quando podem conversar também com um galanteador estrangeiro. Afirma-se que a falta de pensar não é da natureza da mulher, mas apenas a conseqüência da sua servidão intelectual. Se isso for verdade, então a aprendizagem de idiomas estrangeiros é um meio mais seguro de continuar mantendo as mulheres em sua esfera de servidão intelectual. A nós homens isso por certo nos convém. Toda palavra impensada estimula em nós idéias e atos, desde que amemos a boca que a profere.

Eu poderia reforçar ainda mais as minhas dúvidas quanto à probabilidade de uma elevação da cultura, citando mais alguns traços dos costumes lingüísticos modernos, mas prefiro dar uma olhada para ver se não existe nada de reconfortante nesses costumes. Ocorrem-me então duas coisas. Uma posso relacionar com o que foi dito acima: é o esforço de inventar um idioma mundial e torná-lo acessível ao uso geral. Nota-se imediatamente que, para nossa formação mental, gostaria até de dizer, para nossa moral, seria muito mais vantajoso se tivéssemos de aprender apenas um idioma estrangeiro, principalmente um que não possuísse tantos matizes quanto as nossas línguas modernas. Tornar-se-ia menos difícil dizer a verdade. Infelizmente, a isso opõe-se o poder mais formidável que a época moderna conhece: a vaidade da mulher. Como ela pretende provar que é intelectualmente igual a nós, certamente não irá desistir do único campo em que, sem dúvida, nos é superior – o tagarelar em línguas estrangeiras – em favor da exatidão intelectual, da verdade.

O outro fato que desejo mencionar e que me enche de esperança é o emprego de estrangeirismos. Uma língua que, como o alemão, é capaz de digerir grande número de palavras estrangeiras e de apropriar-se delas de maneira a torná-las alemãs, não pode ser chamada de senil. Não compartilho absolutamente da moderna aversão aos estrangeirismos em si. O excesso é que é ruim, mas fico contente com cada palavra estrangeira que o idioma realmente ganha. E não posso visualizar por que *Mikroskop* ou *Nation* não devam ser consideradas bom alemão. A comparação com décadas ou séculos passados é, no caso, muito instrutiva. Uma palavra que em Goethe soa estranha não é injuriosa se for usada pelo homem moderno. E se considerarmos que espécie de alemão era falado antes e depois de Goethe, um alemão entremeado de sons franceses e intercalado de frases francesas – deve ter soado mais ou menos como o moderno alsaciano – é possível dizer que progredimos muito nesse particular.

Nisso e em outra coisa. Quem já presenciou e acompanhou o desenvolvimento da literatura nos últimos trinta anos deve admitir que, desde alguns anos, os escritores, pelo menos os melhores, vêm-se tornando mais escrupulosos em sua linguagem. E agora observe-se que com esse escrúpulo maior no uso da palavra produziu-se, por assim dizer automaticamente, uma crescente agudeza no modo de pensar, um maior cuidado na composição, na idéia e na escolha do assunto pelos escritores e artistas. Esse desenvolvimento da arte e suas causas merece um aprofundamento numa conferência especial.

Se me permitirem colocar minha prolixa conversa numa fórmula resumida, que seria então uma espécie de convicção, ela soaria mais ou menos assim: Somos bárbaros, mas temos diante de nós a possibilidade de uma cultura genuína. Sem dúvida, a linguagem, a alavanca mais importante para a sua promoção, falha quase que totalmente. Talvez seja possível indicar mais tarde outros meios que sejam mais úteis em espírito e verdade.

Caráter e Tipo

O mundo é redondo, e eu sou o seu centro, isso é o começo e o fim de todo ser humano; o fato de ele mesmo se sentir a coisa mais importante é o dom que foi dado ao ser humano pela natureza e do qual ele nunca pode desfazer-se completamente. Mas a vida, na medida em que constitui uma aspiração, significa a luta contra esse dom. Assim como o ser humano, com seus sentidos e pensamentos, deve estender a um mundo os estreitos limites do corpo que ele é; assim como deve perceber o que existe além dele e deve apropriar-se com suas próprias forças daquilo que percebeu, do mesmo modo ele, obrigado por sua natureza nobre, tem de lutar ininterruptamente por um objetivo que é dominar sua tendência inata à arrogância e convencer-se de que é uma parte do mundo e não o seu senhor.

Quem acredita na fala dos homens ou mesmo na sua própria julga talvez que existem também aqueles que sempre possuem a consciência de senhores. Mas isso é um erro. Todo mundo sabe que é uma parte do mundo, e não o seu senhor, mas seu instrumento e sua criatura, e se alguém esquece isso a vida sempre está pronta a lembrar-lho. Pois em todos bate um coração que eles não podem dominar com sua vontade, que obedece à natureza, os seus pulmões se expandem e se estreitam sem consultar a pobre coisa a que chamamos vontade, eles obedecem apenas à natureza. O sono ataca o mais forte qual senhor dos homens, e a fome e a sede subjugam tanto o poderoso quanto o fraco. Para cada um chega a hora em que se sente fraco; e deste sentimento de fraqueza, de dependência, nasceram a fé e a superstição, nasceram templos e igrejas, nasceu a veneração a Deus e o próprio Deus. É uma raiz do criar, do sentir e do pensar humanos, a obscura consciência da fraqueza, e o medo envergonhado que, na verdade, é um grande criador.

Na mesma profundidade está a outra raiz, que envia seiva e força para a vida humana. É o sentimento de estar integrado com a natureza, de não ser seu escravo, nem seu instrumento, mas de estar integrado nela, indissoluvelmente fundido, poderoso como ela, divino como ela, eterno como ela. Rememorem a sua vida. Houve momentos nela em que os Senhores estavam calmos, calmos e límpidos como o azul do céu, houve momentos em que os Senhores estiveram integrados na natureza, em que tudo nos Senhores e dentro dos Senhores estava em harmonia, em que a quimera da música das esferas lhes parecia uma verdade. Na vida de todo ser humano chega um momento desses, da calma mais profunda, da união com o deus-natureza. Por isso, a infância nos parece o paraíso, porque a criança se sente integrada no mundo, porque o cachorro ou a boneca de trapo ou o regato à beira da rua ainda são seus amigos, tão amigos quanto a mãe ou o companheiro de jogo, tão amigos quanto o homem. E a mulher certamente vive essa hora mais uma vez quando, com o sorriso inimitável que só nela se pode ver, saúda seu filho recém-nascido; e o homem a vive quando domina sua fêmea ou um cavalo selvagem ou uma tarefa ou uma idéia. Somente alguns poucos sabem o que significa esta calma, que está acima da alegria e da dor e que a morte não assusta e nem ouro nem amor atrai, este abrir-se do céu, sem desejo nem medo. É o integrar-se com o deus-natureza, a consciência de pertencer ao universo criador, o confundir-se e dissolver-se da personalidade do homem, do eu no deus-natureza.

E de repente nos ocorre uma coisa: não são assim tão raros esses momentos. Certamente não os experimentamos no azáfama do dia-a-dia, porque não nos proporcionam ganho; não estão à venda, também não podem ser vistos no teatro, ou na mulher que se deseja, ou no homem que se ama. Eles chegam de repente, inesperadamente, talvez junto com o crepúsculo ou no chilrear dos pássaros, ou quando o sono nos foge. Talvez também quando estamos deitados na verde relva em meio à floresta e os grilos saltitam ao nosso redor e no silêncio do meio-dia o mundo começa a zumbir com a vida; diante de uma bétula que, nova, ostenta seu verdor na floresta hibernal e nos ramos carrega a geada; diante da janela, na qual o gelo desenha folhas e leques de feto. Talvez seja também o grito de júbilo de uma criança desconhecida, ou o andar de uma moça, ou a força de um homem que nunca vimos antes e provavelmente nunca mais iremos ver. Ou no caso do mar. Vemo-lo durante semanas e meses e o navegamos, admiramo-lo, aclamamo-lo, mas não o conhecemos. E então de repente o sentimos, apenas por um segundo: é isto, é isto o mar. Salve, amigo! O mar subjuga toda altivez, o mar dá calma a todos. Das suas águas emergiu a beleza, suas ondas murmuram o cântico de humanidade da *Odisséia*.

Rememoramos tudo isso e sacudimos a cabeça, admirados. A vida é rica, e eu não o sabia. O mundo é tão belo, e eu não lhe dava atenção. Por que será? Por quê? Então se faz sentir a saudade, o coração se intumesce, e, fortes, nos lançamos à vida, a alma cheia do deus-natureza, para rica e alegremente dar e participar.

Foram então as raízes da força humana que criaram os bens mais elevados, a tímida veneração pelo Todo-poderoso, para quem não somos nada: dela surgem os deuses e novos surgirão, enquanto o homem pisar sobre a terra. E a outra, o integrar-se ao deus-natureza, que acalma tudo, alegria e dor. Dela desabrochou o espírito do homem, a força, o conteúdo mais profundo da vida humana, uma obra do homem-natureza, o próprio divino, o cântico do poeta.

As maiores obras de arte são, como as montanhas, os rios e os vales, obras da natureza. Novamente foi Goethe quem percebeu isso, o homem em quem o deus-natureza vivia de verdade, um homem que se tornará para os milênios aquilo que Homero se tornou, um poeta. Já o disse recentemente, Goethe compreendia o mistério do mundo e tentava vivê-lo, estava integrado na natureza e tinha consciência disso. Por isso, somente por isso ele é ao mesmo tempo estranho e conhecido, por isso ele nos parece frio e distante, ele que no entanto era cheio de vida e de paixão. O fato de ser afetado pela natureza, é isso que os insensatos censuram nele como frieza e velhice, e o que os entendidos, aqueles que também gostariam de escrever, admiram, invejam, tentam e jamais alcançam, porque não têm o que ele tinha: a consciência de estar integrado com o universo, de ser um todo e, ainda assim, uma parte. Essa consciência é o solo onde cresce a arte, só isso. E este solo nós não temos mais. Goethe é um prodígio no meio do mundo, um prodígio ainda maior do que aquele homem único entre os homens da era moderna que lhe é aparentado, Leonardo da Vinci.

Obras de arte são obras da natureza. A frase, seguramente, está correta e ninguém duvida dela. Contudo, não se deve pensar com isso que o vento traz uma canção para o poeta, ou que ela cairia pronta e polida da árvore. Do mesmo modo que a natureza nada cria sem trabalho e sem fadiga, do mesmo modo que ela faz a árvore produzir sua copa frondosa apenas com esforço previdente e alma sábia e escolha sensata, ela cria a poesia no homem devagar e de forma prudentemente trabalhosa.

A obra de arte é uma obra da natureza tanto quanto a árvore. Nessa altura, os Senhores fazem um julgamento deletério sobre a literatura dos últimos séculos. É claro que Goethe não quis dizer isso. Mas por isso mesmo o julgamento permanece; pois há séculos os escritores não procuram mais sorver sua obra da totalidade do mundo, mas se estudam a si mesmos e aos seus próximos, se aprofundam na contemplação da alma do homem e acreditam poder escrever a partir disso. Como é que a árvore consegue formar a sua copa? Olha as outras árvores e por esse olhar, por esse estudo, se assim o preferem, suga a força de criar galhos e ramos e formar folhas? Será que encontra dentro de si mesma ou na convivência com o que lhe dá o vizinho carvalho uma magia misteriosa para construir sua copa? Certamente que não. Penetra no fundo da terra com suas raízes, revolvendo mil vezes o solo em busca do seu alimento, levanta os verdes braços para o alto dos ares, para tomar alento e misteriosamente transformá-lo em força de impulsão, em folhagem e ramo. O vento lhe traz novos ares, o sol lhe cozinha a seiva milagrosa que a nutre, no solo trabalham para ela milhões e milhões de animais e animálculos, plantas e plantinhas, cogumelos e cogumelinhos, para converter em terra nutritiva a folhagem que ela deixou cair, para, como por encanto, transformar a putrefação, a morte em madeira e casca. A chuva cai e lhe traz água e arranca dos céus os sais que ela precisa para a sua formação; longínquas serras abrem-lhe o seu regaço e precipitam córregos, deixando-se, para o bem dela, roer as entranhas rochosas pelo líquido infiltrante que deve refrescá-la. Nunca a árvore poderia vestir a sua roupagem se não estendesse os braços com força gigantesca para o universo, se não se encaixasse com sábio conhecimento no redemoinho da natureza, nada desprezando, aproveitando tudo e devolvendo à grande mãe o que dela recebeu e prostrando-se em veneração. Jamais acreditaria que bastava estudar suas companheiras para criar sua obra de arte.

É assim o poeta, é assim o povo de cultura, a humanidade que cria o sublime. Com o integrar-se na natureza a humanidade aprende o seu bem mais sublime, a poesia, não importa se a cria em palavras, sons, cores, formas ou linhas. Uma humanidade que se afasta da natureza, que perdeu a consciência de ser um membro, uma parte e não um todo, uma humanidade para quem o homem representa unicamente amor, temor, veneração, anseio e vida, que ama seu próximo, como o prescreve a Bíblia, jamais é capaz de uma cultura. Um homem que apenas perscruta a alma do homem e tenta descrevê-lo em paixão, anseio, dor, severidade e brandura, em amizade e luta com outros homens, jamais será um poeta, e mesmo que conseguisse penetrar mais fundo o coração humano e representar a sua essência com mais verdade que Shakespeare. Ele permanece sempre e eternamente um psicólogo, um descritor de caracteres, ele é, dizendo-o claramente, um ator que escolhe um pedaço da verdade e o falseia na verdade toda.

Os Senhores têm aqui o traço fundamental da nossa literatura moderna, ou mesmo talvez de nossa época toda. Isso é teatro ou, se soa aos Senhores crasso demais, é psicologia, descrição de caracteres. E é realmente um jogo estranho da história que o maior desses psicólogos, desses descritores de caracteres, justamente Shakespeare, tenha sido um ator.

Aqui devo intercalar uma palavra em meu próprio benefício, de certo modo para salvar minha alma, do contrário poderia ocorrer aos Senhores a idéia de que desejo atacar Shakespeare. Não é esse o caso. Para mim, ele é como um amigo de infância, e quanto mais envelheço, mais firme se torna essa amizade. No entanto, não se trata aqui daquilo de que gosto ou não gosto, mas da necessidade de determinar com tanto sangue-frio quanto possível as correntes da época. Evidencia-se então que, de fato, o amor ao próximo não foi pregado em vão, esse amor ao próximo que fez do homem o remate da criação e considera o mundo inteiro seu campo de exploração. O interesse exclusivo pelo homem, pelo próximo, domina os últimos séculos; aprender a conhecer o homem, a sua alma, o nome estranho que se queira dar a isso, foi o anseio. O próprio estudo do homem é o homem. Esqueceram que, na verdade, nunca é possível conhecer o homem mediante o estudo do homem, e assim aconteceu que o pecado contra a interdependência do universo, contra o deus-natureza, se expia. Em primeiro lugar, na arte. A psicologia voltada para o homem, a mania de caracterizar, de tirar o homem dos seus contextos e considerá-lo como um todo, conduziu a evolução da arte para caminhos intransitáveis, e se levanta a grande questão de saber se nosso modo europeu algum dia será reencontrado. Se os Senhores se lembram agora de que nenhum dentre todos os homens deu vida com maior segurança e credibilidade a caracteres, a personalidades do que Shakespeare, não irão admirar-se se o invoco para investigar aquilo que quero dizer. Não é que ele tenha inventado a ficção psicológica, a ficção de caráter – ela é condicionada pela corrente do tempo –, mas é o mais poderoso representante dessa corrente – o poeta moderno *kat exokhen*.

Talvez os Senhores ainda se lembrem das suas composições escolares, que papel desempenhavam nelas as descrições de caracteres; e percebo com emoção que hoje é do mesmo jeito: a evolução do caráter da Donzela de Orleans ou do Duque de Alba em *Egmont*. Ou, se os Senhores se esqueceram disso, talvez tenham lido algum dia um chamado bom livro e tenham ficado satisfeitos com o bom delineamento dos caracteres, com a vida que ressumava essa ou aquela personagem. E se tiverem sido judiciosos demais, certamente devem ter lido muitas críticas. A primeira coisa que dizem é sempre esta: o escritor soube caracterizar bem a personalidade do herói, ou então não soube fazê-lo. Como se isso fosse importante! Leiam o Homero! Acho que seria penoso para os Senhores traçar o caráter de Ulisses ou de Aquiles. Não irão muito mais longe do que perceber que de vez em quando um acena negativamente com a cabeça e o outro franze a testa quando alguma coisa não lhe agrada, e que um distribui golpes a torto e a direito e o outro mente como ninguém. Com os outros heróis ocorre a mesma coisa, e, no entanto, não existe nenhum poema que se possa comparar à *Ilíada* e à *Odisséia* em termos de veracidade. E, ainda assim, os homens que aparecem nessas obras são todos de carne e osso, apenas não são personalidades nem caracteres. Caracteres são as pessoas secundárias que aparecem ocasionalmente, mas sem importância para a narração, um Térsites, um Iro e, por mais estranho que isso seja, os deuses. Para Homero, caracterizar era desenhar em contornos nítidos, a formulação plástica era um meio para fins determinados, bem reconhecíveis, que era permitido usar de vez em quando com proveito, equivalente ao emprego de hexâmetros em seu poema, à colocação de palavras tão significativas no prólogo de seu canto. Caracterizar era para ele um artifício técnico.

Pois é, poderiam dizer, isto são particularidades da epopéia, o drama deve seguir outras leis, não pode prescindir da descrição de caracteres. Ora, isso simplesmente não é verdade. O que vale para Homero pode, da mesma forma, ser dito de Ésquilo, embora não seja possível em relação a outros poetas trágicos. Mas suponhamos que fosse assim. Nesse caso, nossa literatura romanesca – quase não temos épica em versos – persegue, salvo raras exceções, não objetivos épicos, mas dramáticos; em outras palavras, não vale nada. É então como se se encomendasse ao construtor uma moradia, e ele, em vez disso, construísse um *hall* de estação e exigisse que nos acomodássemos nele. Porque a primeira preocupação dos nossos romancistas de orientação psicológica foi sempre esta: a de que os caracteres ressaltassem bem e estivessem conformes. Digo: "foi". Já não é mais de todo assim. Novas correntes da época se fazem ver, e irei falar delas.

Por enquanto, tenho de retornar mais uma vez ao drama. Não é uma verdade absoluta que o escritor dramático tenha de caracterizar. Ao contrário, é um erro se o faz, um erro que se perdoa a um homem como Shakespeare, mas que justamente a ele não se deveria perdoar, pois, desde Shakespeare, isso se tornou uma maldição para todo escritor. Não é da natureza do drama nem da epopéia e muito menos da poesia lírica plasmar personalidades – não é a sua tarefa criar caracteres, tratar a alma humana. De fato, exigimos isso dos nossos escritores, especialmente dos dramaturgos, mas apenas porque o nosso gosto tem sido por acaso impelido nesta estranha direção, gosto esse que é um produto da arrogante superestimação do homem, e certamente seria melhor se aprendêssemos a nos interessar por outras coisas além do amado próximo. Por trás desse gosto se encontra, afinal, uma grande porção da habitual bisbilhotice, uma boa parte de vaidade, que transformou em conveniente máxima de vida a frase de Goethe: "a maior felicidade dos filhos da terra ainda é a personalidade", uma frase que visava a um propósito muito diferente.

Pois é, Goethe, de novo Goethe. Aí os Senhores têm a prova de que nem o dramaturgo nem o épico e muito menos o lírico têm necessidade de criar personalidades, de descrever indivíduos. Ou Fausto é por acaso um caráter? Ou Egmont? Ou Clara ou Margarida? Se formos pessoas racionais, riremos dos disparates que se cometem nas escolas, bem como nos livros de estética, com esses caracteres, que nunca foram caracteres, mas tipos, ou, para aplicar-lhes uma fórmula conhecida, representantes da humanidade. Admito aqui de bom grado que, para a grande massa e para a pequena massa, os dramas de Goethe são mercadoria de má qualidade. Mas o que quer dizer isso? Da épica goethiana nem mesmo preciso falar. Hermann e Dorothea falam uma linguagem clara. No fundo, somente o farmacêutico é um caráter. Todos os demais são construídos como tipos, gradativamente, mantidos de forma vaga de acordo com sua importância, até que finalmente, em Dorothea, desaparece todo o característico e resta apenas o ser humano.

Indaga-se agora como Goethe conseguiu produzir a mais bela de todas as poesias modernas, na qual foi deixada de lado, dessa maneira, a tendência da época à construção do indivíduo. Se ele fez isso de propósito, provavelmente ninguém sabe. É possível. Ele era uma pessoa esquisita, que nenhum de nós, homens presos à sua época, pode compreender totalmente. Uma coisa, porém, é óbvia, ele tinha de escrever assim, não estava em seu poder escrever de outra forma, exatamente porque era um poeta, isto é, porque mantinha uma relação com o universo que nenhum outro desde Homero e em geral poucos mortais têm, e porque ele, talvez a figura mais estranha de toda a era moderna, não considerava o ser humano o dono do mundo. Essa particularidade de seu caráter esclarece também por que ele não era cristão; poder-se-ia compreender isso se nada mais se conhecesse de Goethe senão justamente *Hermann e Dorothea*. Nessa obra pode-se encontrar toda a sua verdadeira natureza como parte do todo, gostaria de dizer, sua humanidade simbólica. Nesse poema não existe fronteira entre o homem e a natureza. Nele o homem é um pedaço da natureza, e a natureza, um pedaço do homem. As personagens não se deixam desvincular da natureza; pelo contrário não são plasmadas. Acerca desse poema vale realmente a frase: a obra de arte é uma obra da natureza tanto quanto a montanha. Essa autonegação do poeta, essa desumanização se evidencia com a mesma clareza nas *Afinidades Eletivas*, a épica do período final de Goethe. No essencial, existem razões técnicas que não nos permitem apreciar essa obra tanto quanto *Hermann e Dorothea*.

Não sei se me exprimi com clareza suficiente. Todavia, como aqui está representado o cerne das minhas conferências, peço-lhes que ainda se lembrem por um momento dos poemas líricos de Goethe. Através deles ficará claro aos Senhores o que quero dizer. Isso porque, por estranho que possa parecer, a poesia lírica de Goethe, pelo menos a sua poesia lírica boa, é totalmente impessoal, e poder-se-ia dizer novamente que ela é obra da natureza, e não do homem. Ela não vê o homem como Eu, mas como parte. Ouçam apenas estes versos:

Über allen Gipfeln
ist Ruh.
In allen Wipfeln
spürest Du
kaum einen Hauch.
Die Vöglein schweigen im Walde.
Warte nur: balde
ruhest Du auch*.

Os Senhores têm aí o que eu quero dizer, o poeta como mensageiro do universo que está simbolizado no homem, os Senhores têm aí a formulação artística da frase goethiana: Vejam no todo a parte, na parte o todo.

Em contraste, observem agora Shakespeare. Nele os Senhores nada encontram além de personalidades, de caracteres nitidamente delineados. Suas pessoas são destacadas do universo, interessantes em si, indivíduos, que afinal são apenas criaturas do poeta. Não são certamente representantes da humanidade; se fazem questão de englobá-las numa fórmula, são concentrações de qualidades humanas, mas de qualquer modo delimitadas tão nitidamente que parecem arrancadas da vida diária, indivíduos conhecidos cobertos com as brilhantes roupas de palco. É possível imaginá-las em toda parte, bons amigos e conhecidos nossos. O Egmont de Goethe, o Ulisses de Homero não são imagináveis fora da ficção. Shakespeare cria homens reais; Goethe, verdadeiros. É provável que Shakespeare fosse em parte obrigado a tirar as suas personagens do universo devido à disposição de seu palco. Seu público só queria ver os homens nas suas paixões. Não havia necessidade da conexão com o todo, conseqüentemente ele renunciava à decoração. Para compreendê-lo é necessário lembrar-se de que, para o inglês daquele tempo, tudo ficava atrás das lutas religiosas e políticas e, dessa maneira, justamente o homem e sua alma eram o centro da vida. Há muito tempo que isso já se passa conosco. Outras correntes dominam nossa era, e, assim, também precisamos novamente da decoração no palco.

O destino dos dramas shakespearianos é instrutivo. Tenta-se de toda maneira mantê-los no palco, ano após ano aparecem novas propostas de como se deveria proceder para achar-lhes um público. Mas isso não funciona, nem com o mais rico cenário, nem com o mais simples palco shakespeariano. Cinqüenta anos atrás, isso ainda funcionava sem muito esforço. Agora, porém, essas peças no fundo se converteram em dramas para leitura. Aquele que for capaz de recriar pela sua própria fantasia sentirá o maior prazer em ler *Hamlet* ou *Rei Lear*, no palco eles o deixam frio. E quem não prescinde de modo nenhum do

---

* Por sobre todos os picos / há calma. / Em todos os cumes /tu não sentes / quase nenhum sopro. / Os passarinhos silenciam no bosque. / Espera só: logo / tu também descansarás. (N. da T.)

intérprete consegue um resultado mais profundo quando ouve os dramas numa boa leitura do que quando os vê. Isso dá o que pensar. Junte-se a isso o fato de que a força de atração do espetáculo diminui cada vez mais e obtém-se uma visão de correntes subterrâneas que justamente tornam a nossa época tão interessante. Pressente-se então que o espírito moderno se afasta do estudo da alma humana e tenta obter compreensão das conexões do universo.

Devo pedir-lhes que por enquanto aceitem a frase como provada. Em futuro próximo, terei oportunidade de fundamentá-la. Que eu pessoalmente estou convencido da volta da inclinação do homem para o deus-natureza, os Senhores já sabem. É exatamente essa inclinação que me dá coragem para falar de uma cultura vindoura. Mas talvez já hoje eu consiga esclarecer mais ou menos o que é importante para mim. Pois é justamente na arte que se evidencia o que estamos procurando.

Eu disse acima que nossa literatura não escreve, mas pratica psicologia. Devo agora restringir isso um pouco. Na verdade, o psicólogo sempre se encontra no primeiro plano. Os nossos maiores dramaturgos são intérpretes da alma humana, de Kleist passando por Hebbel até Ibsen, que diante de uma elaboração tão cinzelada quase não encontra soluções para os seus problemas. Bernard Shaw é uma exceção. Suas peças dão mais ou menos a impressão de que faz dançar a alma humana na corda bamba. Na poesia épica não ocorre de modo diferente. Os nomes Kleist, Balzac, Byron, Dickens, Flaubert levam ao russo Dostoiévski, cujas obras não contêm outra coisa senão psicologia. Nisso suas realizações são francamente surpreendentes. Da poesia lírica não preciso nem falar. As canções de amor tipo Geibel são conhecidas *ad nauseam*, e a nova geração comete a mesma espécie de poesia da alma. Com exceções. Chegarei a esse ponto. Mas os grandes nomes, Heine, Victor Hugo, Musset, Verlaine, Baudelaire, Nietzsche, todos eles são pessoas com inclinações psicológicas, doentes de amor ao homem, pesquisadores da alma, que não vão além do próximo.

Isso também é natural. É possível reconhecer claramente o interesse da humanidade pelo homem nos sistemas filosóficos que mostram nitidamente a direção da corrente. Kant, Herder, Schiller, Fichte, estes são contemporâneos de Goethe. Por essa relação de nomes se vê imediatamente quão longe ele se encontrava de seu tempo. Depois, Hegel, Schopenhauer e, pior, Nietszche. Que gigantesco trabalho de pensamento, desperdiçado, pode-se quase dizer, por algo como a alma humana.

Ou atentem para a música. Temos aqui, num outro campo e, seja-me permitido dizer, em limites mais estreitos, o fenômeno paralelo a Goethe: Bach. Sente-se perfeitamente que ele criava algo diferente de estados d'alma, mesmo que sua estranha relação com a natureza e o mundo não tenha sido esclarecida pelo trabalho do francês Schweitzer.

Ele é alheio e frio para as massas, mas é claro, transparente e verdadeiro. O contraste mais agudo disso, provocando francamente uma comparação com Shakespeare, é Beethoven, um profeta da alma, equivalente por certo ao poeta inglês. Também ele deixou à música uma herança igualmente infeliz, cujos últimos resquícios Richard Strauss está aproveitando até agora. A bela expressão, "nota pessoal", que me deixa furioso quando a encontro, provém de fato da linguagem musical, indício claro de como essa arte se personaliza.

Beethoven e Shakespeare, ambos são homens que sufocam, gênios, cuja influência, embora não pudesse produzir uma cultura, pode jugular no embrião, para os séculos futuros, talvez para sempre, todo movimento rumo à cultura. Pois a ambos, já que praticam uma arte psicológica, a arte da alma, é inerente uma particularidade que acompanha inevitavelmente o interesse pelo indivíduo: são românticos, isto é, criam o extraordinário, descrevem e compõem os estados d'alma extremos. Isso é compreensível. Para apenas poder agüentar sem bocejar o estado d'alma comum do homem, é necessário ter o sangue muito consistente, mas não é possível plasmá-lo artisticamente, pelo menos não da maneira que Shakespeare ou Beethoven, de acordo com a sua natureza, tinham de escolher necessariamente. Isso só pode fazer o poeta que vê no homem um pedaço da natureza, que acha interesse na alma do homem porque ela é natureza, e não porque ela é homem. Goethe podia fazê-lo, Bach também. Mas quem não tem o deus-natureza dentro de si – e este hoje em dia só se encontra amiúde em pessoas tolas, quase nunca nas cultas – deve primeiramente colocar o homem em pedestal bem elevado para que ele adquira algo de atrativo, em outras palavras, deve procurar o extremo, e se não houver este, deve introduzi-lo no homem, deve tornar-se romântico. Aqui sinto grande tentação de divagar e falar da representação na vida humana, já que esta em todas as suas manifestações se transformou em palco, sobre o qual esboçamos bastidores para a galeria. Mas reprimo minha inclinação, coisa que eu mesmo tenho em muito alta conta, e permaneço com a arte, a cujo respeito pode-se conversar bastante.

Na verdade, eu quase poderia esquivar-me de fazê-lo, pois os Senhores, também sem que eu lhes chame a atenção para tanto, verão imediatamente as proporções que tomou, na nossa literatura, a representação de extremos psíquicos e de outros tantos processos d'alma fictícios. É significativo que nós, quando queremos ser corteses, usemos, em vez da palavra "mentiroso", a palavra "fictício". Na linguagem, portanto, mentira e ficção significam mais ou menos a mesma coisa, um indício verdadeiramente vergonhoso do baixo nível cultural em que nos encontramos. A essa literatura dos estados d'alma extremos pertence agora quase tudo o que possuímos em matéria de ficção do século passado. No conceito de romantismo assim formulado, essa contradição da literatura verdadeira, estão incluídas sobretudo as histórias de amor que constituem o principal componente de tudo quanto foi escrito; estão incluídos quase todos os dramas; estão incluídos tanto Schiller quanto Ibsen; estão incluídos Balzac e Zola e também Dumas; está incluído o escritor mais preeminente da época mais recente, Spitteler; sobretudo estão incluídos os dois grandes inimigos, Wagner e Nietzsche, embora um deles praticasse realmente psicologia, enquanto o artista completo só inventava música da alma e dramas da alma.

Coloquei de propósito o nome de Wagner entre Nietzsche e Spitteler, o maior poeta romântico do palco entre o psicólogo romântico e o épico que evita intencionalmente a psicologia, mas ainda assim é romântico. Wagner e Nietzsche são os ápices da evolução da arte, tal como a tenho disposto de acordo com os meus objetivos, e estão intimamente ligados. Spitteler já representa a transição. Ele procura algo de novo. Decerto, é um trio estranho, reunidos pela aversão violenta e justificada dos dois homens verdadeiramente solitários ao deus do palco. É um símbolo da confusão de nossa época, dos redemoinhos em que giram as correntes da nossa história intelectual. Cada um deles representa uma corrente diferente. Nietzsche ainda é totalmente partidário do amor ao próximo, saudoso da alma do próximo e do distante; Spitteler, com total consciência, deixou de lado a literatura psicológica e tenta atingir novamente a senda da verdadeira poesia, obter uma relação com o universo. Wagner é até o momento o mais poderoso de todos, mas cujo domínio no entanto parece desmoronar, embora sua influência ainda vá perturbar por muito tempo; nele, a tendência moderna de endeusar o homem mediante belas qualidades inventadas se evidencia com a maior nitidez, é ele que se encontra mais afastado do deus-natureza, já que nem sequer se interessa mais pela natureza do homem, mas, por causa do grande sucesso que tem, é duplamente interessante. Seu sucesso revela para onde se extraviou o espírito da Europa.

Sei que estou provocando um choque com essas palavras duras sobre o nosso poeta e músico mais querido, tampouco quero esconder que de tempos em tempos ouço Wagner com grande prazer, porém mantenho o que disse. Gosto também de beber champanhe embora saiba que se trata de vinho falsificado ou que, de fato, nem vinho é mais. Honre-se a verdade. Não falta a Nietzsche nem a Spitteler o gesto teatral, o que hoje quase seria impensável de outra maneira. Pode-se perguntar se ainda existem homens que poderiam viver sem tal gesto. Acredito que tais homens aberrantes seriam tolerados.

Tentei descrever sucintamente que caminho a literatura tomou, desde que o homem se arrogou a posição central no universo. E acredito que o homem fará a mesma experiência triste, se não for refreada sua mania inata de arrogância. Dessa arrogância, que em nosso caso foi fomentada pela religião e é inevitável numa doutrina de amor ao próximo, emana o interesse pelo homem, o interesse puramente psicológico, e sendo o homem, na vida diária, o animal mais maçante da terra, um verdadeiro animal de rebanho, um carneiro, nós nos refugiamos no romantismo e finalmente na representação. Isso é totalmente evidente nas duas artes realmente verdadeiras e rigorosas: a arquitetura e as artes plásticas. Apenas o curso de evolução de ambas tem sido rápido, exatamente porque são verdadeiras e rigorosas e não admitem ficção. Na arquitetura, a falência ocorreu imediatamente, assim que o homem se afastou da natureza, tornando-se o seu dono. O gótico é a última criação da arquitetura, uma prova peremptória da altura a que pode chegar a arte quando o homem ainda mantém respeito por forças ocultas. A catedral gótica é, poder-se-ia dizer, um símbolo do universo. Quem quer que alguma vez tenha penetrado no mistério arrepiante da catedral sente: Deus está aqui, não o Deus da Igreja, mas a integração com todos, a paz, o deus-natureza. Depois tem início a busca do Renascimento, que, à procura de uma nova relação com o mundo, esteve perto de encontrar um novo símbolo. No entanto, a subcorrente da paixão da alma já está aí, romantismo e representação seguem rapidamente no barroco, e o conjunto termina numa brutal servidão da arquitetura, que se torna tão-somente um meio de conforto, de ostentação e de técnica.

Já na história da arquitetura encontramos o terceiro nome fatal: Michelangelo. O *Hamlet* de Shakespeare, as sinfonias de Beethoven e a cúpula de São Pedro, de Michelangelo, três fatos da cultura européia, equivalentes e igualmente terríveis. Em Michelangelo, entretanto, a maldição aumenta de tamanho. Nessa figura se consuma o declínio da arte plástica. Na *Pietà*, na *Madonna de Bruges*, ainda é visível o anseio da Renascença pelo deus-natureza. Mas o *David* é uma obra de arte psicológica, que há muito fora preparada por Donatello, e no *Moisés* já prevalece o romantismo que certamente teria degenerado em representação, se Michelangelo tivesse concluído o monumento a Júlio. O esboço para ele é arte cênica, os dois escravos terminados o são seguramente.

Na pintura – os Senhores verão por que a coloquei no final – Michelangelo logo teria desempenhado o mesmo papel. Em imagens isoladas do teto da Capela Sistina ainda reina o deus-natureza, enquanto ela, em conjunto, já aparece como obra de um psicólogo. Mas o *Juízo Final* é romantismo, sim, é impossível deixar de ver nele o efeito desejado, o teatro. Todavia, a evolução da pintura foi, por circunstâncias muito estranhas, afastada dos perigos em que as outras artes sucumbiram. A perigosa influência de Michelangelo, para concluir logo, foi eliminada, ou, pelo menos, moderada pelo homem em quem o anseio do Renascimento pelo deus-natureza encontrou seu ápice e seu fim, em Rafael. Mesmo que ele, em seus afrescos, vencido pela superioridade do gigante Michelangelo, se tenha tornado infiel ao seu gênio interior, nas suas virgens tenha vivido puro e nobre o verdadeiro sentimento de Deus, nelas tenha renascido mais uma vez a grande época da Antiguidade, elas são o verdadeiro Renascimento, criaturas do amor ao deus-natureza, que mostram o homem como símbolo do universo.

No entanto, a atuação de Rafael era delimitada temporalmente, encadeada estreitamente ao Renascimento e à Igreja Católica da época. Com o aparecimento do protestantismo, fatal para a cultura, e que incrementou imediatamente a arrogância do ser humano como nunca teria sido possível na Igreja Católica, e convertia em dever religioso a ruptura com o deus-natureza, a vida de Rafael se tornara insignificante. Contudo, a mesma época produziu o homem que, assim como Goethe, estava acima de todas as religiões, e tinha o deus-natureza porque possuía ciência e arte: Leonardo da Vinci. Já falei anteriormente da surpreendente semelhança entre esses dois expoentes do mundo cristão. O elemento trágico no destino de Leonardo, que era condicionado provavelmente por uma profunda cisão no seu íntimo e que dá à sua figura uma aparência errática e sinistra, impediu que ele, como Goethe, se tornasse uma cultura em pessoa, mas uma coisa ele conseguiu: salvar a pintura da decadência. Já quase nada possuímos da sua *Ceia*, mas as reproduções mostram que nela reinava o deus-natureza. Nesse quadro desapareceu todo traço humano individual. Quanto mais nos aprofundamos nas cópias da pintura, tanto mais se impõe a sensação de que no caso pereceu a maior obra de arte da pintura. Apesar de tudo, continua sendo uma sensação angustiante. Não se sabe se foi Leonardo quem terminou a cabeça de Cristo. Se isso for verdade, projeta-se uma luz na alma terrível desse homem que, impregnado de deus-natureza, equipado com todos os dons do gênio, foi, apesar disso, refreado pelo temor religioso. De volta, porém, ao meu tema. Foi Leonardo quem ensinou o deus-natureza aos pintores. Nas suas obras esse sentimento cultural fala das paisagens maravilhosas; com isso, a pintura foi unida para todo o sempre à natureza. Ela não podia, como as outras artes, entregar-se irrestritamente à veneração do homem, à adoração do homem, ela nunca mais podia transformar-se em arte psicológica. Leonardo elevou a pintura paisagística a uma altura da qual não podia mais ser desalojada. Além disso, ensinava incansavelmente, em palavras, o seu evangelho da natureza. E era o mestre declarado da Itália. Todos foram seus alunos, Michelangelo, Rafael, Bramante, não esquecendo Dürer, que transpôs ensinamentos de Leonardo para o protestantismo e assim o salvou da catástrofe da Itália. Também o mais notável de todos os pintores, o único que reunia em si mesmo a arte da psicologia e a do deus-natureza, o holandês Rembrandt, no fundo é um aluno de Leonardo. Os Senhores se lembram de que, há alguns anos, o livro de Langbehn, *Rembrandt Educador*, causou grande alvoroço. Nunca li essa obra, mas devo dizer que gosto do título. Rembrandt foi realmente um educador, no bom e no mau sentido, e se durante séculos foi um educador apenas dos pintores, nos últimos tempos sua influência se fez sentir até nas mais recônditas correntes da vida humana.

Eu disse que Rembrandt reunia em si a arte da psicologia e a arte do deus-natureza. Desse fato não se pode duvidar. Ninguém o superou na arte de representar, de caracterizar o indivíduo, homens individuais. Mas nenhum pintor também criou como Rembrandt quadros de onde fala o deus-natureza. A luz rembrandtiana é uma revelação, uma irresistível manifestação do deus-natureza. E em cada quadro os Senhores reencontram a reverente devoção ao detalhe aparentemente desimportante da natureza, uma devoção que só se encontra em homens que estão integrados com o universo, que se sentem parte dele. Afirmou-se nele a particularidade da raça holandesa, que é condicionada pela luta secular com o mar, com o elemento – quase toda a Holanda está sob o nível do mar e é, na verdade, terra criada pelo homem –; em Rembrandt afirmou-se triunfadora a reverência ao universo ao lado do egoísmo da evolução européia, especialmente da protestante, afirmou-se numa época em que esta reverência estava como que desaparecida do resto do mundo. Como dissemos, ele era holandês, e na Holanda ainda agora é possível apontar a existência de uma cultura como o resto da Europa, com exceção da Itália, jamais conheceu, e que os próprios holandeses, na sua cegueira, ironizam agora como chinesice, pecando contra o melhor que a Europa possui. O fato de Rembrandt de repente se tornar conhecido – faz agora umas poucas décadas –, de ser reconhecido, é um dos indícios seguros de que diante de nós se abre a possibilidade de uma cultura.

A possibilidade, nada mais. Mas essa possibilidade é comprovada exatamente na pintura. O amor à natureza em contraste com o endeusamento exclusivo do ser humano foi a grande vantagem da pintura em todos os séculos. Isso se deve, em parte, à tarefa e ao meio do pintor, que, como nenhum outro artista, tem de usar os olhos e, conseqüentemente, é quase incapaz de não enxergar o mundo, para enxergar apenas o homem. Mas, sem Rembrandt e os holandeses, é bem possível que isso tivesse sido diferente. A maioria dos pintores pratica ou praticou psicologia sob o aplauso da multidão e não sente um pingo do sopro da consciência de estar integrado. Pois é, o que mais se admira, e nós todos admiramos, é arte psicológica, até romântica, sejamos nós um admirador de Böcklin, ou de Watts, ou de Manet, ou de Liebermann. Todos eles são românticos, talvez Millet em menor grau, talvez também Feuerbach nos seus anos bons. Somente de uma coisa nenhum desses expoentes pôde libertar-se, nem Lenbach, por mais que se tenha entregue ao culto do homem, nem Böcklin, por mais que tenha sido romântico e pintor de almas: da paisagem. Ela foi seguida em todo lugar, em todas as sinuosidades e variações de gesto e de técnica. A representação da paisagem tornou-se o elo de ligação entre natureza e homem, e não há dúvida de que, há séculos, foi trilhado na pintura um caminho que pode levar ao deus-natureza, a uma cultura.

Já citei Millet anteriormente. A veneração da escola de Barbizon clama tão alto por esperanças no futuro quanto o culto a Rembrandt. Mas na arte ainda dispomos de outros sinais. Também na literatura é possível reconhecer correntes que levam do homem ao universo. De Goethe não quero falar. Ele é uma cultura à parte. Mas, assim como a pintura chegou ao estranho caminho de pintar apenas paisagens, de simplesmente deixar fora o homem, uma estranha ousadia que traduz segredos, a poesia tentou reencontrar o caminho para o universo. O meio mais primitivo que se emprega para fazê-lo e que cada um manipula até o tédio é a simples descrição da natureza; sem ela isso é quase impossível hoje. Mesmo nos dramas os autores dão diretrizes para tanto. Decerto, desde essa descrição grosseira ainda há um longo caminho até a arte de fundir natureza e homens, e se pode provar facilmente que é impossível alcançar essa meta. Mas tentou-se de outra maneira. Está aí Keller, que teve momentos estranhamente lúcidos para o novo ideal de arte, aí está sobretudo Tolstói, que aqui e ali alcançou total sucesso na fusão de homem e natureza, um fenômeno paralelo a Rembrandt, a quem associa ainda a estreita ligação ao cristianismo. Quero também citar um livro de cujo valor é impossível duvidar, mas que demonstra como nenhum outro o que quero dizer: trata-se do *Tolo* de Kellermann. Acumulam-se, assim, os exemplos na literatura alemã e estrangeira, não se esquecendo sobretudo a literatura ambiental dos franceses, mesmo que ela recorra a um meio tão estranho quanto o caderno de anotações com que Zola acreditava poder dominar a arte literária. Também devo citar Spitteler novamente, que, no caminho da transformação alegórica do mundo, conseguiu magníficos sucessos e, antes dele, talvez só Dante os obteve. Não estão faltando sinais, isso é certo. Diz-se também – não entendo nada disso, mas o leio de vez em quando – que a arquitetura morta começa a reanimar-se e que também podemos esperar dela um novo milagre, um ato de cultura. Não o considero impossível e não me deixo convencer do contrário, mesmo quando vejo a mais triste arte da nossa era, a arte plástica, tão totalmente corrompida. Se conseguirmos convencer o velho europeu, esse homem tão vaidoso e convicto da sua magnificência, a reconhecer que o mundo é sem dúvida redondo, mas que ele não é seu centro, então, somente então, talvez possa chegar um outro tempo, um tempo que vale a pena viver e que o mundo é belo.

E enquanto não possuíres
esse "morra e seja!"
és apenas um viajante sombrio
na terra escura.

Parte II

Tragicomédia

O que, segundo o *Livro d'Isso*, atraiu Groddeck para Ibsen teria sido a sua canção: "Meu cisne, meu cisne tranqüilo, com a suave plumagem". – É igualmente um dos grandes traços desse homem: o homem médio de sua geração teria admitido ser perverso em múltiplos aspectos, ter cobiçado sua mãe e ter desejado a morte de seu pai, como o psicanalista lhe incutiu na mente, muito mais que deixar-se apanhar por um sentimentalismo. No entanto, a lembrança aparentemente muito antiga iludiu Groddeck; em Ibsen, não se trata absolutamente de um cisne manso, mas de um cisne selvagem nórdico, cuja plumagem dificilmente a mão humana poderia tocar impunemente. A atitude de um violento golpe de asas reverbera nos versos magistralmente reinterpretados por Christian Morgenstern:

> Tu, meu cisne branco, meu tímido tranqüilo,
> sem golpe, sem trino, segues o teu curso.

Aos trinta anos, Groddeck deixou o serviço militar numa cidade do interior para assumir o lugar de médico-assistente no sanatório de Ernst Schweninger, em Berlim. Data de poucos meses antes o relato em que o mais conhecido crítico teatral contemporâneo, Alfred Kerr, traça a marcha triunfal dos dramas de Ibsen até seu ponto culminante nos teatros berlinenses. O que essa experiência artística assim oferecida significou para o jovem médico, ainda em idade facilmente impressionável, pode-se deduzir das conferências sobre os dramas de Ibsen, proferidas em Baden-Baden, doze anos depois, sob o título de *Tragédia ou Comédia?* O subtítulo diz: "Uma pergunta aos leitores de Ibsen". Pede então aos ouvintes que esqueçam tudo o que leram, ouviram e viram sobre Ibsen e seus dramas, mantendo-se assim irrestritamente abertos àquilo que o conferencista tem a dizer sobre o tema; "irão ouvir o que a obra lhe diz", a ele, "que, fora os dramas, leu no máximo os programas de teatro". O modo de Groddeck tratar as obras literárias e as obras de arte em geral é contrário ao método científico de tratar literatura ou arte; aparentemente não crítico, é o processo de um nascimento espiritual, no qual o que foi sucessivamente concebido anos antes surge à luz qual nova unidade.

O primeiro drama de Ibsen a ser levada num palco de Berlim foi *Casa de Bonecas*. Mas o fato de Groddeck, em sua conferência inicial, tratar de Nora, a mulherzinha boneca, tem outras razões, além do prazer divertido e malicioso do Doutor em querer provar "que as feministas, com seu entusiasmo por Nora, se cobrem de ridículo"; uma razão formal e uma objetiva. Do ponto de vista formal, *Casa de Bonecas* dá à questão do título levantada por Groddeck uma resposta positiva: é típico justamente dos dramas de Ibsen o fato de não serem exclusivamente tragédias: "Os Senhores têm diante de si uma comédia, acreditem". Na conferência seguinte, isso é explicado melhor: "A lei moral simples de que o homem é obrigado primeiramente a cuidar de si e dos seus está incrustada na personalidade de Nora juntamente com o desejo de emoção e anseio do milagre, próprios de todos os homens, e assumiu uma forma especial, que provoca a sensação do antinatural, do ridículo". Sem dúvida alguma: "Não se deve acreditar que uma comédia não poderia ter um elemento trágico; apenas o ponto de vista é outro", a comédia "observa de cima". "É um riso amável, paternal, não um riso amargo." Através da máscara do poeta, o deus-natureza olha sua humanidade e troça dela; um todo-poderoso divertido e de maneira nenhuma malévolo. A Groddeck não importa muito que Nora, no final, se tenha proposto seriamente a no futuro levar a vida a sério: "Ela simplesmente brincou uma vez de fuga da boneca na casa de bonecas". Kerr fornece a informação, também conhecida por Groddeck, de que Hedwig Neumann teria conseguido extorquir do autor um desfecho contrário ao previsto originariamente. Mas é difícil acreditar que Henrik Ibsen se tivesse deixado persuadir pela atriz em detrimento da necessidade interior de sua obra. Torna-se evidente aqui a profundidade da interpretação de Groddeck como tragicomédia. Porque, se de fato se chegasse a um *happy-end* entre Nora e seu Thorvald, e ela apesar disso realmente decidisse no futuro levar a vida a sério, ela, por seu lado, teria doravante de olhar a vida "de cima", para poder fechar os olhos ao estado lamentável de Helmer. Este não consiste tanto no fato de ele, o jurista convicto, constatar o completo esfriamento do seu amor quando se inteira da falsificação do documento por Nora. Mas, ao contrário, no fato de ele mudar de atitude pela segunda vez assim que percebe que seu crime não terá conseqüências jurídicas e sociais.

Na segunda conferência, a figura de Rebekka West oferece o ensejo de associar a relação de tragédia e comédia com a distinção entre representação de caráter (personagem) e representação de tipo obtida em Goethe (p. 14). Dessa vez ela é criada totalmente a partir da vida direta: Há duas espécies de pessoas que conhecem o homem; "a primeira percebe no homem o caráter, a individualidade, a outra conhece ou pressente o humano universal". Se bem que "a arte sempre vê o universal". Existem, porém, dois caminhos para o artista retratar o universal. Um eleva esse homem e esse acontecimento a um tipo e a uma lei, enobrece a sua matéria. É o caso de Goethe, conseqüentemente também a teoria do seu ensaio sobre Shakespeare: "A pessoa, observada no tocante ao caráter, é delimitada, destinada a uma coisa especial, mas ilimitada como pessoa, e requer o universal". E a seguir: "Nada é teatral a não ser o que é ao mesmo tempo simbólico para os olhos, uma ação importante, que presume uma ainda mais importante". É essa, então, a característica do "poetar". O nome geral "poeta" diz apenas que seu detentor "cria" algo; a palavra "poeta" diz o que ele cria: poetiza, condensa – o maldito, porém inevitável prefixo*. Não que o poeta aumente os traços de caráter de seus protagonistas, isso é justamente o que faz o descritor de caracteres, o psicólogo; o poeta os simplifica, diminui a sua multiplicidade, fá-los por isso aproximar-se mais, ganha por assim dizer, mediante um menor conteúdo conceitual, maior extensão para seu espetáculo. O processo lógico-formal dificilmente estava presente em Groddeck, mas a concepção está viva nele: das diferentes características do indivíduo e do caráter, o poeta ganha o "tipo", num nível ainda mais elevado o "símbolo". Símbolo "para os olhos", escreveu Goethe, e com isso está dita a palavra que irá determinar o pensamento futuro de Groddeck sobre literatura e arte.

Obras de arte criadas dessa maneira "irão situar-se fora da realidade, para ganhar veracidade". Da essência da arte poética como tal, Groddeck deduz o que Kerr observa no caso individual da representação mímica, congenial ao poeta, no caso da Duse: Quando ela entregou o copo de ponche a Lövborg, não era mais Hedda, mas a tentação. Mediante o ponto de apoio sobre as coisas restaura-se a relação com o problema do título *Tragédia ou Comédia?*: em tal altura da observação, "o motivo trágico e o cômico tornam-se idênticos para o olhar". Groddeck coloca como dado desde o começo "o ridículo da proposta de Rosmer para que Rebekka se precipite no córrego do moinho a fim de lhe provar o seu amor", percebe então a tragicidade do problema na

---

* O autor contrapõe *Poeten* como nome geral e *Dichter* como particular, no sentido de fazedor de versos, inventor de ficção, com seu composto *verdichten* (prefixo *ver* + *dichten*), traduzido aqui por "condensar". (N. da T.)

"tentativa de apresentar uma parte da vida como um todo". É certamente a vida do indivíduo, enquanto "para o deus-natureza", que é citado aqui novamente pelo nome, o caminho da morte da fêmea é o caminho para a nova vida. Reminiscência do "morra e seja", tal como a primeira série de conferências não o dominou completamente (p. 19). Mas Rosmer, finalmente, caminha para a morte junto com Rebekka. Esse outro lado do destino humano universal aparece em primeiro plano no *Livro d'Isso*: "Céu e Inferno são derivados do morrer do homem no abraço, do passar da sua alma para o colo da fêmea, ou na esperança de uma ressurreição na criança, ou com o medo dos fogos inapagados do desejo".

Enquanto Paul Schlenther, no seu prefácio à edição alemã de Ibsen, sublinha talvez em demasia o significado convencional da origem obscura de Rebekka, Groddeck, da conversa entre ela e o reitor Kroll, durante a qual esse passado é desvelado, tira o resumo: "Uma verdadeira mulher, cuja vida consiste em ajudar e cuidar". Enquanto Schlenther aceita como autênticos os elementos de suspeita de que Rebekka é a culpada da morte da sra. Rosmer, Groddeck chama a atenção para o diálogo entre ela e a governanta, onde fica claro que a sra. Kroll é que levara a cunhada à morte. Para Rosmer, no entanto, Groddeck reserva um julgamento severo. Que ele tenha desejado a morte de sua mulher e, com escrúpulos, se atormente com a sua cumplicidade, ainda não é o pior; Groddeck considera a entusiasmada profissão de fé de sua juventude ao liberalismo "o único ato decente de sua vida". Sem dúvida, injusto; já que o padre protestante é o tipo de homem com quem Groddeck habitualmente não conseguia transigir. Ele conhece também um outro tipo, que no entanto acredita ser exceção. Como o "Padre de Langewiesche", seu conto publicado em 1909 no *Frankfurter Zeitung*, que, crucificado moralmente por sua retidão, se enfraquece sob excessiva pressão e, quando o percebe, finalmente se prega na cruz com as próprias mãos. O traço de caráter pelo qual Rebekka quer sacrificar a sua vida para devolver a Rosmer a fé na sua missão de vida, a criação do "homem nobre", retrocede em Groddeck em favor do motivo simbólico da sua morte de amor. Ele se despede da sua personagem com a frase: "Essa mulher é uma pessoa nobre". Mesmo Schlenther, embora com reservas: "A mulher da saga nórdica".

Entre os dois dramas que Groddeck analisa em sua terceira conferência, ele mostra uma conexão apenas indireta: "O *Pato Selvagem* tem em comum com *Rosmersholm* a morte da heroína em sacrifício", e: "olhados de mais perto, se bem que de outra maneira, os *Espectros* e *Rosmersholm* são afins". A "heroína" do *Pato Selvagem* é uma menina doentia de catorze anos, dificilmente um dos tipos de mulher a quem Groddeck podia dar importância como tal, e nada indica também que, ao escolher os dois temas da conferência, ele estivesse pensando numa confrontação do tipo filial com o tipo maternal. O *Pato Selvagem* não leva, como antes Nora, Rebekka West e agora também Helene Alving, o nome da protagonista feminina, mas o de "Greger Werle". Deve sua inclusão no ciclo de conferências a uma "predileção especial", que Groddeck tenta explicar de três maneiras. Em primeiro lugar, exteriormente: foi esse o primeiro drama de Ibsen a que Groddeck assistiu no palco; depois, essencialmente, pela "capacidade de remodelação". Lembramo-nos da mentira criativa (p. 15). A pequena Hedwig possui essa capacidade em alto grau. Para readquirir o amor de seu pai, ou daquele que até então acreditava ser seu pai, ela quer sacrificar a vida de seu amado pato selvagem, entrega em lugar deste a sua própria vida. Mesmo que ela mesma não possua o estofo de um tipo, quanto menos do símbolo, a sua morte em sacrifício no lugar de outrem é um verdadeiro ato simbólico.

Helene Alving é mãe, mas uma mãe perturbada, que, para proteger o seu filhinho do contato com o pai decaído, entrega-o em mãos estranhas, embora ela o saiba gravemente prejudicado psíquica e talvez também fisicamente. Tomara a decisão acertada de se separar de seu marido beberrão e devasso, o que não era necessariamente um divórcio; mas o Pastor Manders convenceu-a a voltar para ele. Na série de personagens femininas de Ibsen, que Groddeck faz desfilar diante dos seus ouvintes, ela é a mãe que por uma vez coloca o próprio pastor no papel do menino; mas somente um tipo ao lado de outros. Ela se afirma finalmente como a mãe quando prepara para o filho irrecuperavelmente doente a poção venenosa obtida com suas preces, retoma-o como que de novo no seu regaço. O jovem Groddeck passa relativamente de leve por esse final com uma pergunta; o que não teria feito disso o autor do *Livro d'Isso*! O pastor, apesar de suas "qualidades ridículas e inferiores", deve ser poupado no palco, porque a sra. Alving, que o ama, se tornaria ridícula com ele. Seu erro verdadeiro é de novo, como no caso Helmer, não aquele que se acha à superfície, de que ele teria pecado contra o sexto mandamento na sua interpretação mais rígida, evangélica: "Não cobiceis a mulher do próximo". Era antes a hipocrisia, que o faz apenas condenar com maior severidade o erro dos outros. As cartas foram embaralhadas de tal maneira que legalidade e veracidade são representadas pelos antagonistas. Assim, também aqui é colocado o problema da exigência moral, é estabelecida uma ponte ideativa direta para o *Pato Selvagem*, onde Groddeck aproveita a ocasião para tratar desse problema, introduzindo-o no contexto próprio; e essa é a terceira explicação, não-expressa, da sua predileção por essa peça.

É Greger Werle quem representa a exigência da veracidade absoluta, especialmente entre casais, quem condena a "mentira de vida" e, com isso, põe em perigo a felicidade de vida de seu amigo Hjalmar Ekdal, é quem leva a pequena Hedwig à morte e finalmente chega à conclusão de que seu pai imoral cumpre esse ideal: ele está em via de legalizar uma relação ilegítima com sua governanta, uma relação existente há muitos anos, sob total franqueza mútua, é bom notar, acerca da pregressa conduta duvidosa de ambos. Groddeck encontra também aqui a nota cômica, mas vai logo ao âmago; relaciona a exigência moral em si como "uma expressão de sentimentos humanos". No geral, ele demonstra um discernimento assustador daquilo que irá acontecer de amoral dentro de uma geração. É possível colocar, no lugar da retrospecção do assassínio da nobreza, a previsão do genocídio. "Não compreendemos mais que, para os nossos antepassados, esse assassínio de inocentes era uma exigência moral." O que torna a coisa ainda mais terrível é que Groddeck vê todos os povos como uma família. O que vem depois ele ainda é obrigado a presenciar: "Podemos confiar em que nossos sucessores irão condenar com o mesmo rigor", isto é, com que nós condenamos o assassínio em massa, "nosso esforço de confraternização com a humanidade e de estabelecimento da paz mundial". Naturalmente, a tal relativismo moral poder-se-ia contrapor o fato de que não é a lei moral, mas a sua interpretação que é fundamentada apenas empiricamente. Mas discussões de princípios não eram da índole de Groddeck; sob o título "Eu o Ousei", ele informa, na sua revista particular *Die Arche*, que pela primeira vez lera realmente até o final um livro filosófico que o conde Keyserling lhe enviara. Não é que lhe faltasse a intenção; no seu legado foi encontrada a série completa dos *Ensaios sobre Kant* com as folhas cortadas apenas parcialmente. Após travar conhecimento com a psicanálise, Groddeck encontrou fundamentalmente justificada a sua reserva contra a filosofia especializada. Sua comunicação ao VII Congresso Psicanalítico Internacional, de Berlim, em 1922, intitulava-se: "A Fuga para a Filosofia". Groddeck concede: "Não quero diminuir a grandeza da exigência moral, ela é tão impossível de excluir do meu pensamento e das minhas ações quanto do de qualquer outro homem". Por razões pedagógicas de cura, ele recomenda às vezes aos seus pacientes o impulso a desdenhar as regras do bom comportamento. Se a idéia deu no subconsciente o resultado desejado, ela não precisa, nem deve, como o explica o *Livro d'Isso*, transformar-se em ato. Groddeck era, acima de tudo, um prático, um grande curador do seu povo e da sua época, pois o imperativo categórico e a moralidade luterana lhe forneciam pacientes que, devido ao exagero no conceito de dever, haviam sido educados para ser hipócritas e neuróticos.

Em nenhuma das personagens de Ibsen comentadas por Groddeck, sua opinião difere tanto da tradicional quanto em Hedda Gabler, que ele apresenta no início de sua quarta conferência. Segundo Schlenther, o seu desejo de ação degenera em crueldade e aparente frieza, é uma maldosa mulher de cultura; casou-se com o jovem promissor Tesmann, historiador da arte, porque queria ser sustentada. Aliás, ela não o diz de modo tão direto; e, no entanto, alega como razão para o seu casamento o fato de Tesmann "ter querido sustentá-la a qualquer custo", e mesmo assim sempre permanece a questão de saber se esse foi o motivo mais profundo e único. Apesar disso, é difícil para Groddeck colocá-la sob aquela luz que julga adequada. Em troca, Tesmann, antes de mais nada, liberta-se da suspeita de ser um bibliomaníaco torpe, mas divertido. É, antes, "um homem de cultura fina, que se movimenta sem choques na melhor sociedade". A tarefa que Groddeck entrega ao ator "de representá-lo de tal maneira que seus traços ridículos mal sejam perceptíveis", na realidade, significa para o seu talento mímico uma exigência ainda maior do que no caso do Pastor Manders; ambos devem ser elevados por causa da mulher, Tesmann junto com sua néscia pergunta "O quê?" e o "Imagine só", expressões com que termina uma de cada duas frases suas. Para Groddeck o importante é a constatação: Hedda Gabler "não é uma mulher psicopata, que devia estar num sanatório", e isso o doutor deve saber. Assim, ele a salva como tipo de mulher de validade universal: "Hedda Gabler permaneceu uma moça, apesar do seu casamento, apesar da sua gravidez". Com a observação: "quase se poderia dizer uma menina", ela está sendo aproximada de Nora. O que a distingue é sua inteligência ágil; sua "burrice" naquele caso fatídico deve ser apenas fruto do "medo infantil" do escândalo; depois, "seu secreto prazer por jogo de palavra ousado e pelo perigo sedutor", enquanto Nora se enreda por ignorância, e um "ideal de beleza exagerado", a vida elegante que ela conheceu como filha de general.

Como introdução à quarta conferência Groddeck comenta uma característica estilística que, com efeito, permite compreender o que ele entende por tipo artístico em contraste com o caráter, com especial aplicação às personagens ibsenianas: "Os caracteres ibsenianos não se deixam esgotar". É a teoria do ensaio de Goethe sobre Shakespeare, que já fundamentava a segunda conferência (p. 59). Ibsen não cria caracteres, mas tipos, "porque trabalha de modo impressionista". Um modelo exemplar é Hedda Gabler. De maneira concretamente palpável, Groddeck transpõe para a arte literária um elemento estilístico da pintura anterior à Primeira Guerra Mundial: "O impressionista não confere às figuras que pinta nenhum contorno nítido, elas se confundem entre si e com seu ambiente, não são delimitadas, mas antes são ligadas pelo tipo de iluminação". Fritz Burger, um historiador da arte contemporânea, diz, ao contrário, que no impressionismo o sujeito humano não é outra coisa senão uma mancha de cor diante do olho do artista que nivela tudo; depois estabelece, por seu turno, a relação com Ibsen e ilustra sua tese com uma pintura do francês Seurat que poderia ter servido de modelo a Groddeck, quando ele, a seguir, diz de Ibsen: "Em nenhuma das suas peças maduras encontra-se uma personagem real, um papel que existisse por si mesmo, como em outros autores". É interessante que a revolucionária *Grande Jatte* mostre a figura principal de modo totalmente típico, enquanto a secundária ainda possui traços de caráter (ver ilustração 1). Em Shakespeare, ao contrário, toda personagem é compreensível também isoladamente; "ela pode ser separada, sem que a personagem sofra qualquer dano; somente a beleza da peça é que está sendo estragada, não a beleza do caráter". A relação existente entre os diversos tipos humanos, se é permitido precisar a concepção de Groddeck, é que, em substância, eles são sensivelmente contrastantes pelas suas diferenças, ao passo que os caracteres podem ser apenas diferentes. Mas, se de fato forem apenas diferentes, é possível estabelecer uma separação nítida entre caráter e tipo no sentido groddeckiano.

O *Arquiteto Solness* deve sua inclusão no ciclo das conferências ao estilo impressionista claramente perceptível; suas personagens principais, bem como as secundárias, se encontram numa dependência mútua especialmente evidente. O par em que Groddeck acentua expressamente essa dependência é formado pelo próprio Solnes e por Hilde Wangel. Hilde tornou-se "a criança perigosa" que constrói castelos no ar, sonha com o monstro que a carregará para o seu reino, e finalmente sonha com "alguém que se precipite das alturas", o homem "lá em cima nos ares", porque ela, aos doze anos, viu o construtor no momento em que ele, no auge dos seus sucessos, ao celebrar o término da construção, colocava a coroa na ponta da torre da igreja. E então, era realidade ou sonho? – "ele dobrou a sua cabeça para trás e beijou-a muitas e muitas vezes". Como Groddeck teria interpretado tal fantasia após ter passado pela psicanálise? – Com Hilde, o anjo da morte entra no escritório do construtor. Não apenas porque ele, o homem envelhecido, ama e odeia e teme a juventude dela; não apenas porque ela o leva, a ele que desde a infância sofre de vertigem, a subir mais uma vez no andaime; isso são meras combinações do destino. O que, além disso, o liga a Hilde é justamente aquele antigo acontecimento comum que despertou nele o fantasista, que quer agora colocar uma torre em cada casa. O que converte ambos em tipos no sentido groddeckiano é o fato de não só determinarem mutuamente seu destino, como também os caracteres costumam fazer; porém, muito mais o seu ser.

As exposições da série de conferências *Tragédia ou Comédia?* sobre arte poética em geral devem ser consideradas provisórias. Abstraindo-se o fato de isso corresponder à maneira de pensar de Groddeck, no sentido de atingir o universal pelo individual, ainda falta, para o pleno desenvolvimento do pensamento simbólico, que é o centro de sua visão artística, a ferramenta da psicanálise. Os resumos aqui expostos deveriam ser suficientes para provar a evolução de pensamento conseqüente. Entretanto, é necessário dar pelo menos amostras no texto original dos comentários vivos e cheios de humor sobre os dramas de Ibsen. Aquilo que Groddeck tem em mira são as personagens femininas; com isso, ele apenas sublinha uma tendência que encontrou em Ibsen. "Quase sempre são as mulheres que desempenham o papel principal nas suas peças." A qual dessas mulheres Groddeck atribui a importância maior, ele o demonstra pelo título e disposição de suas conferências: Não anuncia a *Casa de Bonecas*, mas "Nora"; não *Rosmersholm*, mas "Rebekka West"; não os *Espectros*, mas "Helene Alving". Em "Hedda Gabler" o poeta já o precedeu, ao empregar seu nome de solteira, como Groddeck observa sentenciosamente. Nora, a mulher-brinquedo; Rebekka West, a mulher heróica; Helene Alving, na verdade não a mãe, mas uma mãe; o dia da Grande Mãe ainda não havia chegado para Groddeck. Hedda Gabler, sem dúvida, não é a senhora moderna, mas uma senhora moderna, elegante, ambiciosa, inescrupulosa, egocêntrica, não-realizada apesar da gravidez, e no fundo infantil. A mulher-brinquedo encabeça a roda como a mais velha das irmãs; a litania do ano eclesiástico oferece para a festa da Imaculada Conceição a leitura do *Livro da Sabedoria*: "O Senhor me possuía no começo dos Seus caminhos; eu tinha meu prazer diariamente e brincava diante d'Ele sempre". – Seguem-se os comentários de Groddeck sobre Nora e sobre Rebekka West, às quais ele dedicou separadamente uma conferência inteira; encurtados dos parágrafos de introdução pessoal e de resumos repetitivos, bem como das digressões estilístico-críticas, que foram resumidas no que foi dito.

Nora

Antes de qualquer coisa, nossa peça tem um nome: chama-se *Casa de Bonecas*. Peço-lhes que guardem isso na mente. Quem algum dia tentou escrever sabe o que significa o título de uma obra. Ao ouvirem a expressão "casa de bonecas", ocorre aos Senhores no momento em que, no final da peça, Nora conta de que modo teria sido usada pelo pai e pelo marido como se fosse uma boneca, um brinquedo; e nos sentimos tentados a relacionar a expressão "casa de bonecas" com esse trecho. É provável que exista uma certa relação, mas não estamos autorizados, sem mais nem menos, antes de considerar todas as outras possibilidades, a supor que foi dado esse título à peça unicamente para sublinhar as palavras de Nora ou para colocar depois delas um ponto de exclamação. Tal hipótese equivaleria mais ou menos a conceber a obra como peça de tendência. No entanto, isso contradiz o caráter da obra, como os Senhores irão ver. No momento, o termo "casa de bonecas" não nos diz muita coisa. Na melhor das hipóteses, desperta lembranças de nossa infância, no fundo lembranças amáveis, nunca amargas, lembranças de brinquedos, de uma vida que se levou brincando.

A princípio, essa impressão permanece. Vemo-nos transportados a uma sala acolhedora, mobiliada com bom gosto. Tudo nela é bonito. Móveis pequenos, gravuras, quinquilharias, pequenos objetos de arte, uma pequena estante com livros encadernados luxuosamente, o que quer dizer que não são lidos, uma cadeira de balanço – diga-se de passagem que essa cadeira é propriedade particular de Nora; ela não tolera que outra pessoa se sente nela, sabe presumivelmente como se ajusta bem a ela – tudo, enfim, alegre, simpático, bonito. E de repente é como se a luz do sol inundasse esta sala alegre. Nora entra, risonha e alegre, carregada de pacotes, seguida por um carregador, que traz outros pacotes dentro de um cesto e na mão um pinheiro. É Natal: brilho de luzes, risos de crianças, brincadeiras de bonecas nos aguardam.

Pois é, no palco brilha somente o sol. Como ela não iria conquistar todos os corações, essa mulher pequena e bonita lá em cima, com as faces rubras de frio, adornada por sua própria beleza, que corre corre apressada de um lugar para outro, joga longe o chapéu e a capa, cantarolando arruma os presentes e graciosamente mordisca biscoitos. Carrega-os consigo na bolsa, igual a uma colegial. É uma autêntica menina, um esquilo, como Helmer a chama; não se poderia encontrar melhor apelido. E ninguém tenta escapar ao seu encanto, não é possível. Nos três primeiros minutos ela conquista o teatro inteiro. Ninguém consegue resistir-lhe.

Nora se certifica de que seu marido está em casa e o chama. Como um homem autêntico, primeiramente ele responde: Não me perturbes, mas na mesma hora aparece na porta. E, agora, os dois começam a falar. Torvald censura a esposa por seu esbanjamento. Mas a coisa não parece assim tão séria. Pois, antes de se terem passado dois minutos, colocou um punhado de notas na mão da esbanjadora. E ele não está de todo errado. A sra. Linde, amiga de Nora, diz que já no tempo de escola ela era uma esbanjadora terrível. Ocorre-nos também que o primeiro ato de Nora na peça é pagar ao carregador o dobro do que ele pedira. Ora, hoje é um dia de alegria: é Natal e, como estamos sabendo, Torvald acaba de ser nomeado diretor do banco, tem portanto perspectivas de bons lucros. Mas, mesmo assim, estamos certos em dizer que Nora é uma esbanjadora.

Sua idéia de dívidas é muito estranha, encantadora na forma como ela a apresenta; aqui, o desespero só de pensar numa desgraça que pudesse acontecer a Torvald, e lá, a total indiferença diante do fato de outros poderem estar sendo lesados por ela – São gente estranha aqueles, diz – Nora, Nora, você é uma mulher, responde Torvald, rindo. – Não quero ofender as minhas ouvintes, mas a mim, pessoalmente, me parece que é como se Torvald tivesse razão em dizer esta frase: Você é uma mulher. A mulher vive para os seus, para o marido e os filhos, todos os outros são pessoas estranhas. É isso uma das diferenças fundamentais entre os dois sexos, uma causa de mil conflitos pequenos e grandes no casamento. A mulher talvez compreenda que nada pode estar mais próximo do homem do que a sua mulher, ou seja, ela compreende isso com a sua razão. Mas essa conclusão racional não atinge o seu íntimo. No fundo, ela está convencida de que é o universo do homem. E o homem? Quanto a este, se se debruçar sobre a alma da mulher, vai conhecer esse traço fundamental da natureza feminina; também ele incorporou ao seu vocabulário as expressões para isso. Mas, no fundo, não acredita que se lhe possa fazer uma exigência tão exorbitante do seu ponto de vista. De qualquer modo, se o puserem à prova, ele falhará em dez casos contra um.

Aqui é o ponto em que o espetáculo de *Casa de Bonecas* é elevado ao humano universal. Pois a obra de arte psicológica também deve conter um traço do humano universal; do contrário, não passa de um mero estudo de caráter. E que *Casa de Bonecas*, de Ibsen, é mais do que isso, os Senhores já podem ver no fato de ninguém poder subtrair-se ao efeito dessa obra.

É esse o momento propício de dar uma olhada na ação do drama e conseguir uma visão nítida do conflito. Nora, uma jovem esposa, falsificou uma assinatura, fato que lhe proporcionaria um meio de salvar o marido, que estava mortalmente doente. Ela espera que, se o crime for descoberto, ele se sacrifique por ela. Quando a desaponta nessa expectativa, ela o deixa.

É de supor que um homem heróico também irá afastar para longe de si uma exigência dessas. Mas já se sabe, depois das suas primeiras palavras, que Helmer não está à altura de tal conflito. Não é nenhum herói, não existe nele qualquer resquício de heroísmo, e se Nora o considera um herói, mesmo depois de oito anos de casamento, trata-se de um traço notável, que propicia a solução para muitos enigmas de sua natureza. Sua natureza é poética.

Isso esclarece também uma estranha característica, que logo se evidencia após suas palavras ingênuas sobre fazer dívidas. Nora mente; mente com uma facilidade, com uma naturalidade que só se encontra naquelas pessoas que convertem a fantasia em realidade. Para seu talento inventivo não existe fronteira entre invenção e mentira. Uma atriz no papel de Nora não pode cometer erro maior do que fazer Nora parecer encabulada quando profere uma mentira. A mentira tem de ser dita com surpreendente segurança. Nenhum dos co-protagonistas suspeita do significado desse traço essencial do caráter de Nora, nem mesmo o inteligente Rank, e também o espectador tem de esquecer nesse momento que Nora comeu biscoitos, que limpou cuidadosamente a boca para que Helmer não o percebesse ao beijá-la. Para Nora não existem mentiras. Sua fantasia é sempre ativa. Sua natureza é sonho e ficção.

A cena entre o casal é interrompida pelo dr. Rank e pela sra. Linde. Helmer se retira com o doutor e acontece o primeiro encontro entre as duas amigas. Também aqui se torna evidente o brilho do caráter de Nora. Pode-se ler isso palavra por palavra, a delicadeza com que Nora sabe falar e agir, a bondade que ela ostenta, no mais belo sentido do termo. Quando Kristine observa, Kristine, que incidentalmente – a peça tem mesmo algo a ver com o movimento feminista – é defensora das modernas idéias feministas, é uma fanática pelo chamado auto-sacrifício e pela compaixão sempre presente pelo próximo, impregnada mesmo da amargura de ser uma solteirona, quando Kristine observa grosseiramente que não tem um pai que a possa presentear com o dinheiro da viagem, ela não responde outra coisa senão: "Não se amofine comigo". Isso é uma coisa bela em Nora, algo que compensa nela tudo o que existe de mau. A cena é importante, porque aqui Nora fala pela primeira vez do modo como obteve o dinheiro para a viagem à Itália. Permitam-me os Senhores que eu me demore aqui um pouco mais. É preciso, para a interpretação desse caráter de Nora, tantas vezes mal compreendido.

Nora tem uma série de versões para essa história, mas nunca as conta corretamente, nunca – observem isso, por favor –, nem mesmo no final. Modifica continuamente a história, vêm à luz aqui muitos dos seus sonhos, com os quais ela leva uma segunda vida, secreta, sua vida real. De início, conta a velha história que Helmer e presumivelmente também Rank, enfim todo mundo, já ouviram. Helmer trabalhou muito no primeiro ano de casamento. Ficou gravemente doente, e os médicos acham necessário uma viagem ao Sul; Nora consegue com o pai moribundo o dinheiro para custeá-la. Ela não dá muita importância aos detalhes de data. Disse uma vez que seu filho mais velho nascera exatamente nessa época, e, dois segundos depois, que estava esperando o nascimento para qualquer momento. Bem, uma contradição dessas não teria em si a menor importância. Mas em Nora ela deve ser levada em conta. Prova que, na sua imaginação, o assunto todo se transformou numa saga sagrada. Nem mesmo ela sabe direito como, a todo momento, o seu senso dos fatos é obscurecido por sua fantasia. Depois, vem a segunda versão da história, inicialmente apenas em insinuações vagas: "Papai não nos deu um tostão, fui eu que consegui o dinheiro". "Eu também tenho algo que me deixa orgulhosa e feliz. Salvei a vida de Torvald." Observem, por favor, as palavras com que acompanha essa confissão. Diz ela: "O importante eu não te contei". A expressão "o importante", assim como depois "o maravilhoso", é significativa. Já lhes disse antes que Nora leva uma vida dupla, uma com Helmer e os filhos, e outra consigo mesma, sozinha, uma vida de sonho. O importante – é esse o conteúdo de seu sonho do passado – é expresso nas palavras: "Será uma insensatez salvar a vida do marido?" O maravilhoso, é esse o objetivo dos seus sonhos do futuro. Trabalha continuamente nessas duas coisas, para arredondá-las e moldá-las poeticamente. Quando Kristine objeta que Nora não poderia ter pedido emprestado o dinheiro, porque para isso teria necessitado do consentimento do marido, ela responde primeiramente: "Oh! quando se tem um pouco de conhecimento dos negócios", pensamos: Nora e o conhecimento dos negócios; mas, de repente, ela diz: "Talvez eu o tenha obtido de outra maneira. De um admirador. Quando se é medianamente atraente...". Soa muito divertida a maneira como ela diz isso, como uma piada algo atrevida, mas ainda assim inofensiva; mas, alguns minutos mais tarde, comprova-se que, por trás disso, se esconde mais do que uma piada. É um jogo sempre repetido da sua fantasia: um velho ricaço se enamora dela e, ao morrer, deixa-lhe muito dinheiro. No caso, ela pensa num senhor específico, no dr. Rank, pois sabe que ele irá morrer logo, e, um dia mais tarde, ela tenta transformar esse sonho em realidade. Aqui a sua vida de fantasia se torna patente por um momento, a fantasia sobre o curso do maravilhoso, do futuro para o qual ela vive.

Chegou a hora de esclarecer os fatos. Nora pede dinheiro emprestado a um agiota, a quem dá como aval uma assinatura falsificada do pai, falsificada três dias depois da morte dele. O importante para o julgamento de Nora está no fato de ela ter falsificado a assinatura somente quando estava ciente da morte do pai. Os Senhores irão ver mais tarde por que ressalto esse fato tão enfaticamente.

No momento, apresento-lhes o que ela continua a contar à sra. Linde. Antes de se decidir pelo empréstimo – sobre a falsificação ainda não diz nada, apesar de ser o que realmente importa –, antes de se decidir, tentou todo o possível para convencer Helmer a fazer, ele próprio, o empréstimo. Na ocasião, deixa transparecer muita coisa que é característica dela. Escutem isso: "Disse a Torvald como seria excitante se eu pudesse viajar ao estrangeiro, como outras mulheres jovens; chorei e implorei; pedi-lhe que considerasse as condições em que me encontrava, que fosse bonzinho e concordasse, e depois lhe propus que fizesse um empréstimo". O que os Senhores me dizem disso? Nora é realmente uma boneca? De qualquer modo, uma boneca que conhece a fundo todos os recursos da alma feminina e, ainda iremos ver, uma que sabe envolver seu marido e o dirige. Observem igualmente a maneira como Nora apresenta as coisas aqui. Já chamei a atenção para as informações diferentes sobre o filho, que uma hora já havia nascido, na outra ainda estava sendo esperado. Mas também aqui ela silencia sobre o fato de o pai já estar morto quando todo esse negócio foi concluído. Age como se precisasse poupá-lo; não só finge, como também, depois de haver preparado tudo durante longos anos, ela mesma quase acredita nesse comovente conflito entre amor filial e amor marital. Veremos que vai muito mais longe nessa crença.

Por enquanto, devo ocupar-me de duas frases que lançam uma estranha luz sobre a qualidade de boneca de Nora. A sra. Linde indaga se Nora o confessou ao marido. "O que estás pensando", responde Nora. "Torvald, com o seu orgulho masculino – como seria penosa e humilhante para ele a idéia de que me deve algo. Isso modificaria totalmente a relação entre nós; nosso belo lar, feliz, nunca mais seria o mesmo." Nobre frase; mas, ao mesmo tempo, também uma prova da inteligência de Nora e uma prova de que é ela quem dá feição à vida dessa casa de bonecas. Confirma-o logo em seguida. A sra. Linde pergunta: "Tu nunca lhe dirás?" "Sim, um dia talvez", é a resposta, "daqui a alguns anos, quando eu já não for tão bonita como agora;

quando Torvald não gostar mais de que eu dance para ele e me disfarce e declame. Nesse dia, talvez seja bom ter alguma coisa à mão". Os Senhores estão vendo, Nora sabe muito bem por que brinca de cantar, ela é que tem dado o tom na casa, é ela que manda na casa de bonecas. Também foi ela quem a mobiliou. Pode-se concluí-lo de antemão, pelo tipo dos móveis. Mas isso também é dito expressamente. "Agora, quero te contar como pensei nos móveis, Torvald", são estas as suas próprias palavras. Penso que são suficientemente claras, e se Nora mais tarde, nos seus grandes discursos finais, diz ao marido que se submeteu a ele em todas as questões de gosto, ela está dizendo a verdade até certo ponto. Ela também pode não ser totalmente veraz. Falta-lhe o senso da realidade. Isso não se expressa somente na grande habilidade de modificar essa realidade, que nela é natural, ele lhe falta totalmente. Ignora, por exemplo, o quanto pagou das suas dívidas. Tem fé num Deus divino, o que não é de admirar num ser como ela. Pensa: se algo acontecer, eu me sairei com uma mentira, já o fiz uma centena de vezes. "Eu me sentia quase como um homem", diz Nora ao falar dos seus trabalhos. Acreditamos nisso cegamente, porque ela reina na casa, reina precisamente por sua graça e fantasia, mantém o infantil no seu casamento de propósito. De outro modo, como Helmer, esse zero absoluto, poderia de alguma forma dar o tom com seus belos lugares-comuns?

É notável a pequena cena com Krogstad, que quer falar de negócios com Helmer. Nora está encabulada, pela primeira e única vez. Mexe na lareira para disfarçar esse embaraço; acometem-na o medo e a esperança – as duas coisas – de que agora o destino possa abater-se sobre ela, de que Krogstad vá apresentar a promissória. Mas esse distúrbio passa rápido e, como desculpa para o acesso de um sentimento que normalmente é estranho a ela, termina a conversa sobre o procurador com uma mentira evidente. Não sabe nada dos negócios dele, e, nessa mentira, não demonstra o menor embaraço.

Agora Rank entra em cena e trava, com as duas mulheres, uma conversa sobre filantropia. Revela-se aqui que a feminista é a sra. Linde e não Nora.

RANK– Não sei se lá na sua região também existe gente que luta por descobrir as misérias morais e depois as usa para obter alguma vantagem. Os saudáveis devem contentar-se em ficar de fora.
SRA. LINDE – Mas, afinal, não são os doentes os que mais precisam de atenção?
RANK (*encolhe os ombros*) – Pois é, isso mesmo. É justamente essa idéia que transforma a sociedade humana num hospital.

Aqui os Senhores estão vendo homem e mulher num confronto agudo de seus princípios básicos. O caráter da sra. Linde se arraiga, de fato, nessa filantropia, ela está continuamente à procura de gente a quem possa tornar feliz. Primeiro, foram a mãe e o irmão, depois é Krogstad.

Mas voltemos a Nora. Durante a conversa das duas mulheres sobre coisas tão importantes quanto a vocação, para toda feminista genuína, de ajudar, de ser útil, de trabalhar, ela pensa em algo totalmente diferente, pensa no fato de Krogstad ser agora dependente dela, Krogstad, a quem ela tanto teme; e agora aparece de novo a verdadeira Nora. Está esfuziante, alegre, oferece biscoitos e encontra-se no melhor dos humores. Prestem atenção, por favor, no tom com que Nora fala com Rank, com o senhor idoso que logo irá morrer. É totalmente honesta com ele, totalmente Nora, mas uma Nora muito diferente da que fala com Torvald. Essa mulher tem muitas caras. E então chamo de novo a atenção dos Senhores para o fato de nunca faltar a Nora um pretexto, mesmo o mais absurdo. Guardem esse fato, por favor, ele é importante. Mais uma coisa: Nora diz: "O pensamento de que nós temos tanta influência é delicioso"; é claro que se corrige em seguida, e coloca Torvald em lugar de nós. Mas o "nós" está aí e não é apenas uma partícula de realce. Ela não fala à toa quando diz à sra. Linde que irá conseguir-lhe o emprego. Imediatamente depois, na cena seguinte, mostra o que entende por "manobrar direitinho, tramar algo bem simpático para convencer Helmer". Este entra, e agora ela começa. "Imagine, Torvald, Kristine fez uma longa viagem para falar contigo." Não é verdade, mas como Helmer deve gostar disso. "É que Kristine é muito hábil nos serviços de escritório" – Nora não sabe nada disso – "e depois, ela gostaria tanto de aprender sob a direção de um homem experiente" – com que habilidade ela oferece banana ao macaco –, "aprender mais do que já sabe". "E como ela soube que agora és diretor de banco – o telégrafo havia divulgado lá –" etc. etc. Não é verdade que essa Nora é uma boneca? Não é? "O telégrafo havia divulgado lá", a mais consumada intrigante não faria melhor. E ainda existem pessoas que tomam Nora por um brinquedo de Helmer. Por quê? Ora, porque ela mesma o diz, e é claro que nela se pode acreditar.

Pelo menos, às vezes se pode; assim, na cena seguinte, com os filhos. Aí ela é verdadeira, uma Nora genuína, honesta, encantadora. Esta cena é para mim a mais importante de toda a peça. É tão bonita que ninguém a esquece. O mais estranho é que, apesar disso, no final da peça, ninguém mais pensa nela.

Logo os Senhores saberão o que quero dizer com isso. Mas, em primeiro lugar, olhem para trás! Apaguem, por favor, tudo o que vem nos próximos atos. O que os Senhores têm diante de si? Um tipo de mulher radiante de felicidade, um tipo de mulher que espalha o sol em torno de si, que sabe disso e que, conscientemente, faz valer a sua capacidade de fazer feliz em todo lugar, que sabe amoldar-se a cada pessoa, a cada circunstância, uma pessoa forte, que está à altura de tudo. Felicidade, radiante felicidade, é essa a impressão destas cenas.

Nós que conhecemos a peça sabemos com certeza que sobre esta mulher pesa uma desgraça. Mas desafio qualquer um, no primeiro contato com a peça, a encontrar nesta cena o menor indício de que estamos aqui diante de um casamento infeliz. Até agora, deve-se compartilhar da simpatia de Nora por Helmer, por este severo trabalhador; pelo homem de caráter firme que quase morreu de tanto trabalhar, que levanta a voz para evitar que algo de escravizador penetre na vida. Decerto, temos aí uma casa de bonecas, se assim o quiserem, mas não é Helmer quem a faz parecer assim, é Nora, Nora, que não só está à altura da vida, mas que brinca com ela; brinca com uma naturalidade e segurança que deve provocar mais admiração de ato para ato. Os Senhores podem muito bem dizer que isso é leviandade, podem censurá-lo amargamente, como sempre se está certo em fazer, quando se examina essa estranha mulher do ponto de vista moral. Mas uma coisa terão de conceder-lhe: força. Nora, uma boneca? Nora tem um tal poder de transformar as coisas, de transformar os homens, os acontecimentos, que dá a Helmer, não, ao auditório inteiro, a impressão de ser uma mulher gravemente ofendida, ferida na alma pelo marido e pelo pai, e que durante décadas tem conseguido impor essa impressão a leitores de todas as classes e povos. Ninguém que chega ao final dessa peça se lembra mais dessa extravasante felicidade do começo. Todo mundo acredita nisto: está-se cometendo aqui uma indignidade contra uma alma humana. Os Senhores irão encontrar logo mais essa força de sugestão que as mulheres de Ibsen possuem. Mas, se abrirem bem os olhos, também irão encontrar na vida bastantes pessoas, homens, mas essencialmente mulheres, que possuem algo dessa força. É uma força poética. A esse respeito, a personagem de Nora, ao que eu saiba, só tem uma rival, é a princesa em Tasso, que há mais de um século passa por ser um modelo de mulher nobre e na verdade é uma *coquette*.

É quase inimaginável o poder de domínio de que Ibsen dotou essa mulher. Não me venham objetar que ela perde no próximo conflito, que não sabe absolutamente manobrar as coisas, nem as coisas nem as pessoas, já que não impede que seja descoberto o assunto da promissória, já que tampouco consegue impor a Helmer a manutenção do emprego de Krogstad. Sobrevém a catástrofe não porque ela não pôde impedi-la, mas porque quer vivê-la. Ela quer experimentar o maravilhoso.

Isso se torna imediatamente claro na discussão com Krogstad. Também agora ela o enfrenta com inquietude e tensão, da mesma forma que na primeira vez ela perde agora a sua segurança; não diante do homem, de modo nenhum. Nem mesmo tenta entender-se com ele de alguma maneira. Para ela Krogstad não passa de um verme desprezível. Não, ela perde sua segurança porque se acha diante do momento em que o maravilhoso se apresenta à sua frente, o conteúdo de sua vida de sonho. Antes de qualquer coisa, Nora desconversa. Finge que

Krogstad veio por causa dos juros. Depois, tenta intimidá-lo. Em seguida, quando Krogstad insiste em fazê-la usar a sua influência em favor dele, diz que não tem influência nenhuma. Por que diz isso? Temos visto como é fácil para ela influenciar Helmer em alguma coisa. Acaba de vangloriar-se dessa influência, e Helmer é também retratado de modo tão transparente que Krogstad não necessita da garantia de que o sr. Diretor não é mais duro do que os outros maridos. Nós sabemos disso, e Nora também sabe. Mas, em vez de vacilar por um momento, de refletir, em vez de pelo menos repetir mais uma vez que não tem influência, ela agora ataca Krogstad e ameaça pô-lo para fora. Para Nora esses são momentos de tensão máxima, de prazer máximo, se assim o preferirem. Nora ama a excitação, como a amam todas as mulheres. Vê uma luta diante de si, uma luta maravilhosa. Por um instante, até se comove com a situação de Krogstad, quando este lhe conta que deseja subir na vida pelo trabalho; as palavras dela se tornam mais brandas. A decisão agora está cada vez mais próxima. Ela consegue protelá-la mais uma vez. Em lugar do maravilhoso para o qual está preparada, refere-se ao segundo lado da sua vida de sonhos, ao grandioso, ao segredo de que salvou a vida de Torvald, essa maravilhosa consciência de que ele, que acredita estar acima dela, é sua criatura, deve-lhe tudo. Esse lado de sua vida fantasiosa é tão poderoso que a comove até as lágrimas, é tão forte que ataca de novo, em vez de se defender. Um após outro, aparece toda uma série de seus sonhos, como aquele de que seu marido pagará o dinheiro, e de que então a coisa estará encerrada. É um dos sonhos, como o do velho ricaço de quem ela quer herdar, um sonho que caminha paralelamente. Até agora ela falou em frases longas; no momento em que Krogstad entra nos detalhes do compromisso de dinheiro, passa a falar de maneira entrecortada, apressadamente. A conversa é realista. É em si mesma um pequeno drama. Nora está consciente de que agora o seu sonho vai-se realizar. De início, ela apenas mente: "Papai assinou"; embora já suspeite do que virá a seguir. Quando é mencionada a data da assinatura, fica insegura, não sabe o que Krogstad pretende, porque ela esqueceu a data falsificada. Em vez do mero sim, responde: "Creio que sim". Depois, segue de novo uma mentira tranqüila, dita com segurança e, finalmente, uma última tentativa de desconversar ou, pelo menos, de prolongar a hora da bela excitação. "Não venho te pagando pontualmente?", pergunta. Agora Krogstad prossegue no seu ataque por um desvio. Ele não precisa disso. Nora sabe, há muito tempo, o que tem de fazer. Mas não imagina de que maneira Krogstad descobriu a fraude. Quando seu contendor lhe explica isso, fica surpresa, não havia percebido a falha de falsificar a assinatura três dias após a morte. Fica calada. Krogstad avança mais. "Mas a assinatura é verdadeira, não é, sra. Helmer? Foi seu pai realmente quem escreveu seu nome aqui?", pergunta. E agora acontece algo totalmente inesperado. Temos, na peça, dúzias de provas de que Nora é mestra consumada na mentira. Todos devem imaginar que irá mentir. Também pode fazê-lo facilmente. Krogstad não tem certeza absoluta do que está dizendo, ele mesmo também tem coisas demais na cabeça para poder agir livremente. E o que ela faz? Joga a cabeça para trás e diz: "Fui eu que assinei o nome de meu pai". É esse o ponto decisivo da peça. Nora, decididamente, coloca um ponto final na sua vida de sonhos, quer agora degustar a realidade, ver o grandioso, o maravilhoso, quer encetar um novo jogo com a vida, um jogo com uma cartada máxima.

Estranhamente, a conversa ainda prossegue por algum tempo. Tentarei explicar também isso. Mas, preliminarmente, quero constatar o estado real das coisas. Resulta dos fatos que Nora não falsificou a assinatura em vida do pai, mas somente três dias após a sua morte. Portanto, Nora primeiro esperou para ver se o pai recuperaria as forças a ponto de poder assinar ou, ao menos, dar seu conselho. O pai morre e, com isso, a esperança do aval. Apesar disso, Nora ainda não procede à falsificação, embora tente convencer-se de que, quanto mais tempo passar após a morte, mais perigosa a coisa se tornará. Hesita durante três dias. Poder-se-ia pensar talvez em lutas internas. Mas não corresponde ao caráter de Nora nem à sua idéia de bem e mal. Ela não considera essa falsificação uma coisa má, apenas algo proibido; ao contrário, está firmemente convencida de que agiu com nobreza. A frase: "É irrefletido salvar a vida de seu marido?" permeia todo o seu ser. A desonestidade da ação não a teria feito vacilar por um único momento. Em vez disso, cabe supor outra razão para a demora. Nora tem esperança de que o pai lhe tenha deixado algo. Por isso, espera esses três dias e depois assina. Como não atribui importância à falsificação, considera-a moralmente justificada, coloca sem pensar a data traidora. A coisa deve ter acontecido mais ou menos dessa maneira.

Nora não atribui importância à falsificação. Mas não se deve entendê-lo como se ela, ao cometer a ação, não soubesse que era passível de punição; ela sabe disso muito bem, não é tão inexperiente como quer fazer crer. Conhece as doenças venéreas e suas conseqüências, é esclarecida em alto grau, suas conversas com Rank o provam, entende também alguma coisa de direito matrimonial e, sobretudo, tem um marido que habitualmente cai em cima dela por qualquer coisinha. Nora sabe que cometeu um crime. O embaraço que sente na presença de Krogstad só se explica pela sua consciência culpada. E, depois, ela mesma chama a falsificação de ação corajosa. O que haveria de corajoso nisso se não estivesse consciente do perigo. Mas, sobretudo – e isso elimina toda e qualquer dúvida –, ela não conhece somente a história da falsificação do documento de Krogstad, não, sabe que seu próprio pai praticou coisas semelhantes e foi preservado das conseqüências judiciais graças tão-somente à intervenção de Torvald. Mas sabe também, por essa razão, que entre delito e expiação judicial existe uma porção de escapatórias, dinheiro: o velho senhor doente, depois os caminhos tortuosos de Krogstad, finalmente a proteção de Torvald. Este salvou seu pai, Torvald é seu ídolo, pode tudo, irá também protegê-la. Sim, ele o fará de uma maneira que é terrível só de pensar. Nora já sabe como a protegerá. Mas ele não pode fazer isso, tem de impedi-lo.

Por duas vezes, aliás, caímos na tentação de duvidar da consciência culpada de Nora. Uma vez ela diz: "Em algum lugar do código deve constar que isso é permitido", e uma outra, quando Krogstad ameaça denunciá-la, ela pensa: "O quê! Ele só quer me assustar; não sou tão boba assim. Mas? Não, não, isso é impossível. Eu o fiz por amor". A primeira frase se explica por si mesma. É uma das muitas escapatórias que ela preparou. Se algo de desagradável acontecer, digo simplesmente: eu o fiz por meu pai e meu marido; então nada pode me acontecer. A indiferença que ela demonstra pelo evento é facilmente dedutível do fato de sempre mencionar a preocupação que tinha pelo pai, quando na verdade este, no momento do crime, já estava morto. Para ela não é importante se a coisa chegar a ser denunciada; mas, sim, se Torvald ficar sabendo e o que vai achar disso. A isso se refere o "Mas?" e "Não, não. Eu o fiz por amor". Em pensamentos ela imagina que Torvald, em vez de admirá-la, poderia brigar. Depreende-se isso do início do segundo ato. Nele ela sente um medo terrível de que Krogstad apareça. Não pensa mais no perigo do processo no tribunal, mas está totalmente absorta nas fantasias sobre o que irá fazer o seu marido.

Já disse, e o provei pela evolução da peça, que Nora se precipita no perigo livremente, por vontade própria; quer experimentar o que sonhou. Depois de sua confissão se acalma de novo, perfeita senhora da situação. Vemo-la, durante a conversa com Krogstad, em sua costumeira atividade de alterar as coisas. Primeiramente, apresenta um dos desfechos de sonho: o dinheiro está sendo pago, e com isso tudo está resolvido. Krogstad muda de conversa, ainda não quer se comprometer. Sabe que dispõe de uma arma, mas que essa arma pode feri-lo da mesma maneira, tem motivos para recear uma denúncia, um processo judicial. Agora Nora apresenta a sua maneira de ver as coisas, não completamente, porém ainda parcialmente. Não é gratuitamente que ela diz mais tarde que tem pontos de vista morais próprios. Que está desenvolvendo agora. No centro coloca a frase: Eu tinha de salvar a vida de meu marido. A essa segue a segunda: No caso não importava uma fraude, já que era cometida contra um estranho. "O senhor não me importava em nada", diz e acrescenta: "O senhor para mim se tornou antipático".

Aqui ela chega de novo a um ponto decisivo do seu modo de pensar. Para Nora só tem importância o que lhe está próximo, seu marido, seus filhos, sua casa de bonecas. O mundo lhe é indiferente. Isso, como eu já disse, não decorre de modo nenhum da ignorância, mas é o cerne de sua moral. E o que, afinal, se pode objetar a essa moral? Ela é a moral de todas as mulheres e mães, se os Senhores quiserem, a de todos os seres humanos. Um crime não é um crime se for a única possibilidade de salvar uma vida muito próxima. É a moral inata a cada um, não é de modo algum uma moral de boneca, assim como Nora não tem em absoluto a menor semelhança com uma boneca. É bastante engraçado que Nora, mais tarde, faça crer a si mesma e ao público que Helmer era culpado de sua concepção de mundo, a qual no entanto é oriunda do seu heroísmo e fantasia naturais. O conflito da peça não reside na deplorável desavença entre Helmer e Nora, não é uma tragédia conjugal, não é uma peça sobre servidão e direito da mulher. Trata-se de um problema criado, de um lado, pelo choque entre a moral humana e a moral da sociedade e, de outro, pelo choque entre realidades sonhadas e realidades vividas. O fato de estar, de um lado, um homem e, de outro, uma mulher se explica por razões de conveniência, é devido provavelmente ao motivo que Goethe deu um dia para a predominância de caracteres femininos na arte moderna: os Antigos esgotaram em Aquiles e Ulisses os grandes motivos da natureza masculina.

Depois daquela conversa com Krogstad, Nora se encontra, na verdade, agitada, mas não desconcertada. Teme apenas que Helmer, com sua aparente retidão – interiormente ele não a possui, como ela sabe pelo seu comportamento com o pai dela –, talvez não veja a coisa sob a luz gloriosa que ela vê. E sobre isso recebe logo uma lição que a abate totalmente. Torvald lhe diz que um delito sempre tem de ser expiado com uma punição, diz também que quem não aceita a punição envenena o lar e os filhos; que ele é acometido de um mal-estar físico na proximidade de tais pessoas. É um golpe terrível para Nora, um golpe que a afeta imediata e desastrosamente. "Envenenar nosso lar? Não é verdade. Isso não pode ser verdade e nunca será, jamais." São essas as palavras finais do primeiro ato.

O segundo ato começa dentro da mesma atmosfera de desespero, como já lhes disse acima. A intenção de Nora é evitar agora que Torvald se inteire de qualquer coisa, porque ela teme o seu espírito de sacrifício, teme por ele. Ela cercou esse homem inteiramente de fantasia. Não quer infectar as crianças. No futuro, não quer mais estar tanto tempo com elas como antes. Já se pressente a idéia de deixar a casa para sempre. Insinua que a pajem deve encarregar-se dos pequenos quando ela não estiver mais lá. No diálogo seguinte com a sra. Linde, é importante que Nora diga que ela age diante de Rank diferentemente do modo como age com Torvald. Portanto, tem consciência de suas diferentes faces. E então, por meio dessa conversa, se conclui o plano há tempos elaborado de pedir o dinheiro a Rank.

O diálogo com Torvald, que se segue, mostra a causa mais profunda da obstinada resistência que Helmer opõe a todas as artes de sedução de sua mulher. Diz: "Krogstad me trata de você; isso não se coaduna com a minha posição". Nora não acredita nesse motivo. "Isso seria mesquinho", diz, e Torvald não é mesquinho. Como prova de que não o é, Torvald, irado com a crítica apenas perceptível de sua mulher, envia a carta de demissão de Krogstad. Até esse momento ele ainda a retinha, e é possível supor que Helmer, apesar de tudo, teria sucumbido à influência de sua boneca. Nora é acometida de um medo violento, roga e suplica; mas logo ouve, fascinada, as bravatas de Helmer, nas quais se vangloria de sua força e coragem. Nora acredita nelas incondicionalmente. Está cheia de uma tensão terrível, o que equivale nela à alegria de que a palavra decisiva seja dita, a palavra com que o maravilhoso se realizará na vida, e quando é proferida: "Eu sou o homem que toma tudo sobre si", ela fica primeiro transida de susto e, depois, quando ele repete: "Tudo", ela se acalma de repente. "Você não deve fazer isso agora nem nunca." No fundo, ela só ouviu uma palavra: Vou tomar tudo sobre mim, a palavra que ouviu há oito anos em sonho e acordada, que espera com doce anseio, que é o conteúdo de sua vida interior, de sua moral. Nora está firmemente convencida de que Torvald irá sacrificar-se por ela. Mas "antes disso, qualquer outra coisa", diz, o que quer que isso possa significar.

Esta "qualquer outra coisa", seja lá o que for, é o velho ricaço, o dr. Rank, que entra nesse momento. Na realidade, não é tão velho, e a coisa não se desenvolve da maneira como Nora havia imaginado. Ela ainda se encontra totalmente imersa nos seus pensamentos. Nesse instante, vê em tudo o maravilhoso, está tensa ao extremo. "Para o sr. sempre tenho um tempinho", diz. Mas, quando Rank responde: "Farei uso disso enquanto eu puder", ela se assusta. Acredita que Rank alude ao fato de que ela irá morrer logo. Ela se acalma assim que percebe que Rank fala da própria morte. "Ah! o senhor", diz, respirando aliviada. Rank é um estranho para ela, algo assim como as empregadas na casa de seu pai, sua morte não a atinge. Quão indiferente ele é para ela, prova-o o seguinte, a graciosa cena *coquette* em que representa com ele um verdadeiro jogo de sedução. Oh! é fria, essa mulherzinha. Não sente nenhum remorso por namoricar um moribundo. Quer realizar o sonho com o tio rico. Imaginou-o muitas vezes. Rank será generoso, dar-lhe-á dinheiro, tudo, como se lê nos romances, ela o comoverá com a sua beleza e ele dará tudo sem exigir nada. Ai, e esse belo sonho sobre o generoso doador está sendo destruído tão desapiedadamente. Em vez de compreendê-la em silêncio – pois assim convém a um verdadeiro cavalheiro –, Rank lhe faz uma declaração de amor. Isso ela poderia ter tido antes. Para isso não precisava ter mostrado suas meias. A esse homem tão desprovido de poesia, que sabe ler tão pouco no seu coração, a ele não quer pedir auxílio. Ibsen conseguiu aqui uma obra-prima de descrição psicológica. É assim: diante do homem não amado, todas as mulheres pensam dessa maneira: posso porque sou mulher;

mas tu não podes, porque és homem. É isso mais ou menos o verdadeiro conteúdo desta cena. Mas, agora, considerem como o poeta Ibsen dotou Nora de encanto. É preciso ter lido a cena muitas vezes antes de descobrir a verdade nua; primeiramente, somos arrebatados pela nobreza d'alma que Nora demonstra. Até certo ponto, essa nobreza também existe. Nora não quer tolerar, nem por um instante quer permitir que um outro se arrogue um sacrifício para o qual somente Helmer é bastante grande.

Para provar que Nora não se confessou a Krogstad por amor à verdade, que é muito capaz de encontrar subterfúgios sem vacilar, desfia agora todo um rosário de mentiras para, no momento da conversa com Krogstad, libertar-se de todas as surpresas desagradáveis. Essa habilidade de mentir perante todas as situações possíveis coloca sob luz especial essa verdade decisiva que ela pronuncia.

Krogstad entra agora. Quando diz a Nora que por enquanto não fará a denúncia, ela responde simplesmente: "Pois é, bem que eu sabia". Nem em sonhos ela cogitou nisso a sério, isso não é com ela. Quando pensa em suicídio, de que lhe é feita uma descrição tão horrível, não se trata, no caso, de medo da justiça. No entanto, agora que Krogstad pôs a carta no correio, surge um indício daquilo que comove seu íntimo. "Se eu perdesse a razão", diz ela à sra. Linde, "Ou se me acontecesse alguma outra coisa. – Se alguém quiser assumir tudo, a culpa toda, nesse caso tu deves testemunhar que isso não é verdade. Eu te digo que ninguém mais sabe disso. Fiz tudo sozinha." Quando Kristine confessa que não entende nada de tudo isso, ela diz: "Também como poderias entendê-lo? Agora é que irá acontecer o maravilhoso". E então ela acrescenta: "Sim, o maravilhoso. Mas isso é tão terrível, Kristine; não deve acontecer, por nada deste mundo". Já agora suspeitamos do que vem a ser esse maravilhoso, a afirmação do ser mais profundo, a grande auto-imolação. Nora vibra na antecipação do seu momento mais alto.

A sra. Linde quer correr atrás de Krogstad, para persuadi-lo a desistir da carta. Nos minutos seguintes, Nora se mostra de novo senhora dos acontecimentos. Esse trecho deve ser lido com precaução especial. Há nele uma série de alusões ocultas; por exemplo, quando Torvald fala do medo que Nora sente da próxima reunião social, e ela afirma com sentido duplo: "Sim, estou com medo". E depois o terrível: "Mas Nora, tu danças como se fosse uma questão de vida", com a resposta: "Sim, é isso mesmo". Nora está como que embriagada, aturdida de medo e de imensa felicidade. Agora está firmemente decidida a fazer o maravilhoso acontecer. "Não deves impedir nada", diz à sra. Linde. "É uma felicidade louca esperar assim o maravilhoso." E com a jubilosa exclamação: "Aí está a cotovia", voa para os braços de Helmer. O ato termina em júbilo, em selvagem alegria. O que acontece com essa alegria esfuziante? Nora irá agüentar firme até o fim? Helmer será tão grande quanto ela o sonha? Acontecerá o milagre? São perguntas que não fazemos mais porque conhecemos a peça; mas devemos lembrar-nos de que sempre há um momento em que uma obra é conhecida pela primeira vez, e deve-se vê-la com os olhos desses primeiros espectadores. Eles já adivinham a fraqueza de Helmer, mas como será o desenlace?

Antes de tudo, o terceiro ato aumenta a tensão. Krogstad e a sra. Linde estão juntos e firmam sua aliança para a vida. Agora conheceremos a sra. Linde em toda a sua grandeza. Depois de se ter sacrificado ao criminoso para salvá-lo, ela oferece à pureza da vida um outro sacrifício. Essa alma nobre não pode suportar que continue a mentira entre Helmer e Nora, o mal no meio do bem. Ela irá assumir a luta contra isso, irá introduzir o espírito da verdade dentro dessa casa de bonecas, para que tudo se torne claro e puro. E dessa maneira a fatalidade toma seu curso, que esta senhora lhe indica com a meia de tricô. A carta permanece na caixa do correio, e Nora irá experimentar o maravilhoso.

A tarantela está no fim. Nora está dominada pela idéia de que verá a grandeza de Helmer, de que agora pode adorá-lo realmente, de que a partir daí encontrará diante de si mesma a justificativa para toda essa idolatria que dedica ao marido. Ele será o herói, e ela morrerá por ele; sumir na água negra sob a camada de gelo, na água sem fundo. Pobre mulherzinha de alma poética, te espera um amargo despertar.

A conversa de Helmer e Nora, que por breve momento é interrompida pela visita de morte de Rank, culmina com as ardentes palavras de Helmer: "Às vezes eu desejaria que fosses ameaçada por um perigo iminente, para que eu pudesse expor a minha vida, dar o meu sangue e tudo, tudo por ti". Nora se desvencilha de seus braços e diz firme e decididamente: "Agora tens que ler tuas cartas, Torvald". Ela mesma provoca a decisão, evoca o maravilhoso, e o maravilhoso falha.

Aqui irei abusar um pouco da paciência dos Senhores e ler o final da peça. Este final tem de agir diretamente sobre os Senhores. Helmer leu a carta de Krogstad. Enche de invectivas sua mulher, que quer ir até a morte por ele; ela as ouve quieta e pacientemente. Então chega a salvação na segunda carta de Krogstad, com a qual devolve a promissória falsificada, e Helmer grita a sua felicidade no vazio, enquanto Nora, a quem ele bondosamente perdoa, tira a sua fantasia. "Tiro a fantasia", diz, e com isso se despe da comédia toda. Segue o grande ajuste de contas entre ambos, a fuga de Nora, e, no final, a ressoante batida na porta da casa, que ainda ecoará por muito tempo, conclui esta tragédia.

Essa tragédia conjugal, em que uma mulher abandona o marido e os filhos para tornar-se gente, para, ensinada pela vida, tornar-se gente. Pois ser gente é mais elevado do que ser esposa e mãe, é esse o conteúdo da tragédia de Nora, assim se diz, dessa tragédia com o estranho título de *Casa de Bonecas*. Pois é uma tragédia, não é? Ou não? É uma comédia talvez? É, sim. Uma comédia em que os deuses riem das pessoas que se sentam juntas na casa de bonecas.

Não sei se, pelas minhas declarações, ficou claro aos Senhores como cheguei a essa opinião. Por isso, irei repetir em breves palavras mais uma vez os traços mais importantes do espetáculo.

Primeiramente, temos o admirável par Krogstad e a sra. Linde. Kristine Linde é a mulher bondosa, com a profissão de mulher que se tornou moda, a salvadora, a mulher com as nobres convicções, sempre ativa na obra de dar felicidade aos homens. É mais do que justo que o destino seja bondoso com essa bela alma. O que é mesmo que se passa com ela? Entedia-se com seu trabalho de professora na cidadezinha. Põe-se a caminho, e, vejam só, acontece-lhe o mesmo que ao homem que procurava um asno e achou um reinado; o céu não só a presenteia com uma posição rendosa, sem que precise mexer um único dedo, não, ganha inesperadamente um marido; e um marido em quem pode perpetuar uma obra de salvação. Com que glória ela se apresenta, como é comovente esse reencontrar do velho amor. Decerto ela o aceita somente devido à necessidade de salvação, mas isso não prejudica o amor. Sabe muito bem como atribuir grandeza ao seu pouquinho de sentimento, ela não é mestra nisso como Nora, mas sabe tão bem o quanto lhe é possível. E o amigo Krogstad, o homem dos belos talentos de criminoso, que ainda há pouco havia exposto a Nora o grande plano, de como quer tornar-se diretor de banco, que havia tomado um impulso tão promissor rumo à grande carreira, se alegra agora por gozar as sobras gastas de sua velha amada. Mal voou aquele sonho de ambição e poder, e já está aí um segundo, de amor e de felicidade. Este é Krogstad, o embusteiro sentimental, esta é a sra. Linde, com a sua alma nobre e sua meia de tricô; como os Senhores sabem, Ibsen muniu-a de uma meia de tricô para se apresentar no palco. Ora, será que isso é para rir ou para chorar?

Vem depois o dr. Rank, o médico de sangue frio, que olha fixamente a morte nos olhos, que, imperturbável como Moltke na batalha de Königgrätz, escolhe o bom charuto que deve acompanhá-lo na sua última caminhada. Pode-se realmente rir quando ele fala do grande gorro que é posto na pessoa para que ninguém a veja? Quando desenha nos cartões de visita a cruz que significa a morte? Pois então Rank também faz poesia com a sua alma seca de cientista? Pobre homem, pertences também à casa de bonecas. Sabes muito bem como parecer frio e cínico, mas também sucumbes à tentativa de representar, de expor tua morte claramente, de se aproveitar ao máximo possível de tua mortezinha. E a morte nas tuas costas não te impede de encontrar um prazer humano em Nora e de lhe sussurrar palavras de amor. Por isso, tens de tolerar que o gesto trágico provoque um riso acerca da fraqueza do homem, acerca desse homem na casa de bonecas.

E Helmer? O que é ele? Não é certamente um herói trágico, tampouco repugnante; só atores ignorantes, que não entendem nada de nada, o transformam numa caricatura. Ele não precisa disso. É um homem totalmente comum, como é possível encontrar todos os dias, é o homem das grandes frases e da alma pequena, uma boneca nas mãos de Nora e do medo, uma boneca deplorável; mas, ainda assim, apenas um pouco mais deplorável do que o são todos os homens. E ele também tenta fazer poesia. Só que é difícil com lugares-comuns, e nunca o consegue. A verbosidade não substitui a pose heróica. Sua mulher é que deve fazer poesia para ele. Ela o veste sempre com o manto de rei, e mal ela lhe dá as costas, o manto lhe cai frouxo na figura lastimável. Ninguém acha trágico que Nora o deixe.

E com isso volto mais uma vez a Nora. Lembrem-se, por favor, do que eu disse no começo, que o lar de Nora irradia felicidade. Tudo isso pode-se esquecer, seu júbilo, sua alegria, sua felicidade, seu amor, pode-se esquecer tudo isso, sob o poder das palavras que ela lança à cara do marido. Nora encanta, é uma grande artista do jogo, ama esse jogo, a excitação dele, é uma mulher maravilhosa que reina soberana onde quer que se encontre. Mas tampouco experimenta uma tragédia, de modo nenhum.

Nora reescreve a vida, e reescreve do jeito que ela e os outros querem, uma pessoa cheia de perfume e de poesia. Reescreve o seu passado: ela converte a sua falsificação num ato heróico, ato heróico cometido pelo marido e pelo pai, e é preciso notar aqui que o pai já estava morto; este pai que ela ama – de quem gostaria de possuir muitas das qualidades – mas a quem ela, com repentina amargura teatral, denuncia na sepultura: é culpado de ela ter permanecido uma boneca. Reescreve o presente a todo momento, com mentira, arte e fingimento, com admirável maestria. Inventa o futuro, o sonho com os filhos que devem receber uma educação melhor do que a que ela recebeu e que, por isso, confia à mesma criada pela qual foi educada sem resultados tão brilhantes, o sonho com Rank, que deve ser cavalheiro, o sonho com Helmer.

Ela brinca com a vida, com as pessoas e consigo mesma. De Helmer faz um herói, de Helmer, até o último momento. Vê que está embriagado; mas tem de ser herói, tem de fazer prodígios. "Tudo o que tu fazes está correto", diz, "eu sei que todos os teus pensamentos me pertencem". Sonha até o último minuto, sonha mesmo quando ele lhe grita: "Não me venhas com subterfúgios tão miseráveis!" Ela reúne todas as forças e encontra, até neste momento, as palavras: "Tu não deves pagar por mim, não deves assumir a minha culpa". Está totalmente submersa, totalmente presa ao seu sonho sagrado do sacrifício mútuo: ele por mim, eu por ele, uma autêntica mulher. E com que receio se esquiva do carinho desse marido, que a todo custo deve ser herói e, no entanto, não pensa em outra coisa senão no vinho e no amor. Como lhe devem ter soado aos ouvidos, nessa hora consagrada, as grosseiras palavras de Torvald, ela que friamente deixa Rank ruir porque ele não representa o seu papel da maneira como ela o imaginou. E com que maestria ela entende de atribuir a Torvald a culpa de ser ela assim como é, de transformá-lo, em poucos instantes, de herói em assassino de almas; não só a si mesma, não só aos espectadores, não, ao próprio Helmer, ela sabe convencer desse fato, ele mesmo acredita nisso: Sim, sou culpado de ela ser uma boneca, de brincar com a vida, de ser alegre em vez de séria. Mais ainda, quando o velho sonho se desfaz, ela imediatamente tem um sonho novo diante de si, um sonho de se tornar gente, de ser livre, de aprender a viver. Realmente, essa mulher faz prodígios, sabe cercar-se sempre do maravilhoso, ela o mantém prisioneiro do seu ser e, onde pisa, faz brotar o prodígio com a magia da sua fantasia. Até transfigurar novamente o ser lastimável de Helmer, ela sabe. Ela pensa nisso e declara que ele será uma outra pessoa quando lhe for tirada a boneca, e ela já acredita também que, quando retornar após longa separação, a nova imagem de fantasia se tornará realidade, o novo prodígio, o mais maravilhoso: um verdadeiro casamento. Ela é invejável em sua fé e em sua força, uma autêntica heroína.

Por certo não é heroína no sentido da lenda corriqueira sobre Nora; certamente que não. Mas quem sabe, talvez algum dos Senhores acredite, apesar de tudo, que estou cometendo uma injustiça com essa lenda, quando destruo de maneira tão completa o brilho do martírio em Nora. Nesse caso, peço-lhes que pensem um pouco: por que Nora foge afinal? Pela mesma razão pela qual dá as costas a Rank, porque Helmer não age da maneira que ela esperava.

Já lhes disse: é bastante estranho que ela espere heroísmo de um homem como Helmer. E há mais uma coisa. Helmer não sabe em que situação embaraçosa ela se meteu na época da falsificação, não suspeita de que ela falsificou para lhe salvar a vida. Ela lhe ocultou justamente isto, ocultou cuidadosamente. Este silêncio é importante também num outro sentido. Nora censura a seu marido o fato de nunca ter falado seriamente com ela sobre coisas sérias. E ela, o fez? Não, nunca. Escondeu dele sua vida íntima, nem por um momento lhe permitiu uma visão da sua existência real de poeta. E quando ela lhe diz na hora da verdade: "Eu vivi representando diante de ti", então ela simplesmente está mentindo, ou, se os Senhores preferem uma expressão mais branda, está de novo fantasiando. Pois, na verdade, ela viveu dos seus sonhos. "É que tu querias assim", ela então continua. Não, Torvald não, Nora é que o quis assim. Ele é um homem simplório, que divide tudo com ela, até seus problemas de escritório. Ela não divide nada com ele, absolutamente nada. "Tu nunca me compreendeste", diz, uma mulher genuína. E como isso teria sido possível, se ela representava continuamente diante dele?

Mas deixemos de lado todas essas coisas, por enquanto. Alguém poderia ter agido da forma como Nora o imagina? Nem mesmo o maior herói o teria feito, se não fosse, ao mesmo tempo, o maior idiota. É simplesmente impensável que o sonho de Nora se realizasse. Ela imaginou o seguinte: Krogstad comunica ao seu marido a falsificação; em seguida, Helmer irá declarar: "Não foi minha mulher, eu é que falsifiquei", e então ela, por seu lado, se jogará na água para salvar Helmer. É uma tragédia completa; mas os Senhores percebem logo que está muito mal construída. Não tem sentido Helmer dizer: "Eu falsifiquei a assinatura", porque se irá constatar imediatamente que não é verdade. Também não tem sentido ela se jogar na água, pois com isso não altera nada da ruína de Helmer. Ela sabe disso também; Krogstad lhe disse isso, e ela o compreendeu com horror. Apesar disso, não renuncia ao seu sonho; é terrivelmente belo.

Mas continuemos: nessa noite, quando acontece tudo, há espaço para feitos heróicos? Não. Os dois estão sós. Não há ninguém diante de quem Helmer pudesse assumir a culpa. A esperança de Nora de que ocorra um milagre é infantil. Nesse momento só pode acontecer uma cena mais ou menos comovente, nada mais. E é essa cena comovente que ela espera e, na esperança de uma tal cena comovente, expôs seu marido e seus filhos, durante oito anos, ao perigo de perderem um dia seu nome honrado. Pode-se virar e revirar como quiser, no momento em que Helmer retornava da Itália são e apto para o trabalho, Nora deveria ter-lhe confessado o seu segredo. O fato de não tê-lo feito prova justamente que, para ela, a paixão pelo maravilhoso, pela excitação vale mais do que tudo.

Não existe lugar para um feito heróico. Além do mais, Nora sabe que Helmer está um pouco embriagado. Ela nem sequer poderia levar a sério qualquer sugestão de heroísmo. Nenhuma dos milhares de pessoas que anualmente são levadas a sentir compaixão por essa Nora teria, nem por um momento, a idéia de agir da maneira como ela esperava que Helmer agisse.

Os Senhores terão de admitir que, quando se vai ao fundo das coisas, todas as reprimendas que Nora levanta contra seu marido voltam a cair sobre ela, até esta e exatamente esta, com peso duplo, que ela exprime com as palavras: "Vocês nunca me amaram. O prazer de vocês era estarem enamorados de mim". Assim é que acontece com Nora, exatamente assim é o seu estado de alma; sua relação com Helmer é de namoro. A esse respeito, os três filhos que gerou passaram por essa mulher sem deixar vestígios. Essas três crianças ainda não estão incluídas na sua vida de sonhos. Para ela, na atuação da cena trágica que cria no final, eles só importam como figurantes.

Os Senhores perceberam como ela representa diante de si mesma toda uma tragédia? Como ela, de repente, cria um novo maravilhoso, quando o antigo falha? A maneira como devolve a aliança, como se com isso estivesse desfeito o casamento, é simplesmente delicioso, um verdadeiro traço de Nora. E, depois, essa satisfação da tortura interior da alma, de ter vivido oito anos com um homem estranho, de ter gerado filhos de um homem estranho, de não poder passar a noite no quarto de um homem estranho, de não aceitar nada de um estranho.

Não quero cansá-los, do contrário eu poderia falar durante horas sobre essa mulher estranha, que é ao mesmo tempo tão boa e tão má. Mas ainda quero chamar a atenção dos Senhores para uma coisa. Nora fala sério a respeito da sua partida, disso não há dúvida, tão sério quanto se possa falar sobre alguma coisa. Mas, de fato, sua seriedade nunca vai além do sonho, tampouco nisso. Os Senhores podem ficar tranqüilos: Nora não irá lutar pelos direitos da mulher. Ao contrário, logo irá retornar à casa de bonecas e recomeçar seu velho jogo sob novo invólucro. O que se pode ganhar com esse conflito em termos de excitação – é excitação que ela quer –, isso ela conseguiu. A vida no estrangeiro sem a maravilhada admiração de seu espectador obtido por casamento não tem para ela qualquer encanto. Agora ela espera um segundo ato, que lhe aplaine a volta com nova excitação. Perante si mesma já justificou esse retorno há muito tempo. Pouco antes de ela sair, diz Helmer: "Terei a força de transformar-me", e ela replica: "Talvez, se te tirarem a boneca". Retoma esse pensamento, com que embeleza sua fuga de si mesma, de novo no final: "Teria de acontecer o maior dos prodígios" – que ambos se transformassem. Decerto, ela diz que não confia mais em nada de maravilhoso, mas quem acreditará nessas palavras? Nora vive do maravilhoso. Também o maior dos prodígios irá acontecer, isto se esconde atrás das palavras finais de Helmer, que soam esperançosas: "O maior dos prodígios".

A propósito, numa variante, Ibsen faz Nora reaparecer na casa do marido já no final da peça, um claro indício talvez do que se deve esperar para o futuro. Todo o pavor da terrível luta de Nora com a vida é desnecessário. Ela simplesmente brincou, um dia, de fuga da boneca na casa de bonecas.

Rebekka West

Para começar, examinemos rapidamente o conteúdo da peça. Um homem cuja mulher se afogou tempos atrás no canal do moinho é tão torturado pela desconfiança em si próprio que exige da mulher a quem ama que se entregue à morte para lhe devolver a fé na nobreza da alma humana. Quando ela o faz, ele se precipita junto com ela na corrente.

Todos sentem imediatamente o ridículo do tema. O desejo de autoimolação em si está incluído na essência do amor, tanto quanto o desejo de uma prova de amor na morte. A palavra de amor de todos os amantes, em todos os tempos e povos, é sempre a mesma: Tu me amas sobre todas as coisas? e Eu te amo mais que à vida. Nestas palavras está contido tudo o que nunca foi falado entre dois amantes. E o amor sente como fala. A morte é o símbolo natural da entrega da mulher. Ela morre no homem. Seu único desejo é perecer, de corpo e alma, nessa outra pessoa, e, segundo a mais profunda lei da natureza, essa outra pessoa espera essa morte total da amada. A quem quer que deseje retratar artisticamente essa lei do impulso irresistível para a morte que invade a personalidade na mulher não resta alternativa senão transformar o símbolo da morte em realidade, pois somente a morte é suficientemente poderosa para ilustrar a grandeza desse sentimento, e não palavras ou atos. O poder do amor não é representável artisticamente a não ser pela morte, pela execução daquilo que o amor sente e fala: Tu me amas mais que à vida? e Eu te amo mais que à vida. Mas a tragédia do problema não reside no morrer em si; reside na ousadia de apresentar uma parte da vida como um todo, de converter o meio no fim. Para o deus-natureza o amor, o desejo da morte, o perecer da mulher no homem não é uma meta; essa morte é o caminho para a vida. Essa ânsia de morte que o amor demonstra impele primeiramente à manifestação máxima da vida. O deus-natureza soluciona o problema mediante nova vida, para ele o amor não é mais importante do que o respirar ou o sono. Mas quem ama, o homem que ama, não é senhor de tudo como o deus-natureza, não vê o todo, o universo, está embaraçado dentro do seu amor, este amor, no momento, é tudo para ele, objetivo e realização. Deve confundir o meio com o fim, a parte se transforma no todo. E o poeta que quer representar o amor do homem não pode fazer outra coisa senão colocar a realidade em lugar da verdade, a morte real em lugar da morte da personalidade; ele precisa exagerar. Precisa criar pessoas e situações que vão além do costumeiro, para que sobressaia claramente a força do amor vencendo a morte, precisa elevar o desejo da mulher de se sacrificar a uma grandeza de sentimento que faça a morte parecer algo natural, precisa atiçar o amor no íntimo do homem a um tal frenesi que torne natural e irresistível o seu desejo: prova que me amas, e só o podes provar pela morte.

O meio artístico para consegui-lo, o único meio que todo artista tem usado e deve usar quando pretende descrever o problema do amor, está na própria natureza do amor, na dúvida do amante em relação à amada. Avivar ao máximo essa dúvida do homem e o desejo da mulher de dominá-la, de modo a não permanecer nenhuma outra saída senão a exigência: morre, e a decisão: sim, eu morro, é esse o conteúdo de toda a poesia do amor. Nele o amor da mulher é transfigurado de antemão, pela sua morte resignada, no mais belo dos símbolos; toda a preocupação do artista está dirigida para a explicação da dúvida do homem. A beleza da obra de arte depende de quanto o poeta consegue comprometer o espectador com a dúvida do homem.

Rosmersholm começa com uma clara alusão ao caráter estranhamente desconfiado do herói. As duas mulheres, Rebekka West e a governanta, observam da janela, com fascinado interesse, o caminho que o pastor Rosmer irá tomar para chegar a casa. "Será que ele se atreve a passar pela ponte?", pergunta a governanta. "Não, ele vai dar a volta. Hoje ele também não vai passar por cima." Prestemos atenção nestas palavras. São o tema da peça. Seremos informados mais tarde de que a sra. Rosmer, demente, se jogou na água desta ponte. Por enquanto ainda não é mencionado por que o pastor não se atreve a andar sobre ela. Pois Rosmer não conta o pavor supersticioso do cavalo branco, a que alude a sra. Helseth. Quando Rosmer ou Rebekka falam do cavalo branco em *Rosmersholm*, referem-se a alguma outra coisa, a algo que tem poder sobre o pastor e está destruindo a sua vida.

A conversa das duas mulheres é interrompida pelo cunhado de Rosmer, o reitor Kroll, que pela primeira vez depois de muito tempo volta a visitar o parente. Com algumas palavras sem importância ele passa por cima do motivo da sua longa ausência e fala imediatamente da desavença política que divide a população da cidade em dois campos. O reitor Kroll se erigiu em líder dos conservadores, em última instância porque foi atacado pessoalmente. Pela conversa seguinte ficamos sabendo de muita coisa sobre o passado de Rebekka. Ela passou a vida a cuidar, primeiro, do pai adotivo paralítico e depois da sra. Rosmer, doente mental. As calorosas palavras de admiração que Kroll lhe dirige ela refuta calmamente: "Para o que mais eu deveria ter vivido?" É totalmente natural que ela pense nos outros, é a essência da sua natureza; uma verdadeira mulher, cuja vida consiste em ajudar e cuidar.

A suspeita de Rebekka de que Kroll evitou a casa por tanto tempo por não gostar de vê-la no lugar da sua falecida irmã, o reitor contesta imediatamente com a proposta de que ela se case com Rosmer, pois seria a melhor solução. Agora observem o seguinte. Rosmer entra, e suas primeiras palavras também expressam a dúvida de saber se Kroll não se teria chocado com a convivência dos dois. O reitor o nega. Todavia, por mais sinceras que sejam as suas palavras, no ouvinte é despertada essa dúvida, primeiramente por esta dupla pergunta das duas pessoas estreitamente ligadas, e ela permanece após a resposta de Kroll, permanece durante toda a peça, adere como uma mancha à pessoa de Rebekka e coloca sob uma luz estranha o medo de Rosmer de passar pela ponte.

Kroll, como já foi dito, procura eliminar toda suspeita: ele não sentia qualquer rancor. "Eu não queria andar por aí como uma lembrança viva dos teus anos infelizes, como lembrança daquela que terminou no canal do moinho." É a terceira vez, em poucos minutos, que Kroll diz que o casamento de Rosmer teria sido infeliz, e por culpa de Beate. Imagina ser natural que se lembre da morta com indignação. Mas Rosmer contradiz. "Para mim não é nenhuma tortura pensar em Beate. Falamos dela diariamente. Para nós ela praticamente ainda pertence a esta casa." E afastando-se propositadamente de ambos, Rebekka o confirma: "Sim, de fato". Nessa frase ressoa uma estranha atmosfera que já se havia percebido antes na conversa com a governanta: "Aqui em Rosmersholm, os mortos são lembrados por muito tempo". E aqui de novo vem à mente do ouvinte a circunstância de o pastor não se atrever a passar pela ponte; não ousar, isso é dito expressamente. Somos obrigados a tomar por uma inverdade a frase de Rosmer de que pensa em Beate sem qualquer tortura. Essa sensação de inverdade o leitor imparcial não tem nas palavras de Rebekka: "Amei Beate profundamente"; quem não conhece a seqüência da peça acredita nisso, e quem a conhece bem acredita mais ainda. Em compensação, a impressão de insinceridade de Rosmer é reforçada, quando ele, mais uma vez, volta a afirmar como é doce e agradável o efeito que lhe causa pensar em Beate. Que vive na dúvida e preocupado com saber se se encontra no bom caminho, ele diz depois. Tem sentido muita falta do único conselheiro mais chegado de sua vida – aliás, desses conselheiros ele tem diversos –, e gostaria muito de aliviar seu coração. Um homem deprimido, aflito, e sobretudo insincero, é isso que devemos pensar de Rosmer.

O reitor volta a falar de suas preocupações políticas e domésticas, e quando, mal-humorado, se acerca da janela e olha para fora, acontece algo que deixa uma profunda impressão no espectador. Rebekka sussurra duas palavras ao pastor: "Diz tu!" É inimaginável que qualquer dos espectadores consiga subtrair-se ao efeito desse "tu". Todo mundo, sem exceção, tem a impressão: Ah! esses dois, às escondidas se tratam por tu; então, mantêm uma relação amorosa. Essa impressão permanece, não é possível apagá-la. É despertada a suspeita contra Rebekka. Rosmer recusa: "Hoje não!". Não é um homem de decisão rápida. Sim, pior ainda, em geral não ousa revelar nem mesmo o segredo da sua concepção de mundo diferente. Rebekka o faz em seu lugar. Mas Rosmer mistifica imediatamente o seu depoimento franco e consegue afastar mais uma vez a suspeita de Kroll. Este o convida então a se colocar a serviço da coisa sagrada, a tornar-se redator do jornal do distrito. Com isso ele mostra os retratos nas paredes, de oficiais, de funcionários, de pregadores; evoca o espírito da tradição em Rosmersholm.

Devo deter-me aqui por um instante. Há pouco chamei a atenção dos Senhores para a importância do título nos dramas de Ibsen. Ora, o título da nossa peça é *Rosmersholm*. Também ele sublinha a força da tradição, dos antepassados. E é isso que traduz o cenário. Rosmersholm é um antigo solar senhorial. Conduz até ele uma alameda de velhas árvores, que deve ser vista do auditório. A sala é espaçosa, antiquada, as paredes cobertas de retratos de família. Esta é muito antiga, desde há alguns séculos é a primeira da região, todos os homens de honra, e, como todas as linhagens antigas, também esta tem a sua saga familiar do cavalo branco que leva os Rosmers na hora da morte. E de novo, diante dessa observação, nos soa aos ouvidos o que dissera Rebekka: Aqui em Rosmersholm os mortos são lembrados por muito tempo.

Assustado, Rosmer recusa a oferta de Kroll. Mas também aqui ele não revela o verdadeiro motivo, sua mudança de opinião, não, até impede, angustiado, que Rebekka fale em seu lugar. A dúvida de saber se seu ponto de vista é o correto o corrói duplamente, desde que o nome de sua linhagem é evocado dessa forma.

No momento seguinte essa dúvida é refutada, refutada de maneira especialmente estranha. Ulrik Brendel aparece em cena. É o velho professor de Rosmer, sobre quem teve uma vez grande influência, foi ele que implantou pela primeira vez na cabeça de Rosmer a idéia de liberdade. Seu efeito sobre o espectador é o mais lastimável possível. Mas a Rosmer basta vê-lo para lhe despertar lembranças de alegres aspirações, suas palavras presunçosas e ocas de que irá dirigir a vida com mão forte, sobretudo as imagens que pinta da sua vida interior estática e que tão bem se amoldam à própria natureza de Rosmer, tudo isso é suficiente para levar Rosmer a uma livre confissão de seus ideais. É digna de nota a maneira como Ibsen usa Ulrik Brendel. Ele o faz aparecer duas vezes, e nas duas vezes induz à ação o honesto Rosmer, o homem que se evade de toda ação. O humor de Ibsen penetra fundo e assoma em toda parte. Pode-se entender sua forma também nessa ironia. Mas eu preferiria acreditar num genuíno humor dourado. Essa confrontação entre o fraseador honrado e o beberrão aqui é convincente para mim. Realmente, em Ibsen nunca se sabe se se deve rir ou chorar, mas o olho que ri e o que chora valem como marcas de humor. Se se pudesse representar os dramas de Ibsen de uma maneira diferente do estilo sombrio e doentio que o teatro alemão prefere, seriam mais bem compreendidos. A dificuldade está tão-somente no fato de que a veia cômica de Ibsen está sempre voltada para os problemas mais difíceis da vida humana e não os soluciona, mas apenas os expõe ao olhar. Ibsen é objetivo; ele se coloca acima de suas criaturas, deixa ao leitor a decisão de saber se prefere ver a vida do lado alegre ou do lado sério ou mesmo de ambos, o que certamente é o mais simples e o melhor.

Ulrik Brendel, o vadio, é, portanto, quem leva Rosmer à única ação decente da sua vida, que, por certo, também não produz grandes resultados; todavia, não sem que Rebekka acorra em seu auxílio com umas palavras enérgicas. E somente a intervenção de Rebekka empresta à cena a luz correta. A tentativa dessa mulher de dar conteúdo a palavras vazias aparece em todo o seu ridículo, uma vez que ela, ao ver o bufo Brendel, continua levando a sério o bufo Rosmer.

Rebekka ouve em silêncio as palavras de Brendel, para finalmente exclamar: "Isso é muito nobre da sua parte. O senhor dá o que tem de mais valioso". No fundo, essas palavras são dirigidas a Rosmer, contêm uma admoestação, uma exortação, como doravante se evidencia, cada vez mais, de cena para cena, que Rebekka vive com o único pensamento de animar para a ação, para a grandeza, o homem que ela ama. "Quantos existem que dão o melhor de si", ela continua, com o olhar voltado para Rosmer, e depois, reforçando: "Que o ousam fazer". Sua palavra tem um efeito poderoso. Rosmer ficou calmo e seguro; com calma e segurança ele diz ao seu amigo: "Estou no mesmo ponto em que estão os teus filhos", com os radicais.

Para o momento todas as dúvidas desapareceram. Rosmer fala das torturas dessa dúvida como de algo que passou, e com força convincente mostra o seu ideal: "Quero tornar nobres todos os homens deste país". Mas, logo depois de se pronunciar, volta de novo à dúvida. "Todos os homens?", pergunta Kroll, e Rosmer modifica: "Pelo menos, o maior número possível" e logo em seguida à pergunta provocante de Kroll: "Queres purificar, queres libertar?", ele se retrai ainda mais. "Não, quero apenas despertá-los para isso." Então, ele se reanima mais uma vez, confessa ter abandonado sua fé da infância. Chega-se, com essa confissão, à ruptura entre os dois amigos. A pedra começa a rolar.

O que surpreende em tudo isso é, principalmente, uma coisa. Rosmer havia mudado seu modo de pensar há anos, mas nunca ousou confessá-lo. Também o reitor fica intrigado com isso e pergunta por que Rosmer se calou por tanto tempo. E Rosmer fornece para isso uma estranha razão, mas para ele muito característica: "Eu não queria causar tristeza nem a ti nem aos outros". E, quando Kroll pergunta, agora duplamente comovido: "Então por que confessas agora a deserção?", ele diz algo que seguramente é falso, mas que ele tem por certo: Kroll o forçou a isso por seus manejos violentos. Essa é uma evasão inconsciente da verdade. Não foram as manobras de Kroll, mas o acaso que o levou a isso ou, melhor ainda, a frase de um vagabundo. Kroll sai com as palavras proféticas: "Não és homem para ficar só. Nós te obrigaremos a voltar para nosso meio". Segue-se aqui um trecho pouco chamativo, mas que é importante. Rosmer retruca: "Não estou tão abandonado assim. – Somos dois a suportar a solidão". Kroll: "Ah! (Uma suspeita ascende à sua mente.) É isso! As palavras de Beate!" – Rosmer: "Beate?" – Kroll (repelindo a desconfiança): "Não, não, isso foi muito feio, me perdoa". – Rosmer: "O quê, o quê?" – Kroll: "Não falemos mais nisso. Que asneira! Me perdoe!" Note-se bem, não é Rebekka que repara na palavra "Beate", mas Rosmer. É ele que duvida, que tem culpa na consciência. Rebekka, ao contrário, pergunta o que o reitor quis dizer com "Que asneira!". Rosmer despista. "Não quebres a cabeça com isso." "Sinto um grande alívio", diz. "Estou completamente calmo." Ele se tranqüiliza. O quanto ele se sente realmente inquieto ressalta do fato de ir para o seu quarto sem comer. Rebekka permanece sozinha. Seu humor é sombrio. "Temo que logo iremos ouvir falar do cavalo branco", diz à sra. Helseth e, com isso, indica sua verdadeira opinião de que nesse mundo existem os mais variados cavalos brancos. Observem bem como o final do ato, com essa menção ao cavalo branco, desperta a lembrança dos acontecimentos iniciais, a nervosa evasiva de Rosmer diante da ponte. Permanece a dúvida, ela vive em Rosmer, continua a viver no espectador.

Desta grande cena entre Rosmer e Kroll devo ressaltar mais uma coisa. Rosmer diz que deseja tornar nobres os homens ao libertar-lhes o espírito e purificar-lhes a vontade. Aqui toda palavra é importante. Todos nós que escutamos essas frases compartilhamos da opinião de Kroll, que lhe responde: "És um sonhador, Rosmer". Mas existe uma pessoa que acredita neste sonho, é Rebekka. Acredita no sonho de que Rosmer irá enobrecer os homens ao libertar-lhes o espírito e purificar-lhes a vontade, ou, antes, ela quer acreditar. Toda a força de sua alma ela usa para poder acreditar nisso, toda a força de sua alma. Logo os Senhores irão ver o que isso significa.

O próximo ato mostra-a em ação. Informa a Rosmer que escreveu, em seu nome, a Mortensgord, o líder dos liberais. – Mortensgord, quando ainda era pastor, fora corrido vergonhosamente por Rosmer de seu posto de professor, porque mantinha uma ligação com uma mulher casada. Portanto, Rosmer foi um dia, senão o zelote, pelo menos zeloso nas suas funções. – Como motivo para a sua carta Rebekka aduz ao algo hesitante Rosmer que seria melhor estabelecer relações amistosas entre ele e Mortensgord. Agora pode ser que ele não mais se sentisse seguro. Se ela tem razão, mostra-o a cena seguinte com o reitor. Cabe perguntar, porém, se o que ela diz foi o único motivo para sua carta, ou se não tencionava, antes, ampliar ainda mais o abismo e impedir o retorno de Rosmer. Escreveu a carta num momento em que tinha motivo para duvidar da coragem de Rosmer.

Na conversa seguinte entre Kroll e Rosmer, os Senhores devem ter presente que Rebekka a escuta. Não se esqueçam disso! É mencionado expressa e explicitamente e várias vezes que ela, salvo algumas exceções, ouve tudo o que o reitor e Mortensgord dizem. Não posso demorar-me muito nessa cena. Quando a lerem, voltem a sua atenção para o fato de que as circunstâncias reforçam terrivelmente as dúvidas de Rosmer com relação a Rebekka, não só as de Rosmer, mas também e muito mais as dos espectadores. O espectador ainda não sabe que Rebekka está escutando; explicar-lhes-ei mais tarde o que quero dizer com isso. Ele ouve apenas o relato de Kroll, mais tarde o de Mortensgord, e ambos devem despertar uma extraordinária suspeita contra Rebekka. Em Rosmer eles não o fazem na mesma medida que no espectador; porque nos relatos ele vê em princípio apenas uma coisa: existe uma prova de que tenho culpa, sou mesmo culpado da morte de Beate? A dúvida pungente, a terrível consciência do próprio delito que o impede de passar pela ponte, recebe aqui um rico pasto. Isso porque Rosmer se sente culpado. Desejou a morte de Beate, e a toda hora e sempre se ergue a pergunta diante dele: Tu também provocaste esta morte? És o seu assassino ou tudo ficou apenas no desejo? Cresce a desconfiança em si próprio. De início, desperta nele a dúvida: Beate estava de fato mortalmente doente? O ouvinte não pode participar dessa dúvida, no começo ficou acentuado de maneira muito clara o tipo de doença de Beate. Mas a dúvida se abate sobre Rosmer violentamente: será que ela estava doente? Depois vem a pergunta se Beate não lia livros que lhe pudessem tornar desejável a morte, e finalmente a frase: "Beate morreu para que possas viver livremente, conforme a tua vontade". É uma confirmação do medo mais secreto de Rosmer; horrorizado, ele salta da cadeira. O fato seguinte aumenta-lhe o tormento; Beate sabia que, em matéria de religião, ele era um livre-pensador. Como foi possível isso, ele não compreende;

mesmo Rebekka, naquele tempo, não havia suspeitado de nada. E agora a revelação de que Beate havia dito: "Não me resta muito tempo, porque agora Johannes precisa casar-se com Rebekka sem demora". No sábado seguinte, ela estava morta. Kroll sublinha o "precisa" e o "sem demora"; mais tarde ele retorna a isso, insinuando que Beate acreditava que Rebekka estaria esperando um filho de Rosmer; coloca esse fato como se ele tivesse sido a causa direta do seu suicídio. Diante dessa acusação, Rosmer se enraivece. Ameaça pôr o reitor para fora de casa. Mas não chega a fazê-lo; permite que Kroll continue a falar e lhe esclareça a sua teoria de que a imoralidade está associada necessariamente a pontos de vista liberais.

A troca de palavras entre ambos é interrompida, por um momento, pela sra. Helseth: ela pergunta se a srta. West não estaria aí em cima junto com os senhores. É a primeira alusão ao único fato em torno do qual gira a interpretação de toda a peça. Rebekka ouve cada palavra daquilo que contam Kroll e Mortensgord. Ela escuta. Observem esse escutar; ele lança uma luz sobre tudo o que acontece em seguida.

No entanto, Rebekka é chamada, e lhe escapa o apelo aos antepassados com que Kroll ataca Rosmer. Escapa-lhe a poderosa impressão que esse apelo exerce, o desalento que acomete Rosmer ao pensar que deve romper com todo o seu passado, com a tradição de sua família, com todos os seus amigos. Tudo isso lhe escapa: isso porque outrora ela sempre atribuía a vacilação de Rosmer somente à sua consciência culpada, no entanto são duas as forças que o dominam: a consciência culpada e o poder da tradição. Ela sente esse estranho poder da tradição, do hábito, do medo das mudanças, mas não sabe lutar contra isso.

Já disse antes que Rebekka havia escrito a Mortensgord, como ela diz, a fim de conseguir para Rosmer uma ajuda contra os seus amigos vingativos. Isso é verdade, e agora que ouviu as acusações de Kroll, tem duplo motivo para escolher novos amigos para Rosmer. Mas quer uma segunda coisa, quer aumentar o abismo entre Rosmer e seus amigos. Não fosse essa a sua intenção, não teria mandado Mortensgord para cima enquanto o reitor estava lá. Ela sabe que isso irá acentuar a hostilidade entre eles.

Agora Mortensgord está contando a história da carta que Beate escreveu um pouco antes da sua morte. Nela, pede a Mortensgord que proteja seu marido das falsas acusações que possam ser lançadas contra ele. Fez, portanto, a mesma coisa que Rebekka acaba de fazer. Com o seu relato aumenta muito no espectador a dúvida sobre a honestidade de Rebekka. Sobre Rosmer, ao contrário, as palavras de Mortensgord agem de modo totalmente diferente. A pergunta: Sou o assassino de minha mulher? se lhe torna terrivelmente penosa. Confessa-o diante de Rebekka na cena seguinte. "Até o dia de hoje acreditei que não tinha culpa, mas agora não acredito mais."

Isso, porém, não é o mais importante nessa conversa. Ao contrário, deve-se ter em mente a parte principal dela, onde Mortensgord explica ao pastor Rosmer e a Rebekka, que ouve escondida, que não cogita de modo nenhum em tornar pública a deserção religiosa de Rosmer, que isso seria um grande perigo tanto para Rosmer quanto para o partido. Essa revelação atinge Rebekka em cheio, como mostra seu comportamento posterior.

Devemos tentar esclarecer por um momento o que, no fundo, quer Rebekka. O casamento ela não quer; recusa-o, após rápido instante de hesitação. Levá-lo ao partido radical? Durante algum tempo ela pensa nisso, mas não é o seu objetivo, apenas um meio de atingir um fim, e logo ela descarta esse meio, como podemos ver no próximo ato; é ela que empurra Rosmer novamente para os braços de Kroll. O partido lhe é indiferente, como em geral o mundo inteiro fora de Rosmer. Dele ela quer apenas uma coisa, quer torná-lo nobre, libertar-lhe o espírito e purificar-lhe a vontade. E como indício de que o espírito de Rosmer está liberto, sua vontade purificada, de que é um homem nobre, existe uma coisa à sua frente: ele tem de passar pela ponte que não ousa atravessar. Enquanto não o fizer, não estará livre. É esse o seu único objetivo.

Por isso – e assim retorno ao que disse antes – a declaração de Mortensgord de que não é desejável tornar pública a deserção religiosa do pregador a induz a uma completa mudança de tática. Desiste da tentativa de empurrar Rosmer para os radicais e inicia um novo plano, um plano ingente, largamente exagerado, que os depoimentos do reitor e de Mortensgord lhe permitem realizar. Quer libertar Rosmer e vê as algemas que o prendem – isso é tipicamente feminino, como seria com qualquer amante –, essas algemas ela vê no único nome: Beate. Ele tem de esquecer que Beate existiu, que ela morreu, que ele é culpado da sua morte ou pelo menos teme ser.

A conversa que ela tem com Rosmer depois da saída de Mortensgord é muito comovente. É a luta desesperada do amor contra um fantasma que deforma a imagem do amado. Esse combate da viva contra a morta é terrível. E a vitória continua sendo da morta, tem de ser, de acordo com o caráter de Rosmer, depois de tudo o que acaba de acontecer. "Essa vitória fascinante, acusadora, no canal do moinho." A exclamação de Rosmer assusta Rebekka. Ela se obriga a fazer a pergunta que tortura o mais íntimo de sua alma: "Se estivesse em teu poder trazer Beate de volta, tu o farias?" Rosmer, como sempre, responde pela metade: "Sei lá se eu faria ou não", na realidade uma resposta devastadora à pergunta de Rebekka. Ela não se dá por vencida, mesmo depois dessa resposta. Mas, cada vez mais determinada, os seus pensamentos são dirigidos para o novo caminho que ela escolhe mais tarde. Lembra a Rosmer mais uma vez os seus ideais, o seu desejo de tornar nobres os homens. E quando ele a escuta, ela o testa com uma frase importante. Diz ele: "A alegria é que enobrece os sentidos", e ela responde: "E não acreditas que também a dor? A grande dor?" Ela sabe que a dor enobrece, já o experimentou em si mesma. Mas quer saber o que Rosmer pensa a esse respeito; quer testar se o seu novo plano de enobrecê-lo pela dor irá ter sucesso. Recebe uma resposta que é decisiva para a sua atitude. "O homem, para se tornar nobre, tem de ser isento de culpa." Ela recua um passo, porque diante dela se ergue claramente a coisa terrível que tem de fazer para dar a esse homem a inocência, e repete baixinho: "Sim, a inocência".

Rosmer se perde novamente em devaneios sobre Beate. Expõe algo da sua alma interior; nunca se libertará dos fantasmas da falecida. "Eles me atacam de todos os lados e me lembram a morta." É isso o cavalo branco de Rosmersholm, o devaneio, a dúvida, a dúvida eterna. Rebekka tenta mais uma vez ajudá-lo a tomar o velho caminho para a libertação. Incita-o à atividade, à operosidade. "Tens de criar novas condições ao teu redor." A palavra inspira em Rosmer uma idéia que ele já persegue há muito tempo. Novas condições, sim, se me casar com Rebekka, se a tornar minha mulher, então o fantasma desaparecerá. Não quer passar pela vida com um cadáver nas costas, quer matar o passado em delícias, em paixão. Rosmer não suspeita que está ferindo mortalmente Rebekka, que no primeiro momento se regozija. Não é somente a repulsa ao fato de querer transformá-la em sua mulher apenas para afugentar o pensamento de sua primeira esposa, é sobretudo a enfatização do amor sensual que se evidencia nele, de uma sensualidade que Rebekka superou em difícil luta consigo mesma, superou por amor a ele, porque ele lhe ensinou o amor calmo, resignado, que ele sempre apontara como sendo o objetivo mais elevado. Rebekka superou, renunciou, se enobreceu. Mas o que ela chama amor ele agora denomina amizade, e o que à sua alma enobrecida parece mais elevado do que o desejo ele rebaixa e diz que o amor sensual é que é o objetivo. Esse seu impulso, que lhe prova quão pouco ele mesmo se enobreceu em seus termos, quão distante está de todos os seus ideais, que lhe demontra que sempre disse apenas palavras em que ele mesmo não acredita, assusta-a no mais íntimo do seu ser, assusta-a tanto que o ameaça com o suicídio, com o caminho que Beate tomou e que ela mesma irá tomar. Tem de ser interpretado nesse sentido o que ela diz mais tarde: "Tu me tornaste nobre, Rosmersholm enobrece as pessoas, mas mata a felicidade". "Perdi aqui a minha vontade corajosa e me submeti a uma lei alheia." Prestem atenção, por favor, na forma como é simbolizado, nessa pequena cena, o humano universal, o destino da mulher. A mulher acredita no homem, acredita na seriedade dos seus ideais, toda mulher que ama o faz, procura amoldar-se a esses ideais, e quando o consegue, quando finalmente, após imenso esforço, após uma terrível autocastração, alcança o que apregoou como sua meta, quando finalmente acredita estar próxima dele, ser digna dele, vê que o amado não está lá onde ela o procurou. Suspeita, então, que existe alguma coisa obscura na natureza do homem, para quem tudo é um jogo, mas ela própria não pode abandonar a pesada seriedade de sua feminilidade, e então troca de papel e se transforma em guia para um alvo que ele lhe mostrou um dia, mas que nunca tentou atingir seriamente. É esse o destino da mulher. Pode-se chorar sobre isso, pode-se rir sobre isso, depende do ponto de vista de cada um. Mas o que talvez corresponda melhor à essência das coisas é uma alegria melancólica. Esse destino feminino tornar-se-ia trágico somente quando a mulher percebe que a penosa ascensão até a verdade não a levou às alturas, mas a um pântano, que ela sacrificou em vão a sua natureza, sacrificou por uma mentira. Então, sim, não resta outra saída senão o caminho que Beate tomou. Mas essa percepção quase sempre é vedada à mulher. Ela é uma natureza dupla, companheira e guia, amada e mãe ao mesmo tempo. No momento em que percebe que o amado é fraco, desperta o seu sentimento materno, dirige-o e protege-o e continua acreditando nele, não mais erguendo o olhar até ele, mas cuidando dele como se fosse uma criança, e sempre esperando. Veremos que também esse traço da força de esperança indestrutível que existe na mulher encontra sua expressão no destino de Rebekka.

Rebekka recusa a proposta de Rosmer com toda a determinação. O motivo se apresenta claramente aos olhos de cada um que pode e quer ver; é o horror da paixão. Mais uma coisa, porém, é estranha nesta cena, algo que facilita a Rebekka a recusa, porém ao mesmo tempo a envergonha profundamente e não contribui em nada para purificá-la para a renúncia total, para a morte voluntária. Rosmer diz: "Deves ser a minha única esposa". Esse "única" desperta em Rebekka a lembrança do seu passado, não se acha digna de ser esposa única, uma espécie de consciência culpada desperta nela, sem dúvida diferente daquela em que acreditam Kroll e Rosmer. Logo veremos por que exatamente aquele "única" significa para ela a impossibilidade de pertencer a Rosmer.

O resultado do ato é claro: as provas de que Rebekka levou Beate à morte se acumularam diante do espectador de uma maneira tal que ele quase não duvida mais do seu crime e atribui sua ameaça de suicidar-se unicamente ao remorso, remorso que a impede de gozar o sucesso do seu crime.

O ato seguinte traz, afinal, a solução para uma série de questões que se vinham acumulando. Primeiramente, esclarece-se quem realmente empurrou Beate para o canal. É apresentado com muita arte e de maneira tão velada que a maioria nem o percebe. A sra. Helseth conta que já havia levado antes uma carta a Mortensgord, justamente aquela carta da morte, à qual Mortensgord se referiu. E ouçam agora! Rebekka pergunta o que estava escrito na carta. E a sra. Helseth responde: "Deus me livre de lhe contar alguma coisa sobre isso, senhorita. Só posso dizer que encheram a cabeça da pobre mulher com alguma coisa muito ruim". Rebekka: "Quem encheu a cabeça dela?" A sra. Helseth: "Eu sei o que sei. Mas Deus guarde a minha boca. Na cidade existe uma certa senhora...". Rebekka: "Vejo que está se referindo à sra. Kroll". A sra. Helseth: "Pois é, ela mesma! Diante de mim sempre se vangloriou. E para a senhorita ela sempre olhou meio de esguelha". Aqui a remetente da carta é chamada pelo nome. Não é Rebekka a culpada, mas a mulher do reitor, Também somos informados mais tarde do motivo por que a sra. Kroll agiu dessa maneira. Ela instigou Beate contra a sua dama de companhia, quis expulsar Rebekka de sua posição junto a Beate. Foi um ato de vingança. Rebekka manteve uma relação com o reitor numa época em que ainda não fora enobrecida por Rosmer, aparentemente uma relação muito inocente. "O senhor nutria uma fé extraordinariamente grande em mim, estimado Reitor, uma fé calorosa", diz ela a Kroll. E este responde: "A quem a senhorita não consegue enfeitiçar, se se empenhar um pouquinho?" Como admitirá mais tarde, ela se empenhou em vir para Rosmersholm. Em todo caso, não é possível qualquer dúvida sobre o papel que a sra. Kroll desempenhou. Imediatamente depois da declaração da sra. Helseth, que deve ter certeza do que diz pelo interrogatório de Mortensgord, Rebekka, quando Kroll lhe diz: "É a senhorita que está por trás de tudo isso", lhe joga na cara: "Isto provém da sua mulher, reitor Kroll", e ele não nega, mas apenas diz: "Não é da sua conta de onde isso provém". Em resumo, Rebekka nada tem a ver com a morte de Beate, pelo menos não existe qualquer prova contra ela, a não ser sua própria declaração, e essa declaração ela faz com um propósito definido. Será elucidado o motivo por que Rebekka arca com a culpa, apesar de sua inocência.

Antes, porém, mais uma palavra importante que resulta esclarecedora. A sra. Helseth conta que os Rosmers, quando crianças, não gritam e nunca riem, jamais, enquanto viverem. Aqui há uma referência ao título *Rosmersholm*, à tradição, à velha estirpe. A impossibilidade de fazer de Rosmer um homem nobre ressoa aqui de novo. Ele é um cismador por natureza, totalmente corroído por dúvidas, um homem instável que Rebekka renovou, um ser frágil, quase doentio, em quem não existe qualquer vestígio da força de um nobre. Rebekka quer uma coisa impossível quando pretende libertar o espírito e purificar a vontade desse homem que cresceu em Rosmersholm. Quer também algo de ridículo, pois o ideal do nobre, da maneira como Rosmer o fantasiou para ela, é ridículo. À comicidade que existe no fato de Rosmer, no momento em que finalmente deseja realizar um ato saudável, querer tornar Rebekka sua mulher, em que pela primeira e única vez se sente são e verdadeiro, no fato de nesse momento ele fracassar pela sua própria mentira, fracassar porque Rebekka o leva a sério, a essa comicidade ninguém pode resistir.

Segue-se um breve diálogo entre Rosmer e Rebekka. O artigo difamatório do jornal do distrito dá a Rebekka a oportunidade de atiçar mais uma vez o poder de ação de Rosmer. "Aproximar-se um do outro com amor", esse é um objetivo que o atrai, "cada um querendo elevar-se pelo seu caminho próprio, natural. Felicidade para todos em todos". Nesse momento, seu olhar encontra a ponte, e ele se abate. "Não comigo. Tampouco para mim. Pois felicidade é, antes de mais nada, a calma sensação da inocência." Rebekka olha diante de si. "Eh! a culpa..." Ela reflete. Rosmer aponta para fora da janela. "O canal." E cresce em Rebekka o plano. O pensamento: ele tem de acreditar na sua inocência, absorve todo o resto. Ao mesmo tempo, algo mais a assalta. Rosmer volta a falar do seu amor, conta como da sua amizade sem desejo, sem sonhos, nasceu paulatinamente um amor desejoso. É exatamente o oposto daquilo que aconteceu com Rebekka; ela passou do amor desejoso para o amor calmo, resignado. Isso a confunde. "Por amor a mim Beate morreu", diz Rosmer. Seu terrível desejo do teste da morte ressoa aqui pela primeira vez; a própria Rebekka o implantou na sua alma, com a sua ameaça de suicídio. E novamente: "A causa que deve predominar deve ser defendida por um homem feliz, alegre, sem culpa". Cada palavra é como que um convite a Rebekka: faz o que pretendes, tira a culpa de cima de mim, carrega-a. Ela se defende mais uma vez. "É a dúvida da tua família, o escrúpulo da tua família, o cavalo branco correndo." E então, quando ele permanece firme: "Necessito a alegria da inocência", a decisão dela está tomada. Manda-o para fora e chama o reitor.

Na conversa com Kroll expressa-se mais uma vez o poder de Rosmersholm. Rebekka diz: "Johannes Rosmer está fortemente arraigado em sua família. Isto é certo e verdadeiro", e Kroll responde: "Sim, e isso a senhorita deveria ter considerado, se se sentia atraída por ele". "Ele não pode se libertar", diz ele, "não o quer".

Explica-se agora também por que Rebekka se assusta tanto com a expressão de Rosmer, que lhe propõe ser ela a sua única esposa. Mais tarde ela diz: "Eu tenho um passado", mas não conta mais nada a respeito, porque Rosmer não a quer ouvir. Eis o seu passado. Teve uma ligação com o dr. West, seu pai adotivo. Aqui sua alma, que já se encontra sob tensão máxima, é levada totalmente ao desespero, porque Kroll insinua e sabe tornar verossímil que ela é filha ilegítima de West. O pensamento de ter vivido em incesto cai sobre ela e torna-a incapaz de resistir. Agora só pensa numa coisa: tenho de libertar Rosmer de mim, que estou maculada pela culpa, e o farei assumindo, de livre vontade, a culpa que pesa sobre ele; é esse o único caminho para libertá-lo; então ele passará pela ponte.

Demonstra uma calma medonha, a calma da firme decisão, agora que conta sua patranha de que levou Beate à morte. Porque é uma patranha. Sabemos que a sra. Kroll é a culpada. Não nos admira que saiba contá-lo com tanta fidelidade; lembramo-nos de que ela escutou Kroll e Mortensgord. E se os Senhores relerem a sua história, perceberão que não diz uma única palavra a mais do que escutou. Assusta-se quando Kroll diz: "Ela ainda não confessou tudo". De fato, ela se ausentou por alguns instantes durante a conversa; talvez lhe tenha escapado algo de essencial. A maneira como apresenta a sua confissão é conclusiva. Não permanece qualquer dúvida sobre o seu crime, pelo menos para quem esqueceu que ela escutou atrás da porta. Também para Rosmer não permanece qualquer dúvida. Afasta-se de Rebekka e sai com o reitor. E agora surge o mais estranho, a prova das intenções de Rebekka. Nenhum som do lamento pela separação, nenhum gesto de desespero, nada, absolutamente nada. Ela vai até a janela e olha para a ponte. Fala então consigo mesmo: "Hoje ele também não passa pela ponte. Dão a volta por cima. Ele nunca atravessará o canal do moinho. Nunca".

Reside aí a razão de seu modo de agir. Ela quer levá-lo a passar sobre o canal do moinho, sacrifica-se para isso, e em vão. Rosmersholm vence a sua vontade, a estreiteza da concepção inata sobre a busca de nobreza e liberdade. É uma visão trágica difícil: uma mulher que se sacrifica e não consegue nada, nem mesmo aquele pouquinho que é andar pela ponte. Os cavalos brancos são mais fortes do que esse amor maravilhoso. Rebekka se entrega e desiste de lutar. Vai deixar Rosmersholm. Ficou com medo.

Essa mulher é uma pessoa nobre. Vive longe de tudo o que outras pessoas pensam e sentem, outras pessoas que vêem apenas o exterior, o caminho exterior do casamento. Cai sobre ela a certeza de que ninguém está do seu lado, ninguém está com ela, todos pensam de maneira diferente dela. É justo que se tornasse amarga. Mas, na verdade, Rebekka está enobrecida. Aceita também o derradeiro, a morte, a morte sem esperança. E também isso ela faz com tranqüilidade, com grandeza e com a crença firme de que tem de lutar até o fim, lutar para Rosmer se enobrecer.

Não ouso esmiuçar com palavras o final da peça. Seria um pecado e devo pedir aos Senhores que o leiam por si mesmos. Observem como a dúvida se avoluma e se avoluma em Rosmer, com que terrível necessidade cresce nele o desejo: Essa mulher precisa me provar que me ama, precisa prová-lo com a morte. Para ele a idéia da nobreza nunca passou de um jogo e um sonho. Sua essência é a dúvida, a dúvida de si mesmo. É devorado pelo desejo de fazer provar a sua grandeza por intermédio dos outros.

Como já indiquei antes, a decisão é provocada por Ulrik Brendel, um pedaço do passado de Rosmer. É um traço genuinamente humano, um traço pelo qual também não se sabe de novo se se deve rir ou chorar sobre a singularidade da vida humana. Deve-se rir ou chorar porque Rebekka também suporta ver sua ambição, sua esperança tão desfigurada e, ainda assim, tão verdadeira em sua essência, sem perder a sua capacidade de ter fé e amor. A visão desse homem desmoralizado, que proclama bem alto o seu ideal e é, ele mesmo, um patife e um tolo, esse retrato caricaturado de Rosmer deve despertar estranhas sensações na mulher que está aí do lado e contempla os destroços de sua alegre vontade. Rosmer não é enobrecido, não consegue passar pela ponte, tudo foi em vão. Só lhe resta uma coisa, aquilo que Brendel lhe diz, ela pode cortar seu lindo dedo mindinho por Rosmer, para lhe provar o seu amor. Seria isso uma coisa grande para a mulher que faz tantas coisas maiores? Não é nada para ela, morrer; se com isso for dado a ele, Rosmer, algum alívio, por que não? Em todo caso, sua vida está no fim. Acabou a esperança no homem nobre. E, realmente, ele não lhe poupa essa exigência deplorável, miserável. É um autêntico homem na sua atitude para com a mulher e, pior ainda, é um homem instável, corroído, um herdeiro de Rosmersholm, que mesmo agora ainda mente covardemente com a palavra nobreza. E Rebekka, e assim toda mulher, acredita nessa mentira, acredita na nobreza de Rosmer e vai alegre para a morte, alegre porque conseguiu que o homem que ela acredita ser grande passe pela ponte. É justo que ela morra, pois a nobreza que conquistou pela fé num homem mentiroso roubou-lhe a verdadeira nobreza da alma e da vida, sua humanidade pura e simples se perdeu. Ela se sacrifica, corpo e alma, a um tolo e por uma tolice.

Assim termina *Rosmersholm*, comovente do início ao fim, e com uma terrível intensificação do trágico, um trágico que se arraiga nos problemas mais profundos da essência humana, que mostra a distância entre o que o homem quer e o que ele pode. Mostra, em imagem, a indestrutível capacidade do homem para a felicidade, essa capacidade que, estando destruídas todas as metas, toda grande ambição, toda esperança, ainda se alegra com a única coisa que lhe é oferecida, com a minhoca que encontrou quando saiu em busca de tesouros. Rebekka quer enobrecer o amado e fica alegre quando ele a segue a caminho da ponte. Morre alegre, feliz, morre na ilusão de ter alcançado a sua meta; um final muito adequado para levar à reflexão. E cabe perguntar se essa reflexão leva ao abalo profundo sobre a fraqueza do homem ou ao sorriso tranqüilo. Ibsen se assemelha muito a Cervantes, esse imortal criador de um ser nobre.

Parte III

Psicanálise

Nas primeiras conferências, Groddeck estava empenhado em colocar o saber médico a serviço do entendimento da obra literária, até onde fosse necessário, como, por exemplo, no caso de Oswald Alving e de Hedda Gabler (p. 62). Nas palestras de caráter literário que proferiu em Berlim, em 1927, na Universidade Lessing, após a passagem pela psicanálise freudiana, o entendimento da obra literária, é invertido, como já diz a informação prévia: "Quatro Compêndios Analíticos", foi posta, ao contrário, a serviço da teoria analítica. A elaboração dessas conferências abrange os anos posteriores à conclusão do *Livro d'Isso*, onde Groddeck recolhe os frutos de sua pesquisa psicanalítica. Como epígrafe dessas preleções poder-se-ia usar uma frase do citado livro: "Somente a própria vida, o Isso, entende alguma coisa de psicologia, e os únicos mediadores pela palavra dos quais ela se serve são os poetas realmente grandes que existiram". Três dessas conferências foram estampadas na *Arche*; após a publicação da terceira, a revista deixou de existir, de modo que da última só temos o manuscrito. O fechamento da revista, uma iniciativa que alguns anos antes trouxera tão grandes esperanças, sem dúvida, decorreu em parte da ausência de um sucesso maior junto ao público, mas, provavelmente, também era um primeiro sinal do debilitamento, por motivos de saúde, do seu impulso para levar à frente a publicação. Como expressão externa, essas conferências constituem o ponto alto da atuação de Groddeck em ampla base pública. Comparadas à manifesta minuciosidade de suas exposições, constituem formas compactas de pensamento, cuja dicção concisa deve ter sofrido ampliações em se tratando de uma conferência destinada a preencher uma noite. Em complemento, são fornecidas considerações sobre os mesmos temas que apareceram em palestras anteriores e na *Arche*. Em princípio, Groddeck nessas conferências, procede, com a alta literatura e suas grandes obras, do mesmo modo que Freud, com suas análises do sonho, dos costumes, do conto e do mito, no caso clássico de Édipo. Groddeck não quis fazer "estética", como foi o caso, mais ou menos, com as conferências sobre *Tragédia ou Comédia?* O estudo do inconsciente deve ser tratado como "uma questão da humanidade", como chave para a moral e a cultura, a arte e a literatura.

A primeira conferência, sobre *O Anel dos Nibelungos*, examina, dos dois meios de expressão do drama musical, apenas o segundo, a palavra, que é o esteio da ação. Uma complementação por assim dizer negativa oferece o manuscrito "Música e Inconsciente", que deve ser agregado à conferência em apêndice; tanto mais que já foi publicado duas vezes em versão inglesa. Uma frase do manuscrito não tem um sentido muito claro; por isso, foi retraduzida a partir do texto inglês. Quanto à tendência etimológica, que sobressai em grande medida nos escritos posteriores de Groddeck, ela deve ser tratada no contexto próprio. Groddeck confessa também, na *Arche*, que se deveria deixá-lo falar, em nenhum outro contexto reconhecível, a não ser na sua própria revista, de sua especial aversão à *Nona Sinfonia*. Ouvir música de Wagner deve tê-lo entediado imensamente. Somava-se a isso o seu desagrado com respeito à cena de amor do *Anel*, desagrado que só desapareceu quando, a seu propósito, procedeu à primeira auto-análise. Foi isso que o levou a ocupar-se, como que com uma mão nas costas, do problema desse drama musical logo no início do seu ciclo de conferências em Berlim: "Na cena de amor de Siegfried e Brünnhilde apresentou-se-me com clareza total aquilo que Freud chama de complexo de Édipo"; e, com efeito, "muito antes que eu soubesse qualquer coisa de psicanálise". Essa constatação pesa tanto mais quanto, em outras ocasiões, como no *Livro d'Isso*, era hábito de Groddeck atribuir ao velho mestre Freud e a seus colaboradores aquilo que, nas suas teorias, "soa racional ou apenas um pouco estranho", em que a ênfase está no "pouco". Partindo daí, torna-se compreensível uma segunda auto-análise, que Groddeck colocou no início de seu estudo pioneiro "Condicionamento Psíquico e Tratamento de Moléstias Orgânicas pela Psicanalíse" (1917)*, a eliminação da dificuldade de engolir depois que conseguiu induzir seu inconsciente a engolir a prioridade de Freud. Trata-se, ao viver a cena de amor de Wagner, de nada menos que do nascimento da psicanálise especifi-

---

* Publicado em *Estudos Psicanalíticos sobre Psicossomática*, São Paulo, Perspectiva, 1992. (N. da T.)

camente groddeckiana, que abrange a fundamentação da psicossomática. Mais tarde, Groddeck assistiu por diversas vezes aos festivais de Bayreuth.

Por isso, não é de admirar que, na conferência sobre *O Anel*, Groddeck falasse de coisas que não aparecem em nenhum dos muitos comentários e vice-versa. Para ele, no centro dessa conferência, tanto quanto nas duas seguintes, encontra-se o problema da mãe. No caso de Siegfrid e de Peer Gynt, pode-se falar de dois tipos diferentes de mãe. No *Anel*, a mãe heróica aparece em duplo sentido: heroína e mãe do herói. Mas não é essa a coisa mais profunda; o drama musical ainda oferece uma outra interpretação: são duas mães, Sieglinde e Brünnhilde; dois caracteres, poder-se-ia dizer, a partir dos quais conjuntamente, como foi exposto em *Tragédia ou Comédia?*, o poeta cria o símbolo, "partindo do específico e ascendendo ao geral". É também a imagem de uma mãe, da mãe de Deus, diante de cuja visão, como está relatado em *O Homem como Símbolo*, uma "mulher simplório-sábia" pronunciou as palavras: "Não existem mulheres, só existe a mulher". No *Livro d' Isso*, Groddeck afirma que ele mesmo teve duas mães, uma que o concebeu e a outra, que o alimentou: "os primeiros conflitos e os mais difíceis" de sua vida. Não parece demasiado audacioso supor que elas não tiveram uma influência apenas negativa ao lhe tornar difícil "a escolha entre duas possibilidades", mas que também fecundaram o seu pensamento de maneira extraordinária.

O tema principal da conferência sobre *O Anel* prossegue em linha reta na segunda conferência, sobre *Peer Gynt*. Depois que é reconhecida a identidade entre a mãe e a amada, o que importa é colocá-la em evidência também no palco. Aí Groddeck faz uma crítica amarga à maneira usual de representar. Uma carta ao diretor do Teatro de Baden-Baden advoga uma concepção mais aprofundada, segundo a qual Solveig finalmente "adquiria os traços de Aase"; a carta ficou sem resposta e afinal foi publicada na *Arche*. Mas também a concepção groddeckiana de *Peer Gynt* é diametralmente oposta à habitual. No prefácio à tradução alemã dessa peça, Georg Brandes havia considerado o herói do título um protótipo "da auto-suficiência norueguesa", da "insinceridade e jactância", e a própria obra "uma polêmica contra a Noruega". Groddeck, ao contrário, atesta que ele "não tem nenhum pingo de alegria pelo fato de ser importante para as pessoas"; que é "surpreendentemente humilde e convencido ao mesmo tempo".

A conferência sobre *Peer Gynt* se inclui entre as coisas mais fascinantes que Groddeck já disse e escreveu. Sem dúvida, a mulher nórdica que ele havia escolhido como companheira de vida o aproximou ainda mais de Ibsen, e em especial de Peer Gynt, aconselhou-o também nas muitas traduções exatas com que corrige o texto corrente. Mas some-se a isso algo essencial: a peça trata de um assunto de seu conhecimento. Não apenas no sentido de que Ibsen "conhecia o inconsciente como quase nenhum outro", e por isso fornece rico material à pesquisa analítica. Antes: Groddeck vê-se a si próprio como Peer Gynt, e isso sobretudo nos seus anos pré-analíticos; decerto Peer Gynt não é, ele próprio, nenhum analítico. Sua fantasia tem "*troll*-natureza"; o autor do *Livro d'Isso* assina as suas cartas à amiga como "Patrik Troll". Groddeck defende apaixonadamente o seu herói da acusação de ser um mentiroso: "Como isso é tolo em relação a ele, que é tão autêntico". Ao mesmo tempo, não nega de modo algum o fato irrefutável de que o rapaz *troll* mente continuamente. Mas é autêntico no modo de ser. Verdadeiro na essência é também o amor de Hjalmar Ekdal por seu filho, ou por aquilo que ele acredita ser seu, até que o conceito essencialmente inverídico de "mentira de vida" o destrói (p. 61). Autenticidade é um traço fundamental no próprio ser de Groddeck. Quão "gyntica" é aí a sua alegria pelo paradoxo, que o leva, em *Rumo ao Deus-natureza*, a falar de "mentira", ou seja, negação da verdade, quando, da mesma maneira, poderia ter dito limitação: "A linguagem mente, ela tem de mentir, faz parte da natureza humana" que ela sempre considere uma parte como um todo.

O problema da mentira é suficientemente importante para justificar uma discussão fundamental não só para o julgamento das idéias de Groddeck em literatura e arte, como também para a compreensão da sua própria personalidade. Era um talento dialético natural. No *Livro d'Isso*, fala do seu "modo de ser que, despreocupado diante de toda ironia, de todo raciocínio, de toda prova, é capaz de perseguir as direções de pensamento opostas entre si, até contraditórias". Isso é mais do que Hegel pode dizer de si mesmo: "É a contradição do pensar". Groddeck, certamente, não leu nada mais do que uma frase dele. Comum a eles é o apadrinhamento de Heráclito. Julga-se empunhar a fenomenologia, ao se ler em *Rumo ao Deus-natureza*: "O pedaço de pão envelheceu? Quando ele envelheceu? Hoje? Ontem?" – Em Hegel, a contradição é conciliada pela reflexão, ela "altera o verdadeiro". Reflexão é um processo, um fenômeno. Quando tal processo se desenvolve entre duas posições que se negam entre si, então não existe nenhuma contradição no sentido da lógica clássica; do mesmo modo que é contradição as folhas serem verdes na primavera e a mesma folhagem no final do outono ser amarela e não verde. Groddeck não era um filósofo de escola, um teórico, mas um médico prático e um escritor e, posteriormente, um psicanalista. O processo que ele, após a clarificação de suas idéias, provocou e observou profissionalmente e de maneira típica, era o da conscientização de contextos inconscientes. Apresentou-se aqui o mesmo fenômeno a que Hegel recorre em seu processo de reflexão. O "verdadeiro" e o "falso" são categorias do consciente, que poderiam trocar seus lugares ou até perder totalmente o seu sentido, quando não se trata mais da relação entre o depoimento e a chamada "realidade", mas da sua relação com circunstâncias inconscientes.

Desse modo, Groddeck pode dizer no seu *Livro d'Isso*: "Para o médico é indiferente se é enganado com mentiras ou se ouve a verdade". Mesmo que uma mentira não seja proposital, "a fala humana e o pensamento humano são uma ferramenta débil quando devem informar sobre o inconsciente". Os únicos mentirosos contra os quais Groddeck se insurge repetidas vezes são "os mentirosos contra si próprios": Porque eles alimentam, durante o tratamento, a "resistência" e, na relação humana, transformam o mentiroso em perseguidor, como pode ser lembrado pelos *Espectros* (p. 61).

Quando Groddeck escreveu seu *Rumo ao Deus-natureza*, gostava do paradoxo; em longos anos de prática como médico de almas, formou-se a convicção de que o homem, também dentro da sua limitação, quase nunca é capaz de dizer a verdade pura. Durante toda a vida ele se manteve firme nesta sua convicção fundamental, de que o sujeito de um tal depoimento verdadeiro, e assim necessariamente um homem individual, não existe de modo nenhum. Em *Rumo ao Deus-natureza*, essa convicção é exposta de maneira sucinta: "Certamente não existe um Eu", e no *Livro d'Isso* é declarado "que um tal Isso, como o presumo", isto é, um Isso individual, como Freud se apropriou dele – sem amputar a sua parte consciente – "simplesmente não existe". Para evitar então qualquer confusão com o Isso igual a deus-natureza, segue o comentário: "É um erro recortar indivíduos do universo". E: "Não esqueçam que esse primeiro erro faz parte de todo pensamento humano, e que todas as nossas afirmações sofrem disso". Em virtude dessa opinião, Groddeck pensa que verdade e realidade são "bens duvidosos". O curioso é que ele, em lugar nenhum, tampouco em sua conferência sobre o *Fausto*, cita os versos:

> Quando o homem, o pequeno mundo de tolos,
> Geralmente como um todo se considera.

Eles lembram o nome escolhido do herói discutível do *Pesquisador de Almas*, de Groddeck: Weltlein (Mundinho). Ele mesmo, como Goethe, faz dessa ilusão uma exceção. Ou, ao contrário, a sua concepção de vida se baseia num dos sofismas mefistofélicos, que exime o homem de toda responsabilidade verdadeira? – A parte, quando nada mais é que parte, é totalmente determinada pelo todo.

Na terceira conferência, Groddeck fala da "grande intensificação desde *O Anel dos Nibelungos*, por intermédio de *Peer Gynt*, até o *Fausto*". Isso não contradiz a impressão de que a conferência sobre *Fausto*, comparada àquela sobre *Peer Gynt*, constitui em certos aspectos um anticlímax; ao contrário, ela se esclarece em parte. O que importa principalmente a Groddeck, ou seja, destacar o simbólico, o próprio Goethe, que foi desde o início o mentor de Groddeck, já havia feito quando descreveu o caráter que vai do tipo ao símbolo: mostrar o

Fausto, como ele vive no mundo dual, "porque seu próprio criador era o dono da chave". Dessa maneira, não resta a Groddeck muita coisa de novo para mostrar. Fausto vive no mundo dos homens e no mundo das mães. Aqui, todavia, a interpretação de Groddeck eleva-se a uma altura não alcançada outras vezes, e qualquer comentário adicional seria uma palavra a mais.

Além disso, ao lado de considerações convincentes, encontram-se paradoxos aparentemente pelo paradoxo; assim, a interpretação *sui generis* dos versos com que o imortal Fausto está sendo levado para as alturas:

O nobre espírito está salvo
Do mundo atro dos demos:
"Quem aspirar, lutando, ao alvo,
À redenção traremos".*

Os dois pontos no final do segundo verso significam, na verdade, que "o conceito do mal está explicado"? – Não está sendo dito, antes, que pelo esforço constante de Fausto se tornou possível a sua salvação do mal? – Sem dúvida, Groddeck tem razão em dizer que uma pressuposição do salvar-se é que aquele que está sendo salvo necessita de salvação, portanto está enredado no mal. Mas continuando: Vale a pena o sacrifício do esforço abnegado? – Ele estreita, endurece, impede a percepção imediata da vida. Isso era tão importante para Groddeck que ele, no ano que comemorava o jubileu de conclusão da Segunda Parte, rascunhou o manuscrito "Centenário de uma Citação de Fausto", impresso aqui em continuação à conferência sobre o Fausto. Nele é exposta a sua concepção de que, há cem anos, uma citação de Fausto, e uma das mais conhecidas, vem sendo mal interpretada. É de importância fundamental para ele que a atitude de Fausto não seja determinada precisamente pela aspiração, pelo dever, mas pelo querer. Numa conferência proferida há dez anos, ainda havia concedido a Fausto a aspiração; contudo, somente um aspirar progressivo, como é característico do homem; a aspiração para cima seria uma característica das mulheres, o que é fundamentado pela sua função sexual; hoje em dia, reconhecidamente também dos homens, que "quase todos se tornaram mulheres" (29.11.16). O autor do *Livro d'Isso* não poderia manter essa diferenciação, ele que descobriu: "Conseqüentemente, no ser que se chama homem está a mulher, na mulher, o homem". Ele, então, desistiu da opinião de *Rumo ao Deus-natureza*, segundo a qual seria um sinal de decadência, condicionado pela época, quando, seja-me permitida a expressão, não existem mais eles-homens e elas-mulheres. En-

---

* A tradução desses versos e de outros do *Fausto* deve-se a Jenny Klabin Segal na edição de: Goethe, *Fausto*, Belo Horizonte/São Paulo, Itatiaia/Edusp, 1981. (N. da T.)

tão ainda há o "eterno-feminino", a que a conferência alude repetidas vezes, sem entretanto reencontrar a posição devocional de *Rumo ao Deus-natureza*; essa é obscurecida pela imago da mãe.

Para a conferência sobre o *João Felpudo**, a quarta e última do ciclo, são apresentados, em vez da publicação não realizada na *Arche*, três esboços escritos a máquina. Uma cópia da versão dupla da conferência na Universidade Lessing, depois um "memorando" da conferência paralela dada posteriormente em Dresden, que escolhe as histórias de "Joãozinho Desligado" e de "Paulinha com o Isqueiro", finalmente o manuscrito de uma conferência anterior, proferida em Baden-Baden, que comenta todas as personagens do livro isoladamente. O *João Felpudo* foi escrito pelo médico de Frankfurt, Heinrich Hoffmann, originariamente para seus próprios filhos. São séries de gravuras relacionadas com os respectivos versos, dez no total, contando também a vinheta de *João Felpudo*. No caso dessa análise, Groddeck estava no seu elemento; tinha algo a ver com uma ingenuidade congênita, atrás da qual se escondem exames profundos da vida psíquica especialmente do bebê. Justifica-se assim uma reprodução tão completa quanto possível das suas interpretações: das duas anotações de Berlim sem as duplicatas, e mais o memorando de Dresden com exclusão das frases introdutórias e de excursos isolados, finalmente da conferência de Baden, os comentários das únicas personagens que foram consideradas aqui: Do *João Felpudo*, do *Malvado Frederico*, do *Nicolau*, do *Caçador Selvagem*, do *Chupa-Dedo*, do *Gaspar da Sopa*, do *Filipe Inquieto*, do *Roberto de Asas***. É desnecessário um comentário adicional. O *João Felpudo* ocupa o quarto lugar depois da trilogia *Anel-Peer Gynt-Fausto*, por assim dizer, como peça satírica.

A avaliação artística de *João Felpudo* sofreu em Groddeck, no decorrer dos anos, uma notável mudança. Numa de suas primeiras conferências (24.4.1918), o autor confessa "não possuir nenhum talento poético". O fato de *O Livro d'Isso* falar de um "livro eterno" não deve estar relacionado com as puras qualidades poéticas. Mas, no *Homem como Símbolo*, fala-se finalmente de um "poeta infantil pela graça de Deus". Ora, Groddeck fazia parte daqueles homens que hoje defendem, corajosamente, o contrário daquilo que ontem era válido. Aceitava, sorrindo, quando o acusavam de fazer como o pastor Cristopher Blumhard, em *Bell*, que uma vez acossado num canto respondeu: "O que me importam minhas bobagens de ontem?" – Atrás de uma tal inconsistência aparente esconde-se a elevação a um nível no qual a vida se realiza a todo momento e não precisa mais de qualquer continuidade consciente. Mas no relacionamento de Groddeck com o *João*

---

* Um livro de crianças da Alemanha, cujo título é *Struwwelpeter*, traduzido aqui e mais adiante por *João Felpudo*. (N. da T.)

** Diversas histórias do livro citado na nota anterior. (N. da T.)

Felpudo havia algo mais, que se expressa no apreço sempre crescente ao livro. Quando escreveu *Rumo ao Deus-natureza*, gostava das palavras grandiloqüentes, que "são como o sol ao nascer", embora observasse cuidadosamente o processo da desvalorização da palavra isolada (p. 15). Daí também a sua preferência por Carl Spitteler, a quem aclamou em diversas conferências (26.2.1905). O autor do *Livro d'Isso* escreve à amiga: "A sra. já tentou diversas vezes me induzir a tagarelar sobre alma do universo, panteísmo, deus-natureza. Não tenho qualquer vontade de fazê-lo". Provavelmente perdeu o prazer das palavras grandiloqüentes no decorrer da sua atividade como psicanalista, para quem a palavra, expelida do inconsciente inarticulado pela sua essência, se transforma num "bramir e rugir descontrolado", no qual, como está escrito no *Livro d'Isso*, "desaparece a fala balbuciada" até para o próprio analista. Lembramo-nos das interferências de um receptor que não funciona sem atritos. Do mesmo modo, a palavra não lhe era mais "tão importante", justamente porque não era mais "uma palavra falada" no sentido de Goethe. Por isso, em anos posteriores, ao lado do *João Felpudo*, psicanaliticamente interessante, livros como os de Courts-Mahler encontram uma crítica benevolente. Quando Groddeck, referindo-se ao estilo grandiloqüente, diz de Goethe: "Ele deve ter-se cansado do estilo todo", está prevendo a sua própria evolução. Provavelmente é devida ao próprio envelhecer. Parece apenas paradoxal que ele, nos seus últimos dias conscientes de vida, lesse exclusivamente literatura clássica, ou seja, Schiller: tinha um irônico prazer nos metais ressoantes e nos guizos sonoros.

Um recuo da palavra diante da imagem é a característica da sua última publicação literária, *O Homem como Símbolo*. Onde quer que se ocupe das palavras, ele o faz pelo processo etimológico, que já é conhecido do leitor graças ao seu pequeno texto sobre música. Sobretudo aos ensaios etimológicos é que se refere a reserva do subtítulo, "Opiniões Despretensiosas sobre Linguagem e Arte". Os métodos de Groddeck na interpretação de palavras se baseiam em associações. Como tais, elas têm, sem dúvida, validade subjetiva; e mais não se pretende para elas, embora Groddeck esteja às voltas com a filologia. Se seu método tem valor científico, é o que os entendidos deveriam examinar. Em anos posteriores, o assunto interessou-lhe muito, sem que permitisse que objeções o desviassem do curso das idéias, uma vez escolhido. Era possível discutir alegremente durante toda uma noite sobre uma locução homérica. É o que ocorre com a fórmula para significar um acontecimento futuro, que é traduzida por: "Isto jaz no colo dos deuses". Groddeck objeta que o texto original reza: "nos joelhos" e desenvolve sua análise a partir daí. Não adiantava chamar a atenção para o que ele, como aluno de Pforte, decerto sabia perfeitamente, isto é, que, da mesma forma que o *in* (em) no latim, também a expressão grega quase idêntica possui um significado mais amplo que o alemão *in* (em) e, assim, tem um sentido claramente conscientizável: o futuro descansa nos joelhos das forças do destino, como a criança que ainda não começou a andar. Mas disso o Doutor nada queria saber, e, por outro lado, não se lhe podia negar que por trás da verdade superficial se pudesse esconder uma verdade mais profunda.

O Anel dos Nibelungos

O título que dei às minhas conferências deste ano soa tão pretensioso aos meus próprios ouvidos que gostaria de dizer algumas palavras para explicá-lo. O que me preocupava inicialmente era escolher um tema bastante afastado de toda a medicina. De ano para ano, espalha-se cada vez mais a crença – poder-se-ia dizer tranqüilamente a superstição – de que a psicanálise é um assunto de médicos, é uma espécie de tratamento psíquico que deve ser empregado para o melhor do doente. Combater esse erro com palavras e por escrito acredito ser um dever necessário; pois, se essa idéia se tivesse imposto – e infelizmente muitos se colocaram a serviço de tal teoria errônea – o mundo teria sido privado do bem mais precioso que Freud lhe deu de presente. O estudo do inconsciente – assim se pode traduzir a psicanálise – é um assunto da humanidade, e seu emprego na medicina é apenas uma pequena parcela do que significa esse estudo. Para ilustrá-lo, escolhi como objeto dos meus comentários as quatro obras de que fala o programa: *O Anel dos Nibelungos, Peer Gynt, Fausto* e *João Felpudo*; e para que não ocorra a ninguém que pretendo ocupar-me aqui de estética, chamei essas quatro obras de compêndios. Não quero dizer com isso, porém, que pretenda ensinar psicanálise, pela simples razão de que ela é inata em qualquer um, porque é uma qualidade do homem, como, por exemplo, ver ou ouvir. Sinto-me antes como o livreiro a quem se pede um conselho sobre o que se deve ler para instruir-se sobre esse ou aquele assunto, uma pergunta que, na verdade, me é dirigida com muita freqüência, exatamente por causa do interesse que tenho pela psicanálise. E assim posso apenas dizer que, em nenhum dos compêndios usuais, os Senhores poderiam estudar a essência da psicanálise de modo mais fácil, mais agradável e mais fundamental do que nas quatro obras citadas. Mas ensinar: "Não acredito saber o que é certo, não acredito que possa ensinar algo, melhorar os homens e convertê-los".

Permitam-me então escolher, aqui e acolá, alguma coisa do *Anel dos Nibelungos* – naturalmente não penso em dar-lhes uma exegese de uma obra sobre a qual já se escreveu demais, mas antes contar, sem muita escolha, isso ou aquilo que me ocorrer no momento.

In medias res, nas coisas do meio, assim reza a regra de ouro. O meio é Siegfried, e em Siegfried a cena decisiva é aquela com Brünnhilde. Por mais que eu a tenha visto, sempre fui acometido de uma desagradável sensação que às vezes aumentava tanto que não mais podia suportar, e tinha de deixar o espetáculo. Tentei explicá-lo a mim mesmo por uma sensação de indecência que se produzia devido ao exagerado prolongamento da cena de amor; outras vezes eu também queria achar ridículo o cântico das palavras de amor, mas não consegui, assim como não encontrei, nas longas histórias de ambos, em meio ao seu êxtase amoroso, razão para uma ironia genuína que me libertasse. Alguma outra coisa é que me repugnava, e levei muito tempo até descobrir o que me perturbava.

Lembrem-se: Siegfried encontra Brünnhilde dormindo com uma armadura completa; ele nunca havia visto antes uma mulher e, de início, toma-a por um guerreiro, tira-lhe o elmo e corta a sua couraça, e de repente lhe chega a cognição:

> Não é um homem este! –
> Ardente encantamento
> Estremece-me o coração;
> Um fogoso temor
> atinge-me os olhos;
> Meu sentido vacila e desfalece! –
> A quem peço que me cure, que me socorra? –
> Mãe! Mãe!
> Pensa em mim!–

Com essas palavras ele cai sobre o peito de Brünnhilde e ali permanece algum tempo calado e imóvel.

Numa época qualquer – quando, não vem ao caso – veio-me a idéia: não é a amada que Siegfried encontra, é a mãe. E desse momento em diante, quando compreendi isso, desapareceu toda a resistência contra a cena de amor, e mais ainda: abriu-se-me uma nova compreensão, talvez errada, mas em todo caso comovente, do sentido de toda a obra: eu via, muito antes de ter sabido alguma coisa da psicanálise, o mais profundo conteúdo de nossa ciência do inconsciente, o amor apaixonado entre mãe e filho e a terrível fatalidade que acompanha essa paixão; aquilo que o descobridor Freud chama de complexo de Édipo se me apresentou em total nitidez, sem que eu, no entanto, tivesse sido capaz de imaginar-lhe as conseqüências; vim a aprender isso somente com Freud. – Agora talvez se possa compreender por que chamo *O Anel dos Nibelungos* de compêndio de psicanálise.

Eu disse que talvez seja errada a minha suposição de que, no amor entre Siegfried e Brünnhilde, se trate da paixão entre mãe e filho; portanto, tenho de tentar provar o que nem todo mundo compreende sem mais nem menos. No entanto, uma coisa presumo que todos os meus ouvintes conhecem, e suponho mesmo que esse conhecimento esteja tão arraigado em seu corpo e sua alma que não pode mais ser turvado por qualquer preconceito moral, isto é, o conhecimento de que a base do amor materno e do amor filial é a paixão, a paixão ardente de um tal poder de sentimento, como nunca em circunstância nenhuma ocorre na vida dos homens. Essa paixão sem igual é a medida de todos os outros sentimentos posteriores, é suficiente para alimentar com seu fogo todas as experiências futuras do coração e dos sentidos, e apesar de todo o desperdício que cometemos, em incrível medida, no decorrer de nossa vida, resta o bastante para manter vivo em nós, como a meta derradeira e a mais valiosa, o morrer e o enterrar-se no regaço da mãe terra. A vida – vida é o que alguém sente com relação à sua mãe, se conseguir purificar a paixão a ponto de não ser destruída por ela. E realmente, Siegfried tem razão com a sua pergunta angustiada:

> Minha mãe morreu então por mim?

que se repete dolorosamente mais uma vez:

> Todas as mães dos homens
> morrem por seus filhos?
> Seria deveras triste!

É deveras triste. Pois a mãe do homem morre realmente pelo filho. Não da maneira como Siegfried o supõe e como o mexerico das comadres sempre segreda ao ouvido, de que a mulher fica exposta ao perigo de morrer no parto; o perigo é mínimo, apenas algumas poucas pessoas morrem ao dar à luz; e se fosse possível tirar da mulher o medo de um acontecimento que lhe é descrito como terrível, enquanto é, na verdade, a prazerosa experiência da feminilidade, então a morte não mais entraria no quarto da parturiente. – Em outro sentido, figurado porém, as mães morrem realmente pelos seus filhos. Passado mais ou menos um ano após o parto, quase não resta mais nada da mãe, ela se transformou numa preceptora ou numa menina que brinca com o bebê como a criança com uma boneca, e, quando a fatalidade assim o quer, crescem, na mulher que há muito esqueceu o que sentiu durante a gravidez, as paixões e as exigências da posse, então a mãe está morta e somente reina o destino cruel, tanto mais cruel quanto mais cotidiano ele se apresenta, que assassina mãe e filho, o destino de Siegfried e de Brünnhilde. – É difícil ser mãe, mas a dificuldade então está na responsabilidade que pesa sobre a mãe; está no fato de que ela dificilmente sabe manter distância, de que se sente responsável, quando somente a divindade tem a responsabilidade. –

Tudo isso é inalterável, está assim mesmo na natureza humana, é do ser humano que cada um acredite em Deus, e nisso as mães não fazem exceção.

Então, Brünnhilde é realmente a mãe de Siegfried? Pelos fatos ela não o é, Siegfried nasceu de Sieglinde, Sieglinde é a sua mãe. Mas Brünnhilde já se sente sua mãe antes de Siegfried ter nascido, antes mesmo de ter sido concebido.

> Se tu soubesses, prazer do mundo,
> como sempre te amei!
> Tu eras o meu pensamento,
> a minha preocupação!
> A ti, frágil, alimentei, antes de seres concebido;
> antes de teres nascido, te protegia meu escudo;
> há tanto tempo te amo, Siegfried!

Não há qualquer dúvida aqui, Brünnhilde sente o herói como seu filho. E Siegfried? Depois daquela declaração de Brünnhilde, ele diz em voz baixa e acanhada as palavras:

> Minha mãe, então, não morreu?
> Apenas dormia a amada?

Sem hesitar, ele a toma pela mão. E isso é compreensível, tem pensado na mãe todo o tempo, tão logo se abisma em si mesmo, tem sentido saudades dela; toda a sua alma é tomada pelo pensamento da mãe. Já na sua primeira aparição o tema ressoa, ele pergunta pelo pai e pela mãe, mas a pergunta não se refere ao pai e sim apenas à mãe, na medida em que ela tem origem no desejo de amor. Ele conta o que viu com os animais da mata:

> Trazia o macho
> alimento ao ninho,

com isso terminou com o pai –

> a fêmea amamentava as crias.
> Aí aprendi bem o que é o amor;

nunca tirei da mãe
as crias. –

Para Siegfried não existe outro amor senão o amor materno, e se todos nós nos convencêssemos de que, na verdade, não existe outro amor senão o amor de mãe, ninguém precisaria estudar psicanálise. De fato, não é necessário, ela é, eu o repito, inata em nós; apenas não queremos saber nada dela. Isso porque, com cada palavra e com cada pensamento que revela o inconsciente, desaparece algo daquilo que povo e servo e dominador chamam a maior felicidade, algo da personalidade. Mas é tão maravilhoso desejar o que povo e servo e dominador desejam? Somente aquele que se perde a si mesmo irá encontrar-se. Morra e seja!

Quando Siegfried se encontra sozinho diante da caverna da inveja e olha para cima através das copas das árvores e escuta a vida da floresta, pergunta a si mesmo:

Como terá sido
o aspecto da minha mãe?
Isso – não posso
nem imaginar! –
Igual à corça
brilhavam certamente
seus olhos cintilantes, –
só que muito mais belos! – –
Por que morreu aquela
que em angústia me concebeu?
Todas as mães dos homens
morrem pelos seus filhos?
Seria deveras triste! – –
Ai, como eu, filho,
queria ver minha mãe! – –
minha – mãe! –
uma fêmea humana! –

Aí está, a mãe é a fêmea humana, uma fêmea, para Siegfried não existe nenhuma outra a não ser a mãe. E para nós outros? É a mesma coisa: a fêmea, a fêmea humana é sempre nossa mãe, não conhecemos outra, não queremos outra – a não ser que alguém seja por acaso um Alberico, um Nibelungo –, a mãe vale nosso amor, e o que amamos fora disso amamos apenas porque se parece com a mãe, é a sua imago.

Siegfried ouve agora o cantar do pássaro cuja voz nunca havia ouvido, e lhe acorre um desejo:

Entendesse eu seu doce balbucio!
Ele me diz algo, certamente, –
talvez – sobre a mãe amada? –

Aí está ela de novo, a saudade imorredoura de alguém. E, realmente, o passarinho lhe canta acerca de uma mulher, uma mulher que está dormindo; e quando Siegfried é arrebatado pela primeira vez pela presença da mulher, é de novo a idéia da mãe: ele se deixa cair sobre o peito de Brünnhilde e pergunta: Apenas dormia a amada?

É assim pois: Siegfried filho de Brünnhilde, Brünnhilde mãe de Siegfried. Isso é fatalidade, ambos morrem por causa disso.

Todas as mães dos homens morrem por seus filhos? Brünnhilde morre logo. Como é que ela cantava, quando se tornava uma com Siegfried?

> Rindo devo te amar;
> rindo quero cegar;
> rindo deixe-nos perder-nos – rindo perecer!
> Amor luminoso, morte risonha!

O que resta de tudo isso, quando Siegfried se lança no mundo? O que é agora o amor de Brünnhilde?

> Pouquíssimo proveito
> te deu o meu saber!
> O que os deuses me ensinaram
> eu te dei: rico tesouro
> de sagradas runas;
> mas a raiz virginal
> da minha força me tomou o herói,
> a quem agora me rendo.

Aqui o temos, o horrível, o cotidiano, o necessariamente diário: Brünnhilde tornou-se o que costumeiramente se chama mãe, aquilo de que as mulheres se orgulham em especial: preceptora, e pior do que ruim: ela anseia por sua divindade perdida, acusa o rapaz dos seus jogos amorosos. É a desgraça da mulher. Todas são assim; têm de ser assim, não há exceção. Com a morte da virgindade tem início o pesar de não poder viver mais uma vez a única coisa que valeu a pena ser vivida, aquilo que se imolou ao homem, que – isto se evidencia claramente – raras vezes é apenas homem, que, na realidade, é um garoto precisado de educação, na profundeza da alma feminina se acende o desejo de vingança e arde até o fim. É destino das mulheres terem um falso ideal do herói, não compreenderem o melhor do herói, seu jeito de adolescente, não o admitirem honestamente. A mulher sempre desperta no homem o herói, mas ela o acusa de que o herói morre e deve morrer nela e através dela. Também aonde se chegaria se a mulher compreendesse que no homem só o pueril é digno de adoração, que o infantil é a sua única força, ela para quem o filho não é, no fundo, nada mais que um brinquedo e uma tarefa, para quem o filho é uma esperança e não uma realização.

Com a morte da mãe e a chegada da responsabilidade desperta o desejo de possuir o homem: o homem pertence à mulher, da mesma forma como pertence à mãe o filho desde o nascimento, isto é, desde o momento em que a mulher realmente deixa de ser mãe; pois é fato curioso que, somente depois que o filho nasceu, depois, portanto, que a mãe não é mais imprescindível, é que acorre o pensamento: o bebê me pertence.

O que Brünnhilde sabe dizer a Siegfried que está de partida?

Lembra os juramentos
que nos unem;
lembra a fidelidade
que possuímos;
lembra o amor
para o qual vivemos:
Então Brünnhilde arderá eternamente,
sagradamente, no teu peito! –

É o amor luminoso de Brünnhilde, a morte risonha de Brünnhilde!

Rindo, devo te amar;
rindo quero cegar;
rindo deixa-nos perder-nos;
rindo perecer!

Ela prende seu coração ao anel. Chama-o de prenda de amor de Siegfried, e este é, para ela, mais do que o doador:

Feliz por causa dele
me ilumina o amor de Siegfried.
Mais que a glória dos Eternos
é para mim o anel.
O amor de Siegfried
me salvaguarda o aro.
Sussurra aos deuses:
jamais eu deixaria o amor,
nunca o amor me tirariam.

É isso que o anel significa para Brünnhilde. E o que significa para Siegfried? A lembrança de uma aventura, nada mais. Nunca, nem uma única vez ele se preocupa com o anel como algo especial – basta lembrar que, quando as filhas do Reno lhe pedem o anel, ele o tira do dedo para dá-lo às ninfas da água e não o faz apenas porque elas o ameaçam, porque tentam conseguir dele pelo medo o que ele daria de bom grado por um passatempo. Na despedida ele o dá a Brünnhilde:

Em troca de tuas runas
te ofereço este anel.

> O que de feitos realizei,
> a virtude deles ele encerra;
> matei um monstro selvagem,
> que ferozmente o vigiava.
> Agora guarda o seu poder
> como penhor de minha fidelidade!

Para ele o anel é uma lembrança, como uma lembrança ele o dá a Brünnhilde. E ao mesmo tempo sabe que o anel esconde em si o domínio do mundo; mas em que interessa ao rapaz o domínio do mundo?

> A herança do mundo
> me atribuiu um anel;
> pela graça do amor
> passo muito bem sem ele –
> eu to dou, se me concederes prazer.

Então, um homem, um herói é isso? Aquele que entrega o domínio do mundo em troca de uma hora de amor? Prefiro pensar que o é. Mas quem quer que o encontrasse na vida o tomaria por alguém diferente de um tolo? Posso imaginar que inúmeras mulheres se enamorariam dele, enaltecê-lo-iam acima do normal; mas iria uma única confiar-lhe sua sorte? Talvez até isso. Mas ela não iria tentar ensinar a criança grande, como o faz Brünnhilde? E iria acreditar que ele nada pode aprender, e se resignar, e não, como Brünnhilde, cair no profundo sono do engano de que um herói não poderia ser senão um rapaz irresponsável?

Talvez eu não tenha me expressado de modo suficientemente compreensível; assim, deixarei que mais uma vez fale o próprio Siegfried. Na despedida de Brünnhilde, quando ela lhe diz pela última vez: Não esqueças o que te ensinei, ele responde com toda a seriedade:

> Mais tu me deste, mulher maravilhosa,
> do que eu posso guardar;
> não te ofendas, se teus ensinos
> me deixaram ignorante!

Como disse, ele está todo sério, e o homem, se sua vaidade lhe permitir pronunciar uma verdade tão profunda sobre si mesmo, irá crer nele; pois todo homem é moldado desse jeito. Mas Brünnhilde não acredita nele. Não entende o seu caráter. É que ela é sua mãe, como poderia compreender que seu esforço e ensinamentos são totalmente supérfluos, totalmente inúteis? Seu ser feminino não tolera isso. O herói, para ela, é o homem que pensa, que provê, cuidadoso, digno de confiança. O herói, para ele é, sobretudo, o homem que quer o poder, que o quer conscientemente, que precisa do encantamento do anel, que é homem e não criança. Herói para Brünnhilde é aquele de quem ela é noiva por desejo, Wotan. Cujos pensamentos ela pensa, de cujo desejo ela é a donzela desejada. E Wotan vive na sua lembrança inconsciente como aquele que diz de si mesmo:

> Quando o prazer do jovem amor se me desvaneceu,
> ansiou pelo poder minha coragem.

O homem que ama jamais é herói para a mulher; não pode sê-lo, porque ele é sempre vencido por ela. O poema sabe disso, mostra-o uma frase de Siegmund: "Quando Siegmund, amando, sucumbia a Sieglinde". – Pois é, dificilmente eu conheceria um compêndio analítico em que os Senhores pudessem encontrar mais sobre o inconsciente do homem, da mulher e da mãe do que o *Anel dos Nibelungos*.

Ou olhem mais uma vez a cena com as filhas do Reno!

> Se me ameaçais vida e corpo
> – – devesse eu sem amor
> nos laços do medo
> apavorado os prender –
> vida e corpo –
> vede – então os lanço longe de mim!

isso ele grita às filhas do Reno e, ao mesmo tempo, lança um torrão de terra com desprezo sobre seu ombro.

O que é que ele está matraqueando aí? Quer lançar fora vida e corpo, se é para viver sem amor nos laços do medo? São assim os homens? Não podem suportar o medo e viver sem amor? Então não seriam todos homens aqueles inúmeros que levam sua vida em preocupação, todos aqueles inúmeros para os quais o amor se perde rapidamente e que vivem para o trabalho e o dever? É o que parece. Mas, certamente, é difícil entender isso, pelo menos as filhas do Reno não entendem nada disso. Não acreditam nele. Pela graça do amor ele entregará o anel? Nisso ele mente, nenhuma mulher irá acreditar nele. Todo ser humano é ávido de poder, e o homem não o seria? As filhas do Reno entendem suas palavras de modo totalmente diferente. Chamam-no de tolo,

> Tão sábio e forte
> ele acredita ser,
> como é manietado e cego.
> Ele só quer ficar com o anel!

É dessa maneira, portanto, que a mulher compreende o homem. Ela não acredita que ele seja tolo, acredita que ele é astuto e que se considera sábio. A mulher conhece tão pouco o homem que nem sequer suspeita quão pouco ele pensa do intelecto e em que tão alto conceito tem o sentimento, o calor do amor e a despreocupação e alegria. Repetidas vezes Siegfried o diz: sou bobo e não aprendo, com toda a honestidade ele proclama esse sentimento de todos os homens – pois jamais um homem se proclamou sábio a não ser que esteja querendo gabar-se – jamais ele diz de si mesmo outra coisa senão: quero viver alegremente, mas nenhuma das mulheres acredita nele, menos ainda a sábia Brünnhilde. Então, se a mulher não conhece ou não reconhece o mais profundo no homem, não o aceita com alegria – sua aversão aos dissabores, seu grande desejo de amor e de alegria a ponto de querer a morte, o que então ela entende dele?

E o homem entende tão pouco da mulher. Para Siegfried de nada serve o aviso das filhas do Reno. Ele não sabe dizer nada de melhor sobre a mulher do que o que o homem sempre diz quando não a compreende:

> Na água como na terra
> aprendi agora o modo das mulheres;
> àquele que não confia nas suas lisonjas,
> elas o assustam com ameaças;
> àquele então que resiste corajoso,
> a ele reservam os berros.

E nisso também ele é um verdadeiro homem: apesar dessa certeza sobre o modo das mulheres, ele bem teria gostado de domar para si uma das formosas mulheres,

> não guardasse eu fidelidade a Gutrun.

Não guardasse eu fidelidade! O que é que é isso agora? Ele é sério? Ao homem compete por certo levar a fidelidade a sério. Mas, infelizmente, ao herói Siegfried, à criança grande falta totalmente a compreensão daquilo que as mulheres chamam fidelidade; ele é demasiado autêntico para isso.

Quando falta com a fidelidade a Brünnhilde, ele não sabe o que faz, está enfeitiçado, o cálice do olvido privou-o da lembrança de ter sido manietado por juramentos. Mas chega o momento em que se lembra de que Brünnhilde é sua mulher legítima; se fosse verdade que o homem tem o mesmo conceito de fidelidade que a mulher, ele deveria arrepender-se, no mínimo compreender que Brünnhilde está certa quando o considera perjuro. Ele se arrepende? Concede à amada que ela agiu bem? Não, ele não a compreende, nem mesmo na morte. Não lhe ocorre sequer um pensamento de ter-lhe faltado à fé, nem um pensamento de ter agido mal. Ele só percebe uma coisa, que Brünnhilde não é mais a mesma:

> Brünnhilde –
> noiva sagrada –
> acorda! Abre teu olho!
> Quem te fechou
> de novo no sono?
> Quem te atou em sono tão penoso? –

Siegfried nada compreende de tudo o que se passou na mulher, ele não entende sua culpa. Mas compreende uma outra coisa, uma profunda verdade, talvez a mais profunda que é possível compreender, a de que a mulher só acorda do seu sono encantado pela morte do herói:

> Chegou o que desperta;
> ele te beija acordando,
> mas com a noiva
> ele rompe os laços: –
> ri-lhe então o gozo de Brünnhilde! –

Neste compêndio estão contidos vários conhecimentos profundos do inconsciente que não se encontram facilmente em nenhum outro lugar. Isso porque onde, na literatura psicanalítica, se encontra porventura algo sobre o fato de que a mulher só sente amor, só desperta dos laços do sono de Wotan, se o homem morre? De que somente a morte a desperta para o amor? – O homem, é homem másculo somente na excitação, somente no instante em que sua masculinidade se torna um fato, no êxtase do amor; a mulher só desperta quando o homem morreu, quando seu êxtase de amor já passou, quando ele é de novo criança e quando ela se sente como sua mãe e ele se tornou seu filho, que descansa no seu regaço. Aquele que pudesse compreender e ter sempre presente que o amor é amor maternal e amor filial, que todo o resto é brincadeira e inessencial, que o amor nunca está no próprio ato sexual e a fidelidade nunca é traída no ato sexual, que tudo acontece na profundeza do inconsciente, do jamais sabido, teria compreendido uma boa parte da vida e do eu-mesmo. Mas nenhum mortal jamais o compreenderá e viverá o compreendido. Brünnhilde o vive, mas somente quando Siegfried está morto. Uma experiência corriqueira é que só a viúva é sábia, livre e feliz.

> Não bens, nem ouro,
> nem esplendor divino;
> não a ilusória aliança
> de tristes acordos,
> nem a dura lei
> da falsa moral:
> feliz no prazer e na dor
> permite – só ser o amor!

Brünnhilde despertou.

Assim, contei-lhes muita coisa de Siegfried e Brünnhilde, mas quase nada do que mais contém a obra. Mas já não sobra muito tempo para fazê-lo e quero contentar-me, então, em falar um pouco de coisas que nada têm a ver com a intenção poética, mas possuem sua importância através de conteúdos inconscientes, milenares.

Em primeiro lugar, temos as complicadas relações de parentesco. Afirmei que Brünnhilde sente Siegfried como seu filho, Siegfried a Brünnhilde como sua mãe. Isso não é totalmente inventado: por parte dos pais Siegfried é sobrinho de Brünnhilde; ela é meia-irmã de seu pai e de sua mãe. O parentesco é, portanto, muito próximo. Muitas pessoas talvez tenham interesse em saber até que ponto Wagner procedeu intencionalmente ao fazer Siegfried nascer de uma ligação amorosa entre irmão e irmã. Para o estudo do inconsciente é importante apenas que a alma do homem prefere fazer o homem descender de estranhas paixões de amor. Em primeiro lugar, faz parte disso o fato de o herói ser concebido por um deus. O mito oferece milhares de exemplos: lembro apenas os heróis do mito grego, Hércules e Aquiles, Cástor e Pólux e outros tantos. – O extraordinário continua sendo sublinhado pela origem bastarda do herói, ele é filho de um amor passional que desconhece lei e moral. – Assim como Siegmund e Sieglinde são irmãos, até irmãos gêmeos, assim também Zeus e Hera de quem descendem os deuses são irmão e irmã. – Como se vê, a alma do mito e da poesia não considera vergonha, sem mais nem menos, o pior crime contra a moral e o direito; ao contrário, tal forma de agir contra a lei dos homens eleva o prestígio do mito e da ficção. – O fato de ser um enjeitado confere ao herói uma situação excepcional; redobra-se a impressão de extraordinário, quando o pai morre antes do nascimento – nos filhos póstumos sempre se encontram estranhas qualidades, porque para o filho o pai é inimaginável, porque paira o mistério sobre a concepção, porque ele parece ser o filho da virgem, concebido sem pai. O extraordinário é triplicado com a morte da mãe durante o parto; pesa então sobre o filho o homicídio: aquele que derrama sangue terá seu sangue derramado. – O herói só conta consigo próprio, ele cresce na selva, o urso e o lobo são seus companheiros de brinquedo, vivendo na obstinação, na repulsa e no ódio ao único ser semelhante ao humano, com quem é encurralado, profundamente indisposto contra qualquer sentimento de gratidão. Somente a natureza livre lhe é sagrada e o eu-mesmo. Ele cria tudo pela própria força, ele cria na verdade o mundo. Até a mulher amada ele cria para si, desperta-a do sono para si.

Tudo isso é bem comum a toda poesia, vem do inconsciente do homem, não do poeta. É coerção do inconsciente, e quem refletir sobre isso irá examinar estranhas e escuras profundezas.

Quando eu era moço – naquele tempo o mundo era mais moralista do que hoje –, não se permitia que a jovem de dezessete anos assistisse a uma representação do *Fausto* ou lesse *Romeu e Julieta na Aldeia*, de Keller, mas a *Valquíria*, de Wagner, em cujo tema central encontram-se adultério e incesto, podia ser vista e adorada sem reparos. Quando as coisas se revestem de heroísmo, deixam de ser imorais, isso se aprende no compêndio analítico de Wagner.

Já que é assim, que na roupagem heróica do mito o moral e o imoral têm o mesmo direito, é permitido, mesmo sob o perigo de deparar com coisas estranhas, observar, com outros olhos que não os da experiência cotidiana, os representantes da ação e o que acontece, é possível saber adivinhar o que está por trás do mito. E é isso o que eu quero fazer, pelo menos com alguns componentes do material do mito; apenas devo ponderar que justamente mitos e detalhes do mito são interpretáveis de mil maneiras e devem ser interpretados de mil maneiras. O que estou dizendo é unilateral, eu sei, unilateral, mas são coisas que não se mencionam nos comentários sobre *O Anel dos Nibelungos* e que hoje, quando sabemos dominar o inconsciente, é necessário saber.

Três espécies de seres aparecem na abertura do *Anel*: anões, gigantes e deuses. Na profundeza da terra, em Niflheim [palácio das brumas], habitam os anões que conhecem todos os tesouros das rochas e montanhas, conhecem a arte de fundir o ouro em jóias e adornos. Lá reinam as sombras e a eterna escuridão, o mistério profundo. O anão do mito e da saga é velho e cheio de rugas, pequeno e feio, mas possui alguma coisa que eventualmente lhe confere uma força que vence homens e gigantes, e até os deuses. O que significa o anão?

O gigante é forte, desajeitado e estúpido, grosseiro e cruel, amigo de ninguém, inimigo de todos e odiado por todos, e por mais forte que seja, sempre perde na luta. O que é o gigante?

Reluzentes em claridade, beleza e brilho vivem os deuses, os Ases. Pelo saborear de maçãs douradas é-lhes conferida juventude eterna. Domina-os a lança de Wotan, que ele tirou do freixo do mundo, pela qual sacrificou um dos olhos, em cujo cabo estão gravadas as sagradas runas dos pactos. O que são os deuses, o que significam a lança, a perda de um olho, as maçãs da juventude? Como todo mundo sabe, a maçã representa um grande papel em todos os mitos; o mito do paraíso mostra da maneira mais conhecida e mais evidente o que isso significa. E no caso não importa que na Bíblia só se fale de um fruto, e não de maçã, a imaginação popular fez dele uma maçã. É a maçã do conhecimento. Mas conhecer, na linguagem bíblica – e em muitas outras linguagens –, significa o contato sexual de duas pessoas. Do contato sexual nasce o filho, no seu filho o homem recebe uma nova juventude, a maçã do rejuvenescimento é a maçã do amor, amor entre homem e mulher. – A lança que Wotan tira do freixo do mundo, da árvore da qual tudo descende, a lança que é a marca do domínio pertence ao homem, é seu distintivo, é o que o converte em homem e senhor, caracteriza o seu sexo, é seu membro. Mas o guardião da lança se compromete pelos pactos, refreia-se a si mesmo e a todos os seres sexuados mediante leis que estão gravadas em runas no cabo da lança. E para poder gravar essas runas, para domar o instinto, Wotan, o fundador do casamento, sacrifica um dos seus olhos; o olho é, desde tempos imemoriais, o símbolo do poder de procriação, o símbolo da potência masculina. De livre vontade Wotan sacrifica a metade do seu poder, do seu desejo e do seu instinto, somente assim ele pode dar leis ao mundo.

Se Walvater é o homem que domina seu próprio instinto e o de todos os homens mediante pactos, seus adversários, os gigantes e os anões são forças instintivas que só obedecem ao poder das runas, que são submetidas somente pelo sacrifício do olho. Então o gigante, o homem forte, rude e desajeitado, o instinto, está em atividade, em outras palavras, o membro ereto desejoso, que sempre perde na luta, que morre na luta. – Nesse caso, o pérfido anão, que espreita, arteiro, e às vezes se torna mais forte que deus e gigante, que pode transformar-se em verme gigante e logo depois em sapo minúsculo, nesse caso ele não é o instinto sexual desperto, mas o despertável, símbolo do possível instinto sexual, que habita a profundeza do íntimo, das entranhas, e conhece toda a vida e criação, o que se passa nas entranhas da terra, nas entranhas do homem.

Nas entranhas da terra Alberico funde o anel; Mime, o elmo que confere invisibilidade; os anões, jóias e pedrarias para as mulheres; mas Siegfried, na fornalha, forja Nothung, a espada da inveja. O que é Nothung, a espada? – A própria Brünnhilde dá a resposta:

> Conheço bem o afiado corte,
> mas também conheço sua bainha,
> onde descansa, delicioso,
> encostado ao pé do muro,
> Nothung, o fiel amigo,
> quando seu amo a amada desposou.

A espada é talvez um dos símbolos mais antigos do membro masculino, todas as armas o são, especialmente a espada, como o prova claramente o seu oposto, a bainha, enquanto símbolo feminino. E aqui se abrem novos caminhos para as profundezas escuras, para o inconsciente. Wotan enfia essa espada no tronco de freixo da casa de Hunding, para Siegmund, o filho. Siegmund recebe-a do pai, e na lança desse mesmo pai a espada se quebra. – Siegfried não quer de presente a espada, ele mesmo a cria para si mesmo; lima os pedaços, fica somente com o ferro, com esse funde e forja Nothung, a única espada que deve vencer Fafner. Siegfried é homem por si próprio, também como ser sexuado é homem por poder próprio. – O que acontece com a espada? A espada do homem, que a natureza lhe deu, é duplamente simbólica: arma, apenas arma, só pode ser para aquele que é livre de toda tradição, que não pensa na força criadora da espada, para quem ela não tem nada a ver com o conceito de pai – pois o pai, é esse o outro sentido da espada do homem, ela serve como pai procriador. Mas só pode matar o dragão aquele para quem a espada é espada, arma no combate do amor, que não teme o filho e também não o deseja, quando ama a mulher; quem não é o que é Wotan – e por isso também Siegmund:

> por pactos eu sou senhor,
> dos pactos sou agora servidor.

Nem Wotan nem Siegmund são amantes, eles têm segundas intenções, querem procriar, manter a linhagem:

> Floresça então o sangue dos Wälsungos!

exclama Siegmund, quando desposa a irmã. Depois, pode certamente não matar o verme gigante que mora na caverna da inveja; pois entre pai e filho deve haver inveja: É juventude e velhice. – Em Siegfried, isso é diferente, ele ama a mulher a quem fez nascer integralmente, sem medo e sem esperança, Brünnhilde é tudo para ele: mãe, amada e filha, sua criatura tanto quanto é sua mãe; ele desperta a donzela para si, não para o futuro de um filho por nascer, não para o sangue dos Wälsungos. Nenhum deles ama verdadeiramente, assim como nos dias de hoje o homem quase não ama sem o pensamento no filho, temendo ou esperando, assim como o homem quase nunca se entrega totalmente à espada, mas conserva a espada na sua consciência ao mesmo tempo qual um pai procriador. – Essas são coisas também que os Senhores irão procurar em vão nos compêndios, mas que a poesia retrata inconscientemente. O homem pensa com demasiada freqüência na criação do filho, a mulher é apenas mulher na luta amorosa. Como ele pode ser herói para ela, se não sabe amar integralmente?

E mais uma coisa, misteriosa, algo que nunca é possível solucionar: quem ama primeiro, a mulher ou o homem? Siegfried desperta a mulher adormecida, assim é ele talvez que coage ao amor. O poema fornece uma estranha resposta. Siegfried está ajoelhado em frente a Brünnhilde adormecida, mas é ainda a criança que sente medo:

> Como acabo com o medo?
> Como crio coragem?
> Para que eu mesmo desperte,
> tenho de despertar a donzela!

É o mesmo enigma que existe no mito do paraíso; lá Eva parece despertar o instinto, ela come primeiro a maçã, mas a serpente que a seduz a fazê-lo é Adão, porque a serpente é o símbolo do masculino. Isso continua sendo mistério e deve ser mistério, pois o que seria do mundo se o amor partisse de um sexo e não despertasse em ambos simultaneamente; para que eu desperte, tenho de despertá-la.

Siegfried forja o seu amor pela própria força, ama pela sua natureza, tem de amar, sem teoria e sem segundas intenções de pai e filho. Ele destrói o privilégio do pai, a lança de Wotan, ri da pretensão do pai que se arroga direitos devidos à sua idade.

> Se velho te pareço,
> me deves mostrar respeito!

diz-lhe Wotan.

> Isso é uma boa!
> Desde que eu vivo
> sempre no meu caminho
> esteve um velho!
> A este varri agora.

Libertar-se de toda a piedade, quem o poderia? Por certo, ele também teria de morrer jovem como Siegfried. Wotan aprende isso somente quando já é tarde, e quando o aprende, também tem de morrer.

> És do mundo
> a mais sábia mulher,
> diz-me agora,
> como Deus o medo vence?

assim pergunta Wotan a Wala; e ele mesmo dá a resposta:

> Pelo fim dos deuses
> o medo não me aflige,
> desde que meu desejo o – quer.

É este, certamente, o único caminho para vencer o medo, quando o consideramos criação do próprio Isso. Ele pára com isto. Tornar consciente o inconsciente!

E o que finalmente é o anel? É o amor à mulher, seria o caso de pensar; ele representa um símbolo antigo da mulher amante e amada, o dedo seria o homem; o anel, a mulher. E

> do anel senhor
> do anel servidor.

De fato é assim que ocorre entre homem e mulher. Mas o anel traz a morte a quem o possui: quem usa o anel no dedo morre, o homem morre relaxando no abraço da mulher; a donzela morre, transformando-se em mulher, no abraço do homem.

Do ouro do Reno é forjado o anel, somente quem amaldiçoa o amor consegue transformá-lo em anel, somente quem desiste do amor alcança poder. Até esse ponto a coisa é clara, e milhares de vezes foi interpretada dessa maneira. Mas por que o ouro jaz na água e por que nenhum dos donos do anel consegue exercer seu poder, nem mesmo aquele que amaldiçoa o amor, e por que o ouro volta à água?

Na água jaz o ouro; mas não é nenhum ouro morto: como um filho, ele é guardado pelas filhas do Reno, dorme e é despertado pelo despertador sol, está vivo. Um filho na água? Mas só pode ser o filho antes do nascimento, não há qualquer dúvida. Loge diz um dia:

> Coisa fútil ele é
> nas profundezas da água,
> mas quando é forjado
> em anel redondo,
> ganha para o homem o mundo.

Será possível que aqui, no *Anel dos Nibelungos*, em silêncio e talvez nem mesmo desejado conscientemente pelo poeta, surja um motivo que em outro compêndio, o *Fausto*, desempenha um papel tão estranho, o motivo do homúnculo, do homem que é gerado sem mulher e sem amor de mulher? Não respondo a essa pergunta, apenas a coloco.

Somente quem não conhece o medo é capaz de matar Fafner, de forjar Nothung, caminhar pelo fogo – a proibição das proibições seria que o filho não deve abraçar a mãe em amor –, ganhar Brünnhilde. Todos nós conhecemos a estória do homem que partiu para aprender o medo: ele o aprende da mulher. E Siegfried também. Se é assim, assim tem de ser. Nós homens, nós heróis, temos de temer a mulher?

"Saudoso, eu desejo o prazer!", diz Siegfried do medo. E

> Mãe! Mãe! Teu filho corajoso! –
> No sono jaz uma mulher! –
> Que lhe ensinou o medo.

Medo é prazer para o homem.

Não é homem de verdade quem não teme a mulher; certamente, não como Mime teme, tampouco como Wotan, que se aflige com o poder. O homem sente, e quanto mais é homem, tanto mais tem medo, que chamam respeito.

Mais não posso dizer hoje.

Música e Inconsciente

Para não despertar falsas expectativas, quero salientar, antes de minhas considerações, que não tenho ouvido musical. Mas acredito que é justamente essa deficiência que me dá a possibilidade de tratar do meu tema: o poder do inconsciente na música. Posso ocupar-me mais facilmente do que outros com coisas acessórias às quais normalmente não se atribui muito valor.

Temos, por exemplo, a palavra música. Todo mundo sabe que ela se origina do grego e é derivada de musa; mas somente alguns poucos lembram que *musa* (μουσα) originariamente era *montia* (μοντια) e significa a meditativa, a pensativa (o latim *mens* e o inglês *mind* são afins). Nisso está expresso que o fundamento da música é algo diferente da *ratio* (*reason*, razão). *Ratio* é cálculo, tem a ver com números. A palavra música indica que o musical não pode ser criado nem recebido pela *ratio* calculadora, mas somente pode ser ordenado. Na palavra "música" já está imanente que o musical é qualidade fundamental do ser humano, que todo homem por natureza cria música dentro de si mesmo e também sem a sua própria intervenção é influenciado por "música" alheia (as palavras *human*, *man*, *music* [humano, homem, música], se originam de uma raiz comum, *men*, alemão *Mensch*, sueco *människa*, homem). Toda música emana do humano primitivo; se fosse diferente, dificilmente seria explicável o seu efeito sobre os bebês e sua execução por débeis mentais.

Tudo isso não é novo, mas, quando vemos que sempre se volta a empreender a tentativa de compreender, e se possível também criar, a coisa musical cientificamente, com a razão (a palavra *compor* = *pôr junto* indica a profundidade em que está arraigada a superstição de que se poderia criar música com o auxílio da *ratio*), quando vemos isso, sentimo-nos justificados e quase obrigados a dizer: a música não provém da parte consciente da alma e não se dirige ao consciente, mas sua força emana do inconsciente e atua sobre o inconsciente. Quem quer encontrar a chave para as portas sagradas da música deve pesquisar o humano do homem, somente aí ele pode encontrá-la. Pois nem o ouvido nem o som exterior, nem a mão que executa nem o instrumento musical são necessários à música; ela é algo interior no homem, é uma qualidade imanente (dada pelo destino) do homem, um dos seus órgãos (*organon* [οργανον] = ferramenta, órgão) equivalente ao ouvido, ao olho, à garganta, embora não se possa encontrar esse órgão com o escalpelo ou com o microscópio.

Escolhi de propósito a palavra "chave", porque é usada na música executante como termo técnico, todo mundo que escreve ou lê notas dá com a chave, a clave*. Existe, pelo menos na música moderna, uma estreita ligação entre clave e nota: a clave sem notas é absurda e notas sem clave, idem. Vejamos o que significa a palavra "clave": o inglês *key* era *caege* em anglo-saxão. São afins da palavra, no alto alemão moderno, *Kiel* (inglês: *keel*), *Kegel* (inglês: *cone, ninepin* para o jogo de bochas), *Keil* (inglês: *wedge*, derivado de *wing*), *Keim* (= *bud*, parente da raiz *bhel, bell, belly*). Mas todas as línguas indo-germânicas têm, para o conceito chave, clave, palavras que devem ser remontadas à mesma raiz *kla-clev* (grego: *kleis*, [χλεις]; latim: *clavis, claudo*; francês: *clef*; sueco: *nyckel*). O sentido da expressão "clave" na música significa, portanto, que algo é colocado sob chave, protegido contra influências externas. Derivações nos diversos idiomas dão uma idéia do que é fechado; temos, assim, o latim *claustrum*, de onde provém *Kloster*, claustro, o grego *Klobos* (χλοβος), gaiola, *Kalia* (χαλια), cabana, cobertura; o alemão *Lade* = *drawer* = gaveta, *Laden* = *shutter* = folha de janela. Para os meus objetivos seria agradável, como o leitor logo verá, se também o inglês *lap* (colo) se deixasse associar com *clavis*, gaveta, mas, infelizmente, a etimologia não fornece qualquer esclarecimento sobre isso; ao contrário, ela afirma que *lap* é o mesmo que *Lappen* (trapo), prega no vestido; mas a etimologia afirma coisa semelhante sempre que se aproxima dos conceitos de procriação e gravidez. Em todo caso, se o fechar se refere a um espaço vazio, isso é executado com a ajuda de uma chave.

Vejamos que espaço vazio a clave musical fecha. Não há dúvida: o espaço das cinco pautas é fechado. Mas o que importa não são essas cinco linhas, mas as notas que pertencem a essas linhas. Se tomarmos as cinco linhas e os quatro intervalos, teremos o número nove. E nove

---

* *Schlüssel*, em alemão, que significa chave e clave. (N. da T.)

é o número da perfeição, o número da gravidez. Assim, o espaço das notas seria o símbolo do útero, e a clave, o símbolo do masculino que fecunda e fecha o ventre da mulher.

A essa conclusão leva também a palavra nota, em latim *nota*. A raiz de onde se origina a palavra *nota* é *gen*, que se conservou em expressões como *genus*, *genitalia*, *genius*. *Gen* é uma das raízes mais fecundas da língua indogermânica. O denominador comum que liga todas as derivações é o conceito de gênese e de procriação.

Se observarmos as derivações acima mencionadas da raiz *clev*, resultam novas insinuações do cerne erótico da música. Em primeiro lugar, o inconsciente usa o conceito de chave no sonho e na psicopatologia do cotidiano como símbolo do membro masculino; isso acontece em todas as línguas indogermânicas. A palavra *Kiel*, nos três significados de quilha de navio, de navio e de porto, é símbolo da mulher; como *Federkiel* (canhão da pena), ela manteve o significado masculino; *Kegel* (cone, bola, bocha, boliche) se conservou, no alemão, na locução *Kind und Kegel* (com todos os seus, com toda a família) e para designar um filho ilegítimo no seu significado sexual, mas sobretudo em *Kegelspiel* (jogo de bocha), cujo sentido se esclarece na palavra inglesa *ninepin* (nove = gravidez, *pin* – agulha – membro masculino, *nähen* [costurar] – *copulate*). *Keil* (cunha) é o mesmo que *clavus* = prego, um objeto que cabe numa abertura (fenda); o inglês *wedge*, derivado de *wing*, expressa a relação com o Eros alado. *Keim* (germe), finalmente, sublinha a idéia de procriação. Também as palavras gregas *klobos* = gaiola, *kalia* = cabana, têm relação com o feminino do homem.

Ao analisar essas particularidades da escrita musical, deparamo-nos, de repente, com o fato fundamental do que é musical: música é filha de Eros e, como tal, senhor e dirigente do Eros. Pois o singular na criança é que, apesar da sua fraqueza, ela é rei (*König* [rei] e *Kind* [criança] originam-se da mesma raiz *gen*) e que ela cria paz, alegria e ordem (o inglês *kind* = amável é o mesmo que o alemão *Kind* = criança).

É lícito supor que as origens de toda música humana estão no canto, no canto dos pássaros, no uivo do vento e no marulho do mar. Quanto ao pássaro, é sabido que ele canta sua canção no tempo do cio, da mesma maneira que se revela então um pintor modelo na coloração da sua plumagem. A estreita relação entre o vento, cujas melodias portentosas comovem profundamente a alma humana, e o Eros está contida nos mitos de todos os povos e épocas e mesmo agora ainda se expressa em palavras como psique, francês *âme* (*animus*), *esprit* etc. A eterna canção do mar é tanto mais comovente porque mar e água são, para todos os homens, símbolo da mãe primitiva e do nascer e perecer (filho na água do ventre materno).

Nas artes plásticas ressalta claramente esse condicionamento mútuo de música e amor. Em afrescos – por exemplo, nos de Paul

Meyerheim na Galeria Nacional de Berlim – a primavera (inglês: *spring*), como sugere a palavra inglesa, o tempo da procriação, do crescimento e nascimento, é representada por um bando de pássaros cantando, cujo regente é um pequeno Eros alado; também as notas não raro são desenhadas como pássaros ou como crianças e cupidos: estão sentados ou pulam nas pautas ou entre elas. Essas conexões são claramente comprovadas pelo costume dos pintores de representar os anjos, os sucessores dos cupidos, a executarem música.

A construção e a denominação dos instrumentos musicais mostram de forma específica as relações inconscientes entre Eros e música. Lembro aqui a palavra rabeca (al.: *Fiedel*, ingl.: *fiddle*) e violino; para o inconsciente, o violino é símbolo do feminino, o arco, símbolo do masculino – daí vem que nos conflitos eróticos não resolvidos interiormente aparece a câimbra do violinista. (Vale o mesmo para o tocar piano e, sobretudo, para o cantar; não é bom que os professores de canto saibam tão pouco dessas coisas.) Observando mais de perto, chega-se à conclusão de que a maioria dos instrumentos musicais não foram inventados pela razão, mas que a compulsão inconsciente do homem à simbolização construía o instrumento exatamente assim e não de modo diferente.

Tudo isso é compreensível quando se entende que nossas percepções sensuais, sem exceção, são para o inconsciente símbolos da conjugação entre masculino, feminino e infantil; tanto com respeito ao ouvido quanto com relação à voz, é fácil comprová-lo: concepção, gravidez, nascimento, crescimento e morte dominam todo o humano.

O pouco espaço me obriga a limitar-me a sugestões, mas gostaria de tocar resumidamente em alguns pontos. Os fatos fisiológicos da época pré-natal, na qual a criança não conhece essencialmente nada mais que o bater cadenciado e rítmico do próprio coração e do da mãe, explicam de que meios a natureza se serve para dar ao homem o mais profundo e fundamental sentimento para a música, e o conceito e a palavra acorde têm aí suas raízes. (Acorde é derivado da palavra *cor* = coração, e significa originariamente o concurso harmônico entre o coração da mãe e o do filho.) É compreensível que o movimento de balanço da criança no ventre materno concorra para a formação do senso de ritmo e compasso. A essa constatação de que o senso musical é de origem pré-natal associa-se, facilmente, uma opinião muito mais ampla de que o senso musical é um legado inalienável do humano e é inato em cada um desde os tempos de Adão, porque – e aqui chego ao âmago da minha idéia – a música pode servir-se do som, da mesma forma que muitíssimas vezes ela é muda, pode ser ouvida, mas também pode ser vista, em essência ela é ritmo e compasso e, assim, está intimamente ligada a todo o humano. O homem e o mundo que o homem cria para si – o único mundo que conhecemos é o mundo humanizado – exigem ritmo e compasso e harmonia, e todos os acontecimentos aparentemente arrítmicos, descompassados e inarmônicos contêm em si mesmos a compulsão para a harmonia rítmica e cadenciada. É fácil convencer-se disso quando se observam, sob o microscópio, os processos de fecundação do óvulo: são música no sentido mais verdadeiro da palavra.

Para concluir essas rápidas considerações, gostaria ainda de chamar a atenção para um fenômeno musical que mostra metaforicamente a afinidade entre o musical e o humano, isto é, o trítono, que contém em si a unidade no três e a trindade no um, da mesma maneira que acontece no homem. O homem individual está ligado ao humano, é sempre e sem exceção homem, mulher e criança. Essa é a lei dentro dele. E sendo o homem uma trindade, não pode fazer outra coisa senão exigir a trindade da vida musical dentro dele.

Seria de imaginar que nossa época se afastou tanto da verdadeira música, que foi chamada com razão de música das esferas, que se deve chamá-la de não musical, mas não estou autorizado a responder a tais perguntas. Se eu disser, com suficiente clareza, que a música não é dirigida ao ouvido, mas ao humano, o leitor compreenderá como eu, na minha qualidade de médico, me explico o fato de tantos músicos ficarem surdos. Não é de admirar que o subconsciente do homem, extremamente inteligente e, no entanto, extremamente tolo, pense: "Os sons que meu ouvido físico ouve dominam a alta música da minha alma; por isso, paralisarei o ouvido físico para ter maior prazer". A idéia parece estar correta, mas não leva ao objetivo, porque a música dos homens só existe entre os dois pilares da música interior e da música das esferas, e devemos dar-nos por satisfeitos com esse intermediário.

Peer Gynt

A mim me parece que não foi pouco o que ganhamos no *Anel dos Nibelungos* em matéria de aprendizagem da pesquisa psicanalítica. Espero que o compêndio *Peer Gynt* nos leve mais longe. Contudo, nós, alemães, não temos à mão a própria obra, mas uma tradução; e nela se perde um bocado das sutilezas do inconsciente, exatamente aquelas às quais atribuímos maior importância, porque, inconscientes ao poeta, se tornam subordinadas ao ato de escrever em linguagem, escolha das palavras, construção de frases etc. – coisas imponderáveis que o norueguês usufrui sem refletir, enquanto nisso não nos ajudam qualquer reflexão e qualquer conhecimento do idioma. De mais a mais, Ibsen tem igualmente um jeito interessante de segregar muita coisa dentro dos seus dramas; a partir daí se explica o fato estranho de se encontrarem coisas novas, ainda não descobertas, toda vez que se relê uma obra ibseniana. Isso, porém, não se coaduna muito bem com um compêndio. O fato de este segregar – o Fausto mostra-o de maneira mais nítida –, de representar vida que de outra maneira é impossível de representar, vida quase inalcançável pela razão, mas na verdade apenas vida, vida que, como Freud, chamamos vida inconsciente – esse fato traz para a pesquisa analítica um material rico, porém dificilmente identificável. Um outro obstáculo – também uma vantagem para a obra de arte, mas uma desvantagem para um compêndio – é a ironia divina de que Ibsen dota homens e objetos. E finalmente: Ibsen conhecia o inconsciente como quase nenhum outro, trabalhava com isso como se tivesse leitores treinados em análise. Por isso, seus dramas têm vida eterna. Mas, para compreender facilmente o inconsciente, é melhor procurar, em vez de um conhecedor, alguém que nada saiba a esse respeito, mas que viva inscientemente o inconsciente, pelo menos para o começo. Wagner era um insciente; Ibsen, um conhecedor. Em Ibsen encontraremos muita coisa nova. Em primeiro lugar, porém, defrontamo-nos com coisas que nos são conhecidas a partir do *Anel*; só que estão mais elaboradas em *Peer Gynt*.

Tentei provar que Siegfried vê em Brünnhilde a mãe e Brünnhilde vê em Siegfried o filho, e com base nessa suposição chamei atenção para o fato, universalmente válido, de que o homem é obrigado, pelo inconsciente, a se fixar sempre e em todas as circunstâncias na mãe, a amar apenas o que apresenta alguma semelhança com a mãe. Em *Peer Gynt*, isso está retratado claramente.

Como os Senhores deverão estar lembrados, a peça começa com uma cena entre Peer Gynt e sua mãe Aase, uma cena muito característica. Os dois não se comportam como é usual entre um filho adulto e sua mãe; agem antes como uma brincadeira entre uma jovem mãe e seu filho menor: ela ralha com ele por causa de suas calças rasgadas e de sua preguiça, e ele se vangloria diante dela de ter cavalgado uma rena macho no cume de uma montanha tão estreito quanto uma foice, com profundos abismos de ambos os lados, e ele, então, teria pulado do animal dentro do lago profundo. Ela acredita no que lhe impinge o rapaz, tanto quanto acredita uma jovem mãe; o que ele pensa e sonha são realidades para ela, como o são para toda mãe autêntica. E quando percebe a mentira, não sabe se deve rir ou chorar. Tudo termina quando ele a levanta para o alto e, como a rena fez com ele em sua fantasia, leva-a a galope através do regato espumante. Na outra margem, depõe-na em cima do telhado de velho moinho, de onde ela não pode descer sozinha, e foge. Travessuras, travessuras de garoto. E Aase vê nele apenas um molequinho travesso; corre atrás dele com um pau para bater-lhe. Não há qualquer dúvida: para Aase, Peer continua sendo o garoto que demonstra ser, e para Peer, ela é a amada companheira de brinquedo, a mãe que nunca envelhece. Brincam um com o outro; no fundo, para eles o resto do mundo não existe, têm seu próprio mundo do qual ninguém participa, nem deve participar, como Peer expressa na cena da morte de Aase:

> Então, mãe, vamos conversar,
> mas somente do que é meu e teu,
> e não tagarelar de tudo aquilo
> que foi ruim e ainda por cima dói.

Repete até as mesmas palavras de Aase quando ela tenta dirigir a conversa para Solveig. Ele com a mãe, é um mundo à parte: depois da primeira cena seria de imaginar que passassem a vida inteira brincando assim. De fato, somente após longos desvios é que Peer Gynt concede a outra mulher o favor de ser sua mãe. Essa mãe, quase não é preciso dizê-lo, é Solveig, a nova encarnação de Aase, a mãe reencontrada. E Peer Gynt o sente de antemão. Isso e somente isso o impede de ficar junto dela, ela lhe é sagrada, como a mãe sempre é sagrada para o filho. Para ele nunca é mulher: quando a carrega para a choupana – a *troll** ainda não se havia interposto entre ele e Solveig, com a acusação de seu passado ignominioso –, quando a carrega, estica para tão longe de si quanto é possível os braços em que ela está sentada:

> Pura diante de mim, com braços estendidos,
> eu quero carregar-te.

Foge ao contato físico, ignora totalmente a situação e o sentimento da moça, para ele é ela a imago da mãe.

> Afasta-te! Sai fora! disse o Torto. –
> Sai fora, afasta-te! E fosse teu braço tão comprido
> Quanto o mais alto pinheiro na encosta da montanha, –
> Ainda a manterias perto demais de ti,
> Para que depois ainda fosse íntegra e pura. –
> Hoje é antevéspera de festa – Natal.
> Tocá-la agora com as mãos
> É profanar tudo o que é sagrado.

Ele procura razões para a fuga, e foge – para a mãe Aase. E quando esta morre, corre por países e mares, sem descanso. Até que a morte se aproxima e o medo de ser refundido na colher do fundidor de botões. Aqui ele fala de seu segredo, do segredo do qual ele mesmo não tinha consciência, que vivia apenas no seu inconsciente, mas determinou toda a sua vida:

> Diz o que sabes, –

pergunta à amada reencontrada, à amada envelhecida –

> Onde eu estava, no peito o espírito divino,
> Na fronte o monograma que Ele escreveu?

e quando Solveig responde:

> Na minha fé, na minha esperança, no meu amor,

recua e diz:

---

* *Troll*, figura do folclore escandinavo, ora representado por um gigante, ora por um anão ou filho do diabo. Importante personagem na dramaturgia de Ibsen. (N. da T.)

> Cala-te! Estas são palavras terríveis (*göglende ord*).
> Para o jovem que trazes dentro de ti és a mãe.

Dei-lhes aqui a tradução literal do que Ibsen escreveu. É um exemplo da dificuldade que é traduzir o inconsciente na poesia. A tradução corrente reza:

> Cala-te! Não tornes pesado meu coração!
> Uma mãe se enamorou do seu filho.

É quase impossível elucidar o sentido disso, o sentido de que esse amor da mãe ao filho, do filho à mãe, influenciou a vida de Gynt, de que esse amor o obrigou a "dar voltas", como o chama o Torto, sempre dando voltas, e que, por isso, não se encontrou a si mesmo. Uma das mães lhe foi tirada, ela o atraía também não como homem, a outra o atraía, mas como mulher, não como mãe, e a mãe não se deve transformar em mulher. É permitido carregá-la somente de braços estendidos.

Com Solveig tudo isso é diferente. Na festa de casamento, em Högstad, Peer vai ao seu encontro e a convida para dançar. O que ela faz? Algo que deriva do inconsciente: seu olhar se dirige, é estranho observá-lo, rapidamente – *skotte*, diz o norueguês, e nisso consiste o de repente, o selvagem, o inconscientemente convidativo – para os seus sapatos e para o lenço no peito, mostra sem querer, da mesma maneira que faz toda mulher que merece ser mulher, os caminhos que levam até ela. E para redobrar a impressão, sua liga se solta quando se aproxima para dançar. Solveig é toda mulher e em dois traços é caracterizada como tal. O mesmo artifício de recorrer ao inconsciente para a representação de sentimentos iremos encontrar, quase com as mesmas palavras, no *Fausto*. Aqui é Fausto quem diz:

> Dê-me um lenço de seu peito!
> Uma liga para meu prazer de amor!

Quem conhece apenas um pouquinho do inconsciente da alma feminina sabe que toda mulher puxa o vestido para baixo quando se senta na frente do homem, que todas põem flores no peito quando querem ser cortejadas. E Solveig quer ser cortejada, segue Peer aonde quer que ele vá, por ruim que ele seja. Ama-o da maneira como sabe amar uma mulher, não sensualmente demais, coisa que os homens deveriam perceber: espera pacientemente, ano após ano, e está feliz por poder esperar, está feliz por tê-lo como homem velho e acabado, como seu filho. Ai! a sensualidade da mulher é uma coisa estranha, que um homem por momentos mal compreende. Pois, ao mesmo tempo, Solveig está cheia da mais ardente sensualidade, não entende que deve temer algo que para ela é tão natural quanto respirar e viver. Ela, a filha de quietistas do campo, ainda presa ao Livro dos Salmos – Livro dos Salmos com fivelas – e à saia da mãe, rompe com todos os costumes e corre atrás do homem que mal conhece, que está bêbado na primeira vez em que o vê, que diante dos seus olhos rouba a noiva do noivo. Ela tem a sensibilidade da verdadeira mulher, adivinha que Peer Gynt é realmente um imperador, que é capaz de cavalgar pelos ares. E, incansavelmente, escuta as histórias de Aase sobre o Peer do Vesle, porque Aase também reconheceu nele o imperador.

Consultar os grandes poetas sobre a índole da mulher continua sendo o caminho mais simples. Certamente, não é assim que se fala sobre ela.

Há na peça de Ibsen um trecho que elucida de modo claro o que se passa entre os dois. Solveig o procurou no alto do seu refúgio, trazendo-lhe um cesto de comida, como revela sua irmã menor. Na verdade, porém, não é essa a razão; pois sem qualquer motivo ela diz logo de início:

> Se chegares perto de mim, eu fujo.

E quando Peer Gynt retruca:

> Estás achando que corres perigo aqui comigo?

ela apenas lhe joga na cara esta frase:

> Não tens vergonha!

Por que deveria ter vergonha? Porque exprime o que ela deseja. Pois, no fim, ela foge apesar de tudo – para retornar. Retorna, e então Peer indaga mais uma vez:

> E não tens medo? E chegas perto de mim?

Por que essa pergunta tola, se sabe e vê que ela quer ficar com ele? Porque ele está com medo, apenas por isso; é um truque conhecido daqueles que têm medo, eles não dizem: estou com medo, mas: você está com medo. E como não deveria ter medo, se ela é bela e jovem, ela que é sua mãe e que ele não deve desejar? Ele está com medo e foge.

Repete-se aqui de novo: mãe e filho. Peer erra pelo mundo, dando voltas – *udenom* –, e em casa o espera alguém que é ao mesmo tempo mãe, mulher, fêmea: é esse o conteúdo da vida. Só que o homem nem sempre encontra a Solveig que é sua mãe e fêmea. Usualmente, somente na região das brumas em que todos nós perecemos, que é a pátria de todos nós, é que o homem encontra a segunda mãe, a mãe eterna. Peer sabe disso:

> Diz onde estava Peer Gynt todo esse tempo!
> Podes dizê-lo? – Seja onde for, deve voltar para casa –
> e perecer na região das brumas.

Ele chama a isso voltar para casa. Nascimento e túmulo, é uma e mesma coisa. O gênio da terra o diz a Fausto à sua maneira, como Peer Gynt o diz à sua:

> Para trás e para a frente, é sempre a mesma distância.
> Dentro e fora é sempre a mesma estreiteza.

Viemos da escuridão da mãe, iremos para a escuridão da mãe. E a vida? Para que se vive? O que é o fim? Sempre o mesmo: tornamo-nos crianças. Aquele que fica velho se torna criança, em tudo, em tudo. Melhor, por certo, tornar-se criança que tornar-se infantil. Seria melhor, para quem, no brilho do dia, soa de novo a canção de ninar da mulher:

> Eu te embalarei, eu vigiarei.
> Dorme e sonha, meu menino querido!

Não é da minha alçada, também nada tem a ver com o meu tema, mas não posso resistir à tentação de acrescentar algumas palavras sobre as representações de *Peer Gynt*. Se logo, à primeira vista, o espectador não perceber a semelhança de Solveig com a velha Aase – não precisa ser grande, mas tem de ser ressaltada de maneira que não somente o Peer Gynt de Ibsen a perceba –, rompe-se o cerne da peça. E essa semelhança, a princípio sugerida, deve ir aumentando a cada aparição de Solveig em cena, até que, no final, ela adquira os traços de Aase. Somente assim é possível esclarecer ao espectador o que está acontecendo à sua frente; somente assim ele reconhece a legitimidade interior da canção de ninar com que termina a peça; se isso não acontecer, a peça não terá qualquer timbre, nem os subentendidos e os sobretons soarão junto, passar-se-á por alto do problema mais profundo de *Peer Gynt*. Nesse caso, Peer Gynt nada mais é que um fantasista aventureiro e um homem por metade que, como ancião empobrecido e fraco e em extrema necessidade, encontra um refúgio com sua antiga amada e a chama de mãezinha para indicar que ela não pode mais esperar nada dele. – Abominável!

Tive oportunidade de assistir, também aqui em Berlim, a uma representação da peça. Foi encenada segundo a receita usual; quer dizer: ninguém que presenciou um tal desempenho dos atores pode pensar ter visto a comovente representação do destino humano, tal como deve desenvolver-se a partir da natureza humana. – No início da peça, Aase tem uns quarenta anos; não está certo fazê-la aparecer de cabelos brancos. No momento da sua morte – decorre um longo tempo até esse dia, e o autor salienta esse fato, pois as primeiras cenas se passam no verão e a cena da morte, no meio do inverno, por volta da época de Natal; além disso, Peer Gynt, nesse ínterim, construiu a sua choupana, e isso não acontece de um dia para o outro –, no momento da sua morte, ela, que envelhece cedo por causa da preocupação, pode ter talvez cabelos brancos e ralos, isto está correto; no começo da peça, ela ainda se apresenta bastante vistosa. A diferença de idade entre ela e Solveig não é mais do que vinte e dois a vinte e três anos. No quarto ato, quando Solveig canta a sua canção, deve aparentar mais ou menos a idade de Aase na primeira cena, no final deve ter cabelos brancos e estar vestida como Aase. Deve-se conseguir o máximo de semelhança.

É verdadeiramente desastroso fazer Peer Gynt morrer no palco, como é costume aqui. Nesse caso, Solveig declama sua canção de ninar, "no brilho do dia", diante de um morto. Isso é absurdo e sem gosto.

> Ver-nos-emos na última encruzilhada, Peer,
> e aí se tornará evidente, não digo mais!

ressoa a voz do fundidor pérfida e hostilmente no final da canção. Solveig responde com a segurança da mãe que aconchega o filho no colo:

> Eu te embalarei, eu vigiarei.
> Dorme e sonha, meu querido menino!

Como se pode destruir de propósito beleza tão delicada? Peer Gynt não acabou com a vida, ele começa mais uma vez. Deixá-lo acabar como um trêmulo bebedor de cachaça não corresponde nem à obra nem à intenção do autor; Ibsen o descreve no momento da tormenta e chama-o de homem viril.

"Dorme e sonha", canta Solveig para sua criança grande. Ele o fará, o rapaz, disso mamãezinha não precisa duvidar. Não fez outra coisa a vida inteira senão sonhar. E nem precisa dormir para tanto, sonha durante o dia, sonha sem parar – da mesma maneira como todo mundo, exatamente como eu faço, como os Senhores fazem, como todo mundo faz. Só que não sabemos disso, não queremos saber. Isso contradiz o "princípio da realidade", a "nova objetividade". Fatos! Fatos! Deve-se contar com o que é. Sim, mas os sonhos, as fantasias, também são fatos, e quem quer ser objetivo deveria, em primeiro lugar, ocupar-se desses fatos; pois, se não o fizer, não entenderá praticamente nada do mundo e da vida.

Que seria do mundo, se nós, homens, não sonhássemos ininterruptamente? A psicanálise tem envidado muitos esforços para familiarizar a ciência e a vida com a importância dos sonhos. Se não o conseguiu, ou conseguiu muito pouco, a culpa cabe justamente ao fato de se escreverem compêndios em vez de se lerem os existentes. Se tivesse havido algum esforço nesse sentido, já teríamos chegado mais longe; porque a vida faz parte dos compêndios e não apenas a pesquisa médica de doentes; e a vida é inimaginável sem fantasias. Não é bom que, para analisar pessoas, primeiro se espere que durmam e sonhem. Ibsen sabia muito bem disso, como Freud também o sabe muito bem, e como o sabe muito bem cada um que se ocupa do inconsciente com devoção e atenção. A *doença* em si não é certamente nenhum sono de quem dorme, mas existe um certo direito de chamá-la de sonho de quem está acordado, um sonho do *inconsciente*, que leva de um lado para outro tanto o *orgânico* quanto o *psíquico* e que *molda a vida toda*. Os Senhores logo verão o que quero dizer, quando abrirem o compêndio *Peer Gynt* de Ibsen. Lá irão encontrar elaboradas coisas que no *Anel dos Nibelungos* se encontram apenas insinuadas, com as quais os Senhores teriam de familiarizar-se, ao passo que no *Peer Gynt* os Senhores se defrontam com elas em todo lugar e em cada cena.

Já na primeira cena ressalta o sonho fundamental de Peer Gynt. Aase ralha com ele. Peer sente que ela está triste por sua causa e lhe oferece o melhor que tem:

> Pequena, enfezada, doce mãe,
> Confia em mim e espera,
> Até que todo o povoado te venha honrar;
> Espera até que eu tenha feito algo,
> Algo bem grande, apenas presta atenção!

ao que Aase retruca:

> Se apenas percebesses
> que tens um dia de consertar
> o rasgo da tua calça.

Então se lhe escapa em tom ardente:

> Rei, imperador eu quero ser!
> Dá-me apenas tempo e o serei.

Ele quer ser imperador, e não apenas um imperador comum, não, um que cavalga pelos ares num cavalo com ferraduras de ouro:

> Todos verão
> O imperador Peer Gynt cruzar os ares.
> Ouro e prata, uma chuva multicor
> Ele espalha qual punhados de cascalho.
> Todos no povoado vão agora muito bem.

O príncipe da Inglaterra espera-o na praia,
E com ele todas as donzelas inglesas.
O imperador da Inglaterra e seus barões
descem as escadarias do trono. –

Não é ambição que está expresso aqui: em Peer Gynt não existe um pingo de ambição, nem mesmo um rasgo de alegria por ser estimado pelas pessoas, da mesma forma que não se importa muito com o desdém dos homens ou com o seu despeito. Nesse assunto, ele é ele-mesmo, e permanece assim até o fim da vida; nem sequer se interessa pelo julgamento de Solveig, nem mesmo no momento em que o fundidor o quer refundir. O que o liberta não é a fidelidade de Solveig, nem sua fé, nem sua esperança, mas a repentina convicção de que ela pode "abrigá-lo na sua alma", de que é ao mesmo tempo "mãe, mulher, amada", de que ela não julga.

Peer Gynt – quem não vê isso vê de modo totalmente diferente, mas, por isso, permanece verdadeiro – é como nós homens somos todos, só que infelizmente muitos tentam iludir-se de que são diferentes, ele é realmente ele-mesmo, não precisa primeiro tornar-se. Sonha, mas sabe perfeitamente que sonha e fantasia. As pessoas – tendo a sua própria mãe à frente, a primeira palavra que é dita no palco sai da sua boca, ela lhe grita: "Estás mentindo" –, as pessoas o chamam de mentiroso, de príncipe da mentira; como isso é tolo diante dele, que é tão verdadeiro. – Foi dado ao homem pela natureza – a todo homem – o poder e a compulsão de sonhar acordado, de fantasiar; mas essa fantasia "basta a si mesma", tem natureza de *troll*, deve bastar-se a si mesma; o homem em quem vive o desejo de tornar o sonho realidade, ou apenas o pensamento de que ele pode tornar-se realidade, é o mentiroso, não é ele-mesmo. Mas Peer – nem sequer lhe vem à cabeça executar alguma coisa daquilo que sonha para si; ele mantém isso bem afastado, suas fantasias nunca se tornam sua meta, vive-as interiormente e isso é o bastante. É ele-mesmo quando fantasia, o é também quando come e bebe e descasca uma cebola. Nunca se perde em seus sonhos, nunca assume o menor compromisso, como é costume normalmente, de converter em realidade um pedacinho da vida de sonho. É sempre imperador Peer Gynt. Certamente, desse modo não é muito útil para o Estado e o bem-estar do povo, e acerca dele vale aquilo que o pastor, na cena do enterro do homem de dedo cortado, diz deste:

Um contraventor da lei? Pode ser!
Mas algo brilha acima da lei
Como luminosas redes de nuvens
Ainda coroam as rochas eriçadas no pico da montanha.
Um péssimo cidadão era ele,
Infecundo para o Estado e para a Igreja.
No entanto, era grande, porque era ele-mesmo,

Porque o som inato nele jamais silenciou,
Um som como os suspiros de um violino em surdina.

Peer Gynt sente que é a sua própria elegia:

Oxalá o meu destino me fizesse um dia
Ouvir aquele pastor ao povo ensinar.

E os Senhores não esqueçam que agora, há dezenas de anos já, os melhores homens se restauram nele, muitas vezes sem saber por que, possivelmente com total desconhecimento das razões que o tornam tão simpático. Nosso encantamento por ele vale também alguma coisa. Não duvido que uma porção de gente que lê a peça ou assiste a ela imaginam que Solveig é a salvação do perdido e decaído Peer. Mas, de fato, Solveig não é diferente de Peer, ela também é ela-mesma, apenas não sabe disso, também não pode saber, porque é mulher. Mas os Senhores pensem um pouco: para o filisteu – e é muito difícil deixar de ser filisteu – para o filisteu, Peer Gynt perde a vida com ninharias, peca tanto ao chafurdar na lama, o que nem mesmo é um verdadeiro pecado, que o filisteu fundidor o quer refundir, que nem sequer é digno de entrar no inferno. E que outra coisa faz Solveig no caso? Para ela não é perder a vida ficar sentada nas montanhas e esperar um homem com quem falou três vezes, que é chamado de mentiroso por todos – o que de fato ele é, segundo os padrões costumeiros –, que é o filho de um bêbado e de uma louca, que também bebe ele mesmo, para quem nada é sagrado, que erra pelo mundo afora como mercador de escravos e falso profeta, que é entregue aos *trolls* e que prega ele mesmo uma peça ao diabo, manda-o ao cabo da Boa Esperança? Tem ela a fazer coisa melhor que pastorear cabras? É desculpada de ter fugido dos seus bravos pais, porque se joga nos braços de um desconhecido, de um notório embusteiro? Não chafurda então na lama, e é melhor apenas porque a palavra lealdade paira sobre a sua vida? A quem ela é leal? Apenas a si mesma. A Peer Gynt certamente que não, a este ela nem conhece. A si mesma. Do mesmo modo que Peer Gynt é sempre ele-mesmo, Solveig também é ela-mesma, apenas ela é um eu-mesmo feminino e ele, um masculino. Ambos sonham honestamente, ambos vivem sua vida independentemente do que sonham. A ambos o fantasiar é essência "tróllica", ambos são pessoas acentuadamente verdadeiras, às quais o diabo não pode fazer mal algum.

Acho possível que, apesar de tudo o que aduzi, ainda existam dúvidas de que Solveig e Aase significam a mesma coisa para Peer e para o espectador; portanto, acrescentarei mais algumas palavras a esse respeito. Quando Peer Gynt se encontra, pela primeira vez, na pior necessidade, no castelo de Rondane, chama por Aase; logo depois, quando está na iminência de ser vencido pelo Torto – o Torto reconhece a integração entre ambos e diz: "Há mulheres por trás dele" –, chama

Solveig. Quando abandona Solveig, volta a Aase. Quando retorna, procura primeiro a casa de Aase, depois vai a Solveig. O amor de Solveig se inflama de repente, mas ela o nutre no amor de Aase. Com o que Aase lhe conta, de todo o seu coração, sobre Peer, ela enche o seu coração. Apossa-se dos pensamentos de Aase. – O terceiro ato é especialmente significativo. No final do segundo, Solveig lhe traz comida, mas foge dele; o terceiro começa com Peer Gynt pensando em sua mãe:

> Não tens descanso. Nenhuma mãezinha
> Doméstica te põe a mesa e serve.

A próxima cena se passa na casa de Aase; nos restos dos seus guardados ela procura roupas para seu rapaz. Na seguinte, Solveig vem de novo até Peer, e na outra Peer vai de novo à sua mãe. É impossível a obra evidenciar mais que Aase é a mãe e a amada, e Solveig, a amada e a mãe.

E, no final, mais uma prova, a mais forte, a mais forte poeticamente, porque se arraiga nas profundezas do inconsciente. Quando Peer era uma criança, uma criança em idade, Aase foi com ele ao país da fábula, de gelo e neve, ao castelo Moria-Soria, com Grane, a égua forte. Quando Aase se torna criança, Peer se torna a mãe, ele a embrulha em cobertores e leva-a ao fiorde à porta do céu. Colhe dos lábios da morta seu agradecimento pela viagem, como antes a mãe colhia o agradecimento do filho. Quem se torna velho o bastante, sempre se torna o filho de seu filho. Para todos chega a hora em que filho ou filha o julga necessitado de realizar-se, e cada um de nós abençoa as mãos dos parentes mais moços. – Estes são Peer e Aase. E com Solveig e Peer acontece o mesmo na forma inversa. Inicialmente, Solveig é a criança, para cuja salvação Peer realiza a coisa mais difícil em sua fuga; nos intermináveis anos de espera, Solveig se torna a mãe, no desespero infinito da fuga, Peer se torna criança. Aprendemos muito neste livro, disto só posso contar um pouco. –

Entre Aase e Solveig está a Mulher Vestida-de-Verde, o bebê de Dovre, o *troll*, o negativo da imago da mãe.

Por três vezes, com breves intervalos entre uma e outra, Peer tenta livrar-se da mãe-amada, com Ingrid, a noiva raptada, com as três vaqueiras e com a mulher *troll*; há um terrível aumento de tensão no qual se expressa sua luta contra a fatalidade, primeiro uma, depois três e finalmente um espectro. Ele quer fugir do crime e se entrega ao crime. E o pior é o último, a cobiça em pensamento. Não é uma proclamação poderosamente viva da teoria psicanalítica segundo a qual o desejo incestuoso, o desejo pela mãe, impele o homem para a lama, a repressão do desejo incestuoso, eu deveria dizer.

"*Djävlen sta i alt som minder*", diz Peer. "A lembrança é o próprio diabo." –

Com esta *troll* de Dovre, Peer engendra seu filho, um filho da fantasia tornada realidade. E esse filho, que de repente cresce até atingir um tamanho sinistro – pensamentos são o mal, Peer, pensamentos, cobiça, desejos –, cospe no pai, quer matá-lo com o machado. – Tu também reprimiste o desejo de assassinar o próprio pai, Peer Gynt, quando ele, bêbado, quis bater em tua mãe? É provável que sim. E que profundo conhecimento do inconsciente possui esta mulher. Quando Peer, meio arrasado pelo terror, abre grandemente a boca, ela diz ao jovem *troll*:

> Dá de beber a teu pai, sua boca está aberta.

os Senhores têm aí numa frase a origem do vício de beber: fuga diante do medo. Aase diz a mesma coisa:

> De vez em quando quer-se esquecer os maus pensamentos;
> Um então precisa de cachaça, o outro, de mentiras.

Ainda existem outras dessas estranhas olhadelas no inconsciente. Há o desejo da mãe de que o filho morra. No rapto da noiva, quando Peer sobe pelas rochas, ela grita cheia de raiva:

> Oh! tomara que te precipites para baixo!

e imediatamente, sentindo a onipotência dos pensamentos, exclama:

> Pisa com cuidado!

Pensamentos, pensamentos, têm de ser reprimidos,

> Desiste! Afasta-te!,

diz o Torto.

> Tenho de afastar disso meus pensamentos.
> Deve-se livrar-se disso até que se esqueça,

diz Peer quando abandona Solveig, e ele se livra, nenhum pensamento dedica à amada. Reprime e esquece.

> Uma que permaneceu fiel, e um que esqueceu.

Como se reprime? Um com cachaça, o outro com mentiras ou com sonhos,

> sonha, meu querido menino!

Peer ainda sonha outros sonhos, inúmeros sonhos. Duas coisas sempre se misturam neles: cavalgar e mulheres. Uma coisa faz parte da outra? Certamente, todos sabemos disso, a humanidade já o sabe há muito, antes de aparecer a frase segundo a qual cavalos e mulheres se dominam com o chicote. Cavalgar – disso não se pode duvidar – é um símbolo do ato de amor, mal se pode duvidar até de que é uma forma de amar, criada pelo poder imperativo de Eros. E como diz Peer Gynt:

> Pelos arreios se conhece o senhor distinto!

Mais distintamente do que ele que em pensamentos arreia a sua Solveig, de quem ele diz que, ao olhá-la, nos tornamos santos, nunca uma mulher foi arreada com maior distinção pelo sonho do homem. Não ousa tocá-la, o cavaleiro adora Solveig.

> Moça sem culpa nem mácula,
> abriga-me na tua alma.

Os Senhores sabem que o primeiro cavalo do homem é o ventre materno. No cavalo ele está sentado perfeitamente, um verdadeiro imperador da Inglaterra.

Peer procurou reprimir o amor pela mãe, e só o conseguiu pela metade. Ela se coloca entre ele e as mulheres, está entre ele e Solveig, está como imagem da parturiente também entre ele e os filhos. Como Siegfried, ele permanece estéril, a menos que os Senhores queiram contar como filho o homúnculo dos seus sonhos com a *troll*. Os Senhores perceberam como ele se enfurece quando, no barco, pensa em casamento e filhos? Ele mesmo quer parir filhos, ele mesmo quer ser mãe como Siegfried, como Fausto, como todo homem que é humano. O homúnculo, aqui está ele de novo. Ódio e anseio, "mãe, mãe, como isto soa estranho". Fausto mata seus filhos. –

Ser imperador, é este o principal sonho de Peer: imperador dos ares, imperador do deserto, do novo império Gyntiana, imperador de todo o passado, e quando, finalmente, por ironia do destino, é coroado imperador com a coroa de palha pelo alienista louco, no primeiro momento desmorona emocionado, porém, mais tarde, quando descasca a cebola, isso lhe é tão indiferente quanto todo o resto. É um imperador de fato, para que precisa de tornar-se um? Apenas durante a peça é perturbado por alguma coisa à qual confere algumas vezes o honroso título de diabo.

> Djävlen sta i alt som minder
> (Que o diabo carregue o que lembra.)

diz ele. Isso foi omitido totalmente na tradução alemã e, todavia, é em boa parte a chave para a peça toda. "Que a peste caia em cima de tudo isso!" assim diz a tradução; "tudo isso?", *som minder* diz o original, isto é: "o que lembra".

Peer Gynt, aqui, diz algo que é expresso com outras palavras na frase profundamente significativa: Somente aquele que se perde a si mesmo poderá encontrar-se; ou na outra: A não ser que nasçam de novo, não entrarão no reino dos céus. É a fatalidade de Peer Gynt – a de todos os homens, infelizmente, infelizmente – que as coisas do mundo e da vida sejam coisas *som minder*, que lembram.

Chamei *Peer Gynt* de compêndio de psicanálise. Não estava com a razão? Pois, que outra coisa a psicanálise ensina senão que recalca, não destrói por certo, mas recalca, é recalcado no inconsciente vivo, sinistramente poderoso, no reino do diabo, do *djävlen* de onde retorna nessa ou naquela forma, como doença, crime, loucura – ou também como obra de arte e grandeza do homem. Pois os Senhores não devem pensar que o recalque, o *som minder* cria sempre ou muitas vezes apenas o mal. O diabo – os Senhores todos sabem disso através do *Fausto* – sempre quer o mal e sempre produz o bem. E também acontece o mesmo com o *som minder*.

E também com aquilo que Peer, no mesmo fôlego, manda ao diabo:

> *Djävlen sta i alle kvinder!*
> (Que a peste carregue todas vós, mulheres!)

É que as mulheres estão relacionadas com isto, *som minder*, pelo menos aquela mulher mais importante, a mãe.

Sabemos que toda a peça gira em torno disso: que Peer Gynt se agarra totalmente à sua mãe e, por conseguinte, à idéia de mãe, que ele nunca deixa de ser o filho da sua mãe. É essa a sua desgraça, mas, como todo mal sempre produz o bem, é também a sua felicidade. Porque ele permanece sempre criança, sempre ele-mesmo, não precisa tornar-se infantil, pode meter-se com *trolls*, com estranhos passageiros, com o diabo e com o fundidor de botões, com o Torto e mesmo com Solveig: não tem necessidade de tornar-se pueril, pois é sempre infantil. Apesar disso, porém, não está tão errado quando manda ao diabo todas as mulheres. De onde lhe veio o que os homens chamam de mentiras? Quem o acostumou a sonhar? Ou, melhor, quem lhe forneceu o material para sonhar; pois o sonhar faz parte do homem, é inimaginável um homem sem fantasia, mesmo o mais idiota possui suas fantasias. Quem, portanto, lhe deu o material dos seus sonhos? Sua infância. E quem guiava essa infância, quem infundiu nele aquilo que se desenvolveu dentro dele tão estranhamente mal e bem? Aase, sua mãe. Enquanto o pai, bebendo e dissipando, corria pelo mundo afora – ela conta a Solveig:

Estamos nós dois sentados em casa,
Tentando esquecer a desgraça;
Porque opor resistência, eu nunca soube bem.
Encarar o destino não é nenhum prazer;
E às vezes quer-se esquecer as preocupações
E livrar-se de tempo em tempo dos pensamentos maus.
Um precisa de cachaça e o outro, de mentiras.
Pois é! E assim lembramos pois
De príncipes e de *trolls* e diversos animais.
Também houve rapto de noiva. Mas quem imagina
Que tais coisas grudem assim num tal rapaz.

Ah! Muitos o imaginam. E os mais sabidos procuram esconder todas essas coisas dos filhos e acreditam estar agindo corretamente. Há bastante gente que são pais tão cuidadosos e conscienciosos – é a invejável prerrogativa dos pais acharem-se conscienciosos – que não permitem aos filhos as histórias de índios e às filhas as histórias de amor – Deus nos livre! –, até os contos de fadas podem ter má influência e, vejam, do mau *João Felpudo** talvez se pudesse aprender malandragens que, de outra maneira, as crianças boazinhas nem imaginariam. Mas as crianças não são boas. Deus nos livre de crianças boazinhas, são as piores. E não nego que acho o *João Felpudo* um bom livro para crianças e melhor ainda para adultos, pois é, quase se poderia dizer, o compêndio mais importante sobre o inconsciente.

Pois então, da mãe Aase, Peer recebe o material para os seus sonhos. Não tenho razão em recomendar a peça a todos aqueles que querem ocupar-se da psicanálise? Não é a mesma coisa que, em termos mais resumidos, diz: O homem é o filho de sua infância? E deve sê-lo mesmo. Pois, graças a Deus, ele é um compêndio antiquado, ainda não anuncia que se poderia melhorar os homens mediante tentativas educacionais de orientação psicanalítica; permite, apesar de sonhos de *trolls* e de imperadores, apesar do cavalgar nas nuvens e de construções de castelos, com montanhas enevoadas, a Peer Gynt encontrar a pátria no brilho do sol. Talvez Peer a encontre exatamente porque sua mãe o ensinou a fantasiar; pois fantasiar é justamente não recalcar. O recalque nasce somente do lastimável compromisso que quer transformar a fantasia na realidade e, com esse objetivo, regula efetivamente o pulsar do coração pela fantasia. Chama-se a isso princípio de realidade.

Existe uma outra realidade, e também isso o *Peer Gynt*, de Ibsen, ensina, em contraposição a tudo o que está sendo ensinado nos livros científicos. Peer vive seus sonhos, sonhos impossíveis, irreais, tão efe-

---

* *Struwwelpeter*, livro de histórias para crianças, de autoria do médico alienista Heinrich Hoffmann, traduzido por *João Felpudo* aqui e mais adiante, na conferência, reproduzida à frente, em que Groddeck o analisa como um quarto compêndio de psicanálise. (N. da T.)

tivos que se tornam reais. Ele chega realmente ao castelo de Ronde, deve tornar-se realmente um *troll*, fala realmente com o estranho passageiro, o moralista chato, sobre seu cadáver, encontra o Torto, discute com o fundidor de botões, engana o diabo, viaja realmente com sua mãe ao céu. A gente compreende isso somente com o auxílio da bebida ou com morfina ou, na melhor das hipóteses, no sonho dormindo. Mas é, no caso, apenas uma realidade lamentável frente àquela que Peer cria para si mesmo. Veracidade? Sim, quem realiza sua fantasia a ponto de engendrar uma criança que existe realmente, apenas mediante a sua fantasia, tão verdadeiramente existente que pode aparecer no palco e liquida imediatamente seu complexo de pai, diante dele todos nós somos uns fracos deploráveis. Peer Gynt está acima de nós, Imperador Peer Gynt.

Mas continua sendo um fato que o material de sonhos de Peer Gynt ensina com *seriedade comovente* que somos dependentes dos acontecimentos de infância. Também nem sempre deve ser a mãe que, com tais forças criativas, inspira nosso futuro curso de vida. Conta Aase:

> Ainda te lembras como aquele padre, –
> Aquele de Kopenhagen, sabes,
> Perguntou então: Como te chamas?
> E, surpreso com a tua resposta,
> Conjurou que ela lhe parecia digna
> De um príncipe. –

Eis o trauma, o trauma psíquico. Certamente, não tem mais tanta significação perante a ciência como antigamente, um trauma como esse; no entanto, ainda assim, tem de deixar uma grande impressão num jovenzinho o fato de um padre, e por cima um estrangeiro, o chamar de príncipe. Para um rapaz, o que diz um padre é verdade. Não é tudo culpa de Aase. E sejamos justos com ela: se não tivesse ensinado a seu pequeno Peer a maravilhosa arte de sonhar, o seu filho não a teria carregado através de neve e gelo e por cima do estreito congelado até o castelo Soria-Moria, e a velha Aase não seria honrada e estimada,

> como é devido a pessoas de sua classe

e ela não teria ouvido do próprio Deus pai:

> A velha Aase tem livre ingresso.

Os Senhores queriam ver essa cena riscada da memória da humanidade? Não seria possível, não dessa maneira, se Peer Gynt não fosse ele-mesmo, não fosse o filho de sua mãe.

Ele-mesmo? Mas está assegurado mil vezes na peça que, na realidade, ele não é ele-mesmo, que ele vive a sabedoria *troll*:

> Homem, basta-te a ti mesmo!

e não a do homem:

> Homem, sê tu mesmo!

Eis-me de novo diante do infeliz fato de Ibsen ser norueguês e nós sermos alemães. Levanta-se aqui uma dificuldade insuperável; costumamos dizer: "Sê tu mesmo", mas o norueguês diz: "*Vaer dig selv*"; isto é intraduzível e até incompreensível para nós; porque, traduzido literalmente, quer dizer "sê te – ou a ti – mesmo". As duas nações pensam diferente, nada se pode fazer a esse respeito.

Temos de partir do modo alemão de pensar, e aí não há qualquer dúvida de que Peer Gynt recebe de todos – "com exceção de um" – o atestado de ter "bastado a si mesmo", um homem *troll*, um egoísta. Um que não merece ser castigado no inferno, que deve parar na colher de fundir do fundidor de botões, porque só vale como matéria-prima, porque lhe falta a aselha. E se os Senhores observarem a sua vida, como ele a leva, e os resultados desta vida, podemos até chegar ao pensamento: Peer Gynt é um egoísta, ele basta a si mesmo. Nesse caso, só o final da peça atrapalha. Peer Gynt se liberta, o fundidor de botões não ousa refundi-lo. E deve-se olhar as coisas pelo fim, pelo resultado, pelos fatos. –

Volto à cena em que é estabelecida, pela primeira vez, a contradição: "sê tu" e "basta-te a ti mesmo". São palavras do velho de Dovre no castelo de Rondane; fala da diferença entre homem e *troll*.

> Lá fora, à luz do sol, fala-se entre as pessoas,
> Como a mais secreta sabedoria: "Homem, sê tu mesmo!"
> Mas aqui entre nós *trolls* falar sábio
> É dizer: "Tu, *troll*, basta-te a ti!"
> Meu filho, essa palavra poderosa e decisiva,
> Que se torne no futuro a tua palavra chave e mestre!

A sabedoria *troll*: "basta-te a ti mesmo" é facilmente compreensível. Mas a sabedoria humana é totalmente desfigurada pela tradução infeliz. Lá não está simplesmente: "sê tu", mas: "*vaer dig selv!*" Na tradução, o homem deve ser um tu subjetivo, mas no original deve ser um tu objetivo. Não sei se isso está expresso com tanta clareza como seria de desejar. Busquei uma possibilidade de esclarecimento, mas não encontro nada mais que um desvio. "*Uden om*", diz o Torto a Peer Gynt, "por desvios, dando a volta por fora". Vejamos pois: quando uma criança pequena conta alguma coisa de si mesma, ela não diz: eu fiz isto ou aquilo, mas: João – ou como ele ou ela possam chamar-se – fez isso. A criança se defronta – ou pode defrontar-se consigo mesma como um estranho, ela é objeto para si mesma; ela se vê como um eu-mesmo, mas não como um eu. Pensa e fala norueguês ou sueco, inglês, francês, como queiram – mas não alemão. Não quero, por mais que seja tentado a isso, demorar-me nessa particularidade do alemão, segundo a qual ele se considera apenas como eu e reprime totalmente o eu-mesmo; sem dúvida, ela permite uma visão profunda do caráter alemão, mas estou interessado aqui em Peer Gynt. Peer Gynt está apto a ver-se, a ver seu eu-mesmo como objeto, ele pode *"vaere sig selv"*; pode também *"vaere sig selv nok"*. Se quiséssemos traduzir o *"vaer dig selv"*, não deveríamos dizer: "homem, sê tu!" mas: homem, sê um tu, um tu para ti mesmo, ou, se quiserem: sê um tu-mesmo para ti! Deixa de ser um "eu". Tenta encontrar teu tu-mesmo como uma criança! Faz do teu eu-mesmo uma parte do todo, do universo! Trata-te a partir da certeza de que não és um eu, mas um tu. Se os Senhores traduzirem neste sentido as palavras *"dig selv"* repetidas muitas vezes, se os Senhores – como o fez Ibsen – deixarem que fale Peer Gynt em vez do eu gyntiano, do eu-mesmo gyntiano – ou talvez do tu gyntiano – embora isso não seja a mesma coisa –, todas as dificuldades desaparecem. Só que no palco isso é impossível de realizar, tornar-se-ia pesado demais; mas quem se aprofunda nisso em casa não é confundido pelo espetáculo. Mas, tal como é agora, a coisa não é simples; desse modo, não é possível entender a peça.

Na realidade, deveria ser óbvio a toda pessoa que o eu-mesmo é algo diferente do eu. Deveria, eu digo, e talvez seja assim, isto é, quando se pensa um pouco; pois o eu é, na verdade, algo muito pessoal, no fundo algo ilusório, algo que existe apenas na nossa imaginação. Este eu compreende apenas uma parte e, mais ainda, uma parte ínfima do ser humano. O todo do homem, porém, é seu eu-mesmo. Isso é bem conhecido, todo mundo o sabe. Mas ninguém o vivencia: estamos todos como que enfeitiçados pela idéia do "eu". É válido para todos nós que somos *trolls*, o caráter "tróllico" é humano. Todos nós corremos o perigo de ter uma fissura no olho esquerdo, e facilmente podemos muito bem nos perder. Assim, chegamos a pensar que estamos num castelo quando estamos no meio do cascalho, e acreditamos estar no meio do cascalho quando estamos no castelo.

Tudo no povo de Ronde tem dois lados

diz a Vestida-de-Verde.

Basta-te a ti mesmo

é a sabedoria que se encontra dentro de todos nós, sabedoria *troll*. Ela faz parte do homem. Ele é ambivalente.

Preto parece branco, grosso parece fino,
Grande parece pequeno e sujo parece limpo.

Peer e todos nós não somos metades, somos duplos. Todos vivemos e pensamos como se fôssemos eu e personalidade. Apesar disso, sabemos muito bem que não somos nenhuma personalidade. Servo e povo e dominador procuram acreditar nisto: isto é, sempre que somos servo ou somos povo ou somos dominador pensamos ser personalidade, ser eu. E como raramente não somos servo ou povo ou dominador, é muito raro o autoconhecimento. Autoconhecimento não é conhecimento do eu, mas do eu-mesmo. Somente o homem infantil – e isto somos raramente, mas às vezes o somos –, somente aquele que diz de novo como a criança: "João o fez", em vez de: "Eu o fiz", somente este possui autoconhecimento, possui a base para conhecer-se a si mesmo, para ser ele-mesmo.

E essa base Peer Gynt tem. E Ibsen o ressaltou energicamente sempre e sempre de novo. Ele o fez com o meio mais simples que a natureza humana lhe deu. Peer Gynt fala de si geralmente com o termo: Peer Gynt; raramente usa a palavra: eu. Fala sempre de seu eu-mesmo, do seu Peer-Gynt-mesmo. Uma única vez, se bem me lembro – os Senhores não devem guiar-se pela tradução, que é ruim, mas pelo original –, uma única vez ele diz *"jeget"*, isto é, "meu eu", em vez de *"selvet"*, ou seja, "meu eu-mesmo". E o faz – isso é muito característico – em seu segundo encontro com o velho Dovre. Aí ele diz: "Levei meu eu principesco ao montepio, os outros que o resgatem".

Para deixar tudo isso ainda mais claro, quero chamar atenção para um evento que é extremamente eficaz no palco, mas continua sendo um efeito teatral, se não se mantiverem presentes essas coisas do eu e do eu-mesmo; é a cena do manicômio. O Dr. Begriffenfeldt – o nome é extremamente bem achado*, se bem que, como o *lucus a non lucendo*, nele os conceitos não estão claros, falta a compreensão ou ela está num campo muito longínquo – o Dr. Begriffenfeldt reconhece Peer Gynt como imperador do eu-mesmo; ele o coroa mesmo como tal imperador. Mas, ao mesmo tempo, apresenta-lhe, como representantes, uma após outra, tais pessoas que são "elas-mesmas", que são dementes. Isto é, ele confunde "eu-mesmo" e "eu", porque o demente tem um sentimento do eu exagerado, seu sentimento do eu-mesmo se perdeu, o eu é que ficou. Ibsen chamou a atenção especificamente para a importância da palavra – não pode referir-se a outra coisa senão a "eu" e "eu-mesmo"; ele faz o Dr. Begriffenfeldt dizer várias vezes que Peer

---

* *Begriffenfeldt*, em alemão, quer dizer "campo de conceitos". (N. da T.)

Gynt seria o maior dos intérpretes da palavra, o tradutor. E talvez tenha sido a sua intenção escolher o alemão como a personagem do Trocador de Conceitos, porque é o alemão que coloca lado a lado as duas palavras eu e eu-mesmo, como se "eu" e "eu-mesmo" (ego, *self*) fossem a mesma coisa. Eu-mesmo, se é alemão, mim-mesmo nos outros idiomas.

Ele coroa Peer Gynt imperador do eu-mesmo quando ele jaz na poeira, e o faz com todo o direito, porque as últimas palavras que Peer diz antes de sua coroação são uma renúncia ao seu eu.

> O que devo? O que sou? Tu, grande – segura firme!
> Eu sou tudo o que quiseres, um turco, um criminoso,
> Um *troll* das montanhas.

Ele renuncia ao eu, naturalmente apenas por um momento, e reconhece o anônimo, o eu-mesmo, não o pessoal, mas o dependente. Ele renuncia ao seu eu; expressa esse princípio pelo qual sempre age, certamente em ignorância e inconsciência, mas que determina a sua vida e o caça pelo mundo afora, sempre apressado, porque seu eu é forte, mais forte do que é normalmente em outras pessoas. Peer Gynt é realmente assim como o quer o fundidor de botões:

> Ser tu-mesmo significa: matar-te a ti mesmo,
> Mas talvez precises de uma imagem ainda mais nítida!
> Soldar a vontade do mestre como se faz com um escudo
> Na empunhadura da sua espada da vida.

"E se nunca se chegar a saber o que o mestre quis com a gente", pergunta Peer Gynt.

> Isto se deve pressentir!

Peer Gynt o pressente, ele pressente, não o sabe, e a corrida pelo mundo não é somente a fuga diante do seu medo, isto é apenas o negativo, ele também procura saber qual a vontade do mestre. Uma vez Peer Gynt também fornece uma definição do eu-mesmo:

> O eu-mesmo do Peer é o exército
> De desejos, de anseios e vontades.
> O eu-mesmo do Peer é a série
> De exigências, de fantasias, –
> Que faz Gynt viver como tal.

Ele diz isso quando ainda é rico e "apenas boca". Mas desde sempre tem outros conhecimentos. E estes aparecem numa das mais belas cenas da peça, quando descasca a cebola:

> Tu não és imperador, és apenas uma cebola,
> Quero agora te descascar, meu Peer!

e ele descasca, descasca e chega depois à conclusão:

> Mas isso não termina, é camada após camada,
> Será que o caroço não vem à luz algum dia
> Até o mais interior do interior – me parece
> Que é somente pele – mas sempre cada vez menor –,
> A natureza é engraçada! –

Certamente, ela o é. Todos imaginamos que deveria haver um âmago em nosso interior, algo que não é apenas casca, desejamos abrigar dentro de nós um conteúdo especialmente saboroso, queremos ser uma noz em cuja casca está guardado o eterno, o sagrado. E não compreendemos, não podemos compreender que não temos âmago, mas somos nós mesmos desde a casca mais exterior até a mais miúda folhinha de dentro, que o ser de casca é o nosso eu-mesmo, que somos cebolas. Mas a cebola contém sua essência total em cada uma das suas folhas. É autêntica, só se tornaria inautêntica, má, se se esforçasse com sucesso para produzir em si mesma um núcleo, para matar as cascas, se ela quisesse transformar-se em algo falso, algo alheio à sua natureza de cebola. Inicialmente, Peer compreende isso tudo apenas com a sua razão. Seu coração quer desesperar-se, seu coração tende a ser um homem inteiro, um homem com âmago. Exatamente como somos todos nós. Pouco antes ele ainda se chama de imperador do reino animal, pouco depois quer ter como epitáfio:

> Aqui Ninguém está enterrado.

Ninguém, isso continua sendo sempre um caroço, pois mesmo Ninguém não é apenas casca, não é apenas cebola, é, afinal, algo inteiro. – Mas a cebola também o é, apenas é um ser de cascas. Um homem pela metade, um amador. O fundidor de botões o expressa, esse filisteu.

> Exija Peer Gynt! Sua alma
> Se ergueu contra o destino até o fim.
> Na colher com ele como peça de fundição goroda.

E Peer Gynt acredita nele.

> Fui expulso da nobreza-por-direito-próprio.

É isso aí, ele acredita, como todos os moralistas áridos, que existe uma tal nobreza-por-direito-próprio, tem de acreditá-lo porque é homem, e porque, como diz Mefistófeles:

O homem, este pequeno mundo de tolos,
Geralmente se considera um todo.

Mas o homem não é algo inteiro, tampouco algo pela metade, é ambivalente. Também isso ecoa grosseiramente na fala do diabo, no Fausto:

> Este todo
> é feito apenas para um deus,
> encontra-se num resplendor eterno;
> A nós ele colocou na escuridão,
> A vocês só dia e noite servem.

Ser uma cebola, isso nenhum homem quer. No entanto, nós o somos. Tudo é casca, mas toda casca tem sabor, cada uma corresponde ao nosso caráter. Somos destinados a essa existência, o eu-mesmo é ser cebola, a ambivalência. E somente no outro, em sua fé, na sua esperança e no seu amor, nós nos tornamos inteiros, uma criança dentro da mãe, um universo infantil, um universo maternal.

> Abriga-me então na tua alma.

É possível tirar da cena do manicômio as mesmas conclusões finais por um outro caminho. Ibsen fez aparecer três loucos: um quer acabar com a fala e tenta fazer o mundo retornar ao grunhido dos sons primitivos, isto é, ele procura destruir a marca da personalidade humana, do eu humano. – O segundo destrói o eu porque é ao mesmo tempo um felá e o rei Ápis, em última análise porque este rei um dia adubou com os seus excrementos o campo do felá e este se alimentou e se formou com o cereal que lá cresceu; dessa maneira, ele acaba, muito eficientemente, com qualquer personalidade, tal qual Hamlet na cena do cemitério ou o Príncipe Henrique na morte de Percy. – O terceiro acredita ser uma pena, portanto possui mais completamente o eu. Deve também ser essa a razão para o Dr. Begriffenfeldt os ter apresentado como "homens-mesmos" (*Selbstmenschen*); apenas – porque ele também é louco – não enxerga que a substância dessa vontade de destruição do eu é um sentimento excessivo do eu, um sentimento do eu louco, deslocado, mas absolutamente não sentimento do eu-mesmo.

Permitam-me outra vez ser amargo com as artes da tradução. Begriffenfeldt exclama: "*Leve selvets kejser!*" Isto quer dizer: Viva o imperador do eu-mesmo. – O que a tradução faz com isso? "Que o imperador do egoísmo tenha vida longa!" É o cúmulo. Dessa maneira, torna-se impossível qualquer compreensão. Egoísmo significa, no alemão: Basta-te a ti mesmo! Mas não é esse justamente o caso de Peer Gynt. Ele não é ávido de si, é em incrível medida objetivo em relação a si mesmo, sente seu eu como objeto, tem certamente subjetividade como todo mundo, também esta numa medida incrivelmente grande, mas o sujeito nunca reprime o objeto, o eu nunca reprime o eu-mesmo. – Peer Gynt é humilde num grau surpreendente e – permitam-me usar essa expressão de uma maneira ingênua – consciente de si. Pois isso é a mesma coisa que humilde.

"Humildade, humildade havia neste homem", diz o padre que Peer deseja para si como o profeta de sua vida.

Na peça de Ibsen, há alguém que se confessa ao eu-mesmo, que não é um eu; que, quando Peer lhe pergunta "quem és tu?", responde: "*mig selv*", para mim sou um eu-mesmo. Três vezes ele o repete, e somente quando Peer lhe pergunta: "o que és?", ele responde com o nome: "*den stone Boigen*"; isto foi traduzido por "o grande Torto", que tradução! Boige quer dizer curvar, dobrar, mas o substantivo desse verbo não é o Torto, mas o Curvador, aquele que se curva e curva outros. O Torto é uma tradução totalmente tola. Boigen, o eu-mesmo, aquele que vê o tu no seu eu, que está objetivamente face a face com o eu, é o curvador. E o estranho nisso é que esse curvador, que curva a si mesmo e a todos, está em toda parte, não pode ser dominado, não é possível atravessá-lo, deve-se, se se quiser salvar o eu, andar "*Uden om*", dar a volta por fora. É impossível acabar com o Boigen – entende-se isso, podemos muito bem perder o nosso eu, tornar-nos crianças, mas não podemos perder nosso eu-mesmo. Ou o perdemos de qualquer modo? Quem sabe? Boigen é ao mesmo tempo esfinge, leão e mulher. E Boigen não pode fazer mal a Peer Gynt, porque "há mulheres por trás dele". Quem são as mulheres? Aase e Solveig.

Peer Gynt tem uma sensação de pesadelo diante de Boigen. Sente medo. E diz uma frase estranha, que usa diversas vezes enquanto luta com Boigen.

> Para trás e para a frente é a mesma distância.
> Dentro e fora é a mesma estreiteza.

O que ele quer dizer com isso? É possível imaginar muita coisa, entre outras o caminho entre eu e eu-mesmo. Mas – talvez exista uma outra solução, talvez Peer experimente essa distância e estreiteza. Talvez todo o mundo o experimente. Da mãe se nasce, à mãe se retorna *udenom*, dando a volta por fora. Estreito é o caminho do nascimento, estreito o da morte e do túmulo. Nascimento e túmulo e sempre a mãe. Há mulheres por trás de nós. Mãe e noiva e esposa. No brilho do sol:

> Dorme, meu querido menino,
> Eu te embalarei, eu vigiarei
> No meu colo meu menino brincou,
> Sua mãe a vida inteira o afagou.
> No seio da mãe meu menino descansou
> A vida inteira. Deus te abençoe, meu único bem.

Chegado ao meu coração era o seu lugar
A vida inteira. Tão cansado está agora,
Meu tesouro. Dorme, meu caríssimo menino!
Eu te embalarei, eu vigiarei!

E mais uma vez no brilhar do dia:

Eu te embalarei, eu vigiarei;
dorme e sonha, meu querido menino!

Fausto

Nos últimos anos do meu tempo de escola, uma série de pessoas tentavam transformar-me num homem útil; entre elas havia uma que exercia grande influência sobre mim. Um dia, recebi dela uma carta, na qual, com o intuito talvez de tornar as minhas tendências estéticas úteis à boa causa, me escrevia: "Há uma frase no *Fausto* que Berthold Auerbach chama a frase salvadora do século: 'quem aspirar lutando ao alvo, à redenção traremos'". Já naquela época tentei, com um sucesso diminuto, compreender o sentido dessa frase estranha, mas não o consegui, e mesmo agora não o entendo totalmente, embora saiba que o enigma continua presente no meu íntimo mais profundo. Escolhi o tema das minhas conferências com o intuito, principalmente, de propiciar a mim mesmo, e talvez também aos meus ouvintes, um entendimento do que pode significar: àquele que sempre aspirar, se esforçando, poderemos redimir.

Esse, como pensava o conselheiro da minha juventude, não era o sentido, isso eu logo compreendi. A aspiração faustiana nada tem a ver com ser bom, Fausto não tem o menor desejo de ser "nobre, prestimoso e bom", sua aspiração não é dirigida para o alto, não se interessa por homens mais elevados. – Numa obra como o *Fausto*, sempre ficamos um pouco acanhados, lemo-la numa disposição igual à do funcionário público do interior que foi convidado a jantar com o chefe da seção. Devemos vencer essa timidez, do contrário não chegamos a conhecer o homem Fausto. Quem se empenhar com firmeza, quem estiver seguro de si mesmo logo verá que todo esse palavrório de "naturezas faustianas" é bobagem: Fausto não é um homem excepcional, mas um homem de todo dia, representa o essencial humano, aquilo que todos temos e devemos ter dentro de nós mesmos, aquilo que completa o ser humano. Não existe aspiração faustiana, porque Fausto não aspira. Sua super-humanidade nada mais é que humanidade. O gênio da terra sorri diante disso, uma prova de que compreende Fausto tão pouco quanto Fausto a ele; ambos são incomensuráveis, porque um, para determinadas finalidades, eterno e cativo de seu trabalho, deve tecer as vestes vivas da divindade, enquanto o outro, das profundezas da surda inconsciência, sem objetivo claro e sem resultado palpável, é incansavelmente ativo, porque um é espírito, o outro é homem, homem infantil. Pois o que há de especial no homem infantil é que não conhece a preocupação e não se interessa pelo além, percorre o mundo sem descanso, insatisfeito a todo instante, toma pé onde "de vida desprovida, a onda de formações da vida a vossa [das mães] fronte ronda, onde o espírito humano, de grande reino dual, prepara a idade, e que as mães, onipotentes, espalham em levas, à luz do dia, à abóbada das trevas"*, ele possui a chave do reino das realidades. Ambos são incansavelmente ativos. Mas o gênio da terra cria. E o que Fausto cria? Nada. Se é verdade que ele sempre se esforçou aspirando, o que conseguiu com seu esforço de aspiração? Nada. Pelo menos nada do que chamamos de bom, mas muito do que chamamos de mau, de nocivo. Na sua vida, tal como o poeta a descreve, um grave crime se sucede a outro. Fausto comete ações que fazem o justo estremecer, comete-as sem um pingo de remorso, e nunca, nem por um momento, sente arrependimento; não está entre os penitentes, nada faz para a sua salvação, não a aspira, e, apesar disso, é salvo, porque se esforçou aspirando. Como é que se deve entender isso?

É de estranhar que gente normalmente boa, gente correta mesmo, fale de Fausto e de sua aspiração como se seu caráter fosse para o homem um ideal altamente digno de imitação. Uma pessoa em tais condições não percebe que, como modelo ao discípulo "que aspira", ele oferece um assassino, um falsificador, embusteiro, feiticeiro, sedutor, vadio e fantasista repetitivo, era mais ou menos assim que se deveria julgar Fausto se de repente ele aparecesse entre nós; tudo o que Fausto é e quer não é exatamente o que consideramos certo e desejável. O fato de Fausto ser um homem mau em todo o sentido da justiça humana – tão mau que, já com a morte no coração, expulsa um bondoso casal idoso do seu lar e atenua o assassínio dos dois, acontecido por sua culpa, com as palavras: "Ordenado o mal, feito o mal!" – esse fato

---

* As citações do *Fausto*, em português, são extraídas da tradução de Jenny Klabin Segall (Goethe, *Fausto*, Belo Horizonte/São Paulo, Itatiaia/Edusp, 1981), com exceção, é claro, de algumas que foram mudadas para se adequarem melhor ao texto de Groddeck. (N. da T.)

em nada altera que, nas suas palavras finais, fale de um povo livre em terra livre, com palavras que um hábil demagogo não poderia inventar melhor. Porque segue a conseqüência decisiva e característica do caráter de Fausto: "Jamais perecerá, de minha térrea via, este vestígio portentoso!" Fausto é isto: Eu, imagem da divindade! Eu, Fausto, abrirei espaços a milhões, para que "lá a massa humana viva, se não segura, ao menos livre e ativa". O bem-estar do povo? – Poucas árvores, que não são propriedade sua, estragam-lhe a posse do mundo:

> Só a voz do amo efeito real produz.
> De pé, obreiros, vós! o povo todo!
> [...]
> Um gênio para mil mãos basta.

Não é assim que fala um amigo do povo, mas Fausto fala dessa maneira. E das suas mais profundas profundezas ressoa o que é válido para ele, não para os outros:

> A esse sentido, enfim, me entrego, ardente:
> à liberdade e à vida só faz jus,
> Quem tem de conquistá-las diariamente.

Aí está a sua confissão, a confissão da mais profunda e desejada solidão:

> Só homem ver-me, homem só, perante a Criação,
> Ser homem valeria a pena, então.

Esse homem só conhece a si mesmo, só ama a seu próprio eu-mesmo. A inquietude e o inquietar-se lhe são estranhos. Como é possível que seja salvo?

Margarida também é salva. Mas com ela a coisa é diferente. Sua culpa é minúscula com relação aos crimes de Fausto, seu caráter é humanamente bom, comparado com a total falta de respeito de Fausto para com o próximo. E ela se arrepende, renuncia ao mal, é *una poenitentium*. Que ela, durante um século, tenha sido enaltecida como o ideal das mocinhas, ela, a prostituta, a infanticida e fratricida, a matricida, é engraçado, mas entende-se sem qualquer dificuldade que, apesar de tudo, seja salva. E Fausto?

Já ouvi dizer que é costume do crítico ler o começo e o fim de uma obra e depois escolher algo no meio dela: a partir daí forma o seu juízo. Anteriormente, a mim me parecia estranho e de má-fé esse procedimento; mas não é de todo mau: a atenção se orienta por si mesma para determinadas coisas, não é perturbada pela massa dos acontecimentos. Da mesma forma que o primeiro encontro com um homem nos influencia profundamente, a todos nós, e da mesma forma que aproveitamos o último encontro para formar dele um juízo decisivo, também deve ocorrer o mesmo com uma obra poética. De fato, a primeira menção de Fausto – ainda antes que apareça em pessoa, no Prólogo no Céu – já esclarece a questão de como pode ser salvo.

> Do Fausto sabes?
>   O doutor?
>   Meu servo, sim!

faz-se ouvir o Senhor diante de Mefistófeles. Servo do Senhor, é isso: Fausto não age livremente, está a serviço. O amo responde pelos atos do servo, a não ser que o despeça do seu serviço. E quem, como o próprio Mefistófeles, não se satisfaz com o fato de que o próprio Senhor admita e defenda o que o servo Fausto faz, ouve da boca do condutor do universo uma segunda frase e serena:

> Se em confusão me serve ainda agora,
> Daqui em breve o levarei à luz.

Em breve? – Enquanto Fausto viver na terra, o Senhor deixa o servo Fausto entregue ao espírito que sempre deseja o mal e sempre cria o bem, "para levá-lo a pouco e pouco pela sua estrada". Para o Senhor é indiferente o que faz o homem na terra, apenas ele "não deve amar o integral repouso"; então, o brejeiro Mefistófeles terá de admitir, no final, que um homem bom, em seu impulso cego, tem consciência do caminho certo. O aspirar e o errar são coisas correlatas, estão condicionados um ao outro, quem aspira tem de errar, isso sabe tão bem o Senhor quanto o diabo. No *Fausto*, não se trata do bem e do mal, mas do agir e do servir, e do ser ou do afrouxar e entregar-se. Para que ele não afrouxe, o Senhor concede ao Fausto o companheiro,

> Que como diabo influi e incita, laborioso.

Assim, pois, desse estranho diálogo do Senhor com o maganão negativo uma coisa emerge com certeza absoluta: isto é, o perigo do homem está no seu amor ao repouso, e o bom só é bom porque possui o impulso obscuro e porque lhe confere a consciência do caminho certo. O impulso obscuro é a coisa decisiva. Mas esse impulso obscuro – será ousadia demais dizer que é o inconsciente? o enigmático, o humano, que erra, enquanto aspira, que o Senhor só leva à luz depois da morte? – Se, assim, a denominação "um homem bom" está ligada de alguma forma à existência do impulso obscuro, o que é o "mal" então? – Quase não ouso articular, mas encontra-se clara e nitidamente no texto do *Fausto*, isto é, só para aquele que tem olhos para ver: o mal é este pensamento:

Quem aspirar, lutando, ao alvo,
– redenção traremos.

A esperança de ser redimido, porque a pessoa faz o esforço de aspirar, é má.

Onde haveria uma recusa mais rude de tudo quanto o homem gosta de chamar de "bom" do que aqui no *Fausto*? Somente Cristo fala com maior audácia e maior segurança do que é propriamente mau, fala muitas vezes e sempre volta a falar da aspiração consciente do fariseu. É muito provável que o próprio Goethe tenha tomado o impulso obscuro como essencial, como aquilo que é válido. Todos sentem no mais profundo do seu ser que não é o consciente que decide; mas é difícil perder-se, mesmo quando se sabe que só é possível melhorar mediante esse perder-se.

Não posso esperar que meus ouvintes e leitores, sem mais nem menos, contrariando todos os comentários e desprezando o mundo que o cita, declarem concordar com Goethe por ter ele classificado de mau o esforçar-se a aspirar. Assim, deixo aqui seguir o texto. Os anjos dizem:

O nobre espírito está salvo
Do mundo atro dos demos:

E agora vem o esquisito: após a palavra *Bösen** vêm dois pontos, e a seguir aspas, isto, é o conceito de mal é explicado:

"Quem aspirar, lutando, ao alvo,
– redenção traremos."

Esta é, sem dúvida, uma proposição incidente, uma definição, que termina com as aspas; o pensamento dos anjos continua somente no que vem a seguir:

E se lhe houvera haurir de cima,
Do amor a graça infinda,
Dele a suma hoste se aproxima
Com franca boa-vinda.

Fausto não está sendo redimido, está sendo salvo, da mesma forma que Gretchen é "salva". A salvação é apenas o começo de um outro evento, onde não mais se confere valor a nenhuma aspiração, onde só existe o crescer e o ascender, e o elevar-se pelo eterno feminino.

Supera-nos, possante,
Dele a estatura, já;

---
* Aqui traduzido por *demos*. (N. da T.)

cantam os infantes bem-aventurados, e uma das penitentes (outrora chamada Gretchen) diz:

> Vê como todo nó terreno
> Despeja com a matéria humana,
> E das etéreas vestes
> Vigor da juventude emana!

e diz Mater Gloriosa:

> Vem! ala-te à mais alta esfera,
> Se te pressente, te acompanha.

Será que no *Fausto* tudo é diferente daquilo que estamos acostumados a ler? Sim, tudo é diferente, acredito que tudo é diferente; tenho de acreditar nisso, porque, agora que não vejo mais com olhos alheios, tenho uma idéia do que Goethe queria dizer com as palavras com que inicia o *Fausto*:

> Tornais, vós, trêmulas visões, que outrora
> Surgiram já à lânguida retina.

Por que ele fala de olhar turvo, de lânguida retina? E por que continua:

> – roda afluís! Reinai, então, nesta hora
> Em que assomais do fumo e da neblina.

Por que ele diz:

> Vibra, ora, em indecisos sons meu canto,
> Qual da harpa eólia a murmurante pena.

Não sabia ele que este canto lhe foi ditado por seu impulso obscuro? É apenas palavrório que ele diz:

> O que possuo vejo ao longe, estranho,
> E real me surge o que se foi antanho.

Ou sabia ele da força do que foi recalcado? O que se dissipou no inconsciente torna-se realidade.

Fausto não é nenhum super-homem, em tudo o que faz e pensa e sente é como cada um de nós é, ousa ser homem, o que tão poucos ousam. Compreende o dito do seu companheiro de que o homem é o que é, homem. E fundo, no seu íntimo, conhece a verdade que distingue o homem, a certeza de que existe para ele uma verdade diferente da realidade. Uma vez em sua vida, quando segura na mão a chave de que se apossou por força própria, sem a ajuda do diabo, passando por horrores e vagalhões e ondas das solidões, declara:

> Aqui eu tomo pé, na realidade!
> De espíritos, o espírito a aura invade,
> De grande reino dual, prepara a Idade!

Nestas solidões não-trilhadas, não-trilháveis das mães, tornou-se-lhe consciente o reino dual, desde que ele se aventurou até lá, viu as mães e encarou, livre e fortemente, o seu poder, compreende que a realidade se esconde por trás do real, que tudo o que é efêmero é apenas uma alegoria.

> Tudo o que é efêmero
> É apenas uma alegoria

são as palavras do canto final da obra; continuam soando; iluminam o caminho trilhado por aquele que peregrinou com Fausto "do céu, pelo mundo, até o inferno". Na obra poética escondem-se outras realidades além das realidades reais, simbólicas, que antes de tudo são acontecimentos. No *Fausto*, reina o símbolo, criado pelo impulso obscuro do poeta, a harmonia

> Com que governa qualquer elemento.
> Não é com o uníssono que, do Eu emerso,
> Dentro do coração lhe rebate o universo?

Não é com a harmonia,

> Quando, indolente, a natureza enlaça,
> O eterno, imenso fio sobre o fuso,
> Quando, da vida toda, a discordante massa
> Ressoa num vibrar morno e confuso;
> Quem parte a enfiada fluente e sempre igual,
> Para que ondule em rítmica ainda nova?

a harmonia entre o reino dual do efêmero e do eterno, que só é alcançável no reflexo, na alegoria, enquanto, aspirando, erramos.

Existe uma enorme gradação do *Anel dos Nibelungos*, que foi escrito por um insciente, passando por *Peer Gynt*, cujo escritor conhecia o símbolo e o usava conscientemente, até o *Fausto*, que vive no reino dual, porque seu criador era, ele mesmo, senhor da chave.

Ao lado de Fausto, um segundo ser atravessa o poema, do início até quase o fim: Mefistófeles. Com ele cada leitor se inteira de que a obra de Goethe pertence ao reino dual.

Mefistófeles é caracterizado nitidamente como o diabo da saga, já pura e simplesmente pelo aspecto exterior: tem a pata de cavalo, que não pode dispensar, usa a pena do galo e a roupa vermelha, e, se descartou o rabo, tem para isso uma explicação. Se alguém quiser conhecê-lo, é justificado indagar o que o diabo significa como símbolo para o povo ingênuo, que é capaz de personificar símbolos. Quem quer que tenha prazer no humor pode procurar esclarecimento disso num conto de Boccaccio; quanto a mim, só posso dizer seca e rudemente o que o poeta explica de maneira cativante: o diabo é o órgão sexual do homem na excitação da concupiscência. Por isso, usa a pena de galo e o gibão vermelho, ambos símbolos da paixão lasciva e sempre desperta, por isso tem os chifres pujantes, o rabo de burro e o casco de cavalo; vive no inferno ardente mas escuramente úmido, a vagina da mulher no estado de excitação lasciva, e com o forcado de três dentes – três é o número do masculino – aviva o fogo do pecado.

Tinha o autor do *Fausto* consciência disso, ele queria que se reconhecesse o símbolo? – Certamente, queria-o. Na noite de Valpúrgis clássica, Mefistófeles encontra as esfinges; pede-lhes que lhe proponham um enigma. As esfinges respondem:

> Exprime-te como és, será o enigma.
> Define-te sem mascarada fútil:
> "Ao homem pio, como ao mau, sempre útil:
> Plastrão de um, em que esgrime a fé de asceta,
> De outro assessor na loucura irrequieta,
> E entreter Zeus, é de um e de outro a meta".

E pouco depois as esfinges o dizem de modo muito mais claro, com clareza explícita: Falar de

> Coração, tu! É desaforo!
> Saco de encarquilhado couro
> De teu rosto é atributo bem.

Decerto, o órgão sexual, na excitação lasciva, não tem coração, ele

> em nada tem participação,

como o expressa Margarida.

> Quando entra porta adentro, eu pasmo
> Ao ver-lhe o olhar mau de sarcasmo
> E a cara meio irada.
> Vê-se, não lhe interessa nada;
> Está gravado em sua testa
> Que todo ser humano detesta.

É isso talvez a sabedoria mais profunda de uma mulher, a compreensão mais profunda da natureza do diabo-falo. Talvez, não o sei, e uma mulher, ao ser indagada sobre seu sentimento, responde apenas aquilo que, pelo rosto ou pela voz do amado, adivinha ser a resposta que ele deseja. Mas acho que é verdade que a sua presença confrange o íntimo da moça, e que, no momento em que ele se aproxima de nós, no momento em que a concupiscência toma o lugar da sensualidade, ela até pensa que não ama mais o seu amado. E por certo é incapaz de rezar quando ele está presente. – No entanto, mais uma vez, quem além da mulher sabe alguma coisa sobre a mulher? Talvez ela própria também não saiba nada de si mesma; é possível.

Mefistófeles não tem coração; o que ele tem em matéria de sentimento é concupiscência, como se manifesta principalmente na cena com as lâmias e mais tarde com os anjos. Um saco de encarquilhado couro assentaria melhor ao seu rosto. Se não é de propósito que este saco de encarquilhado couro – o escroto é o tal saco – é colocado perto da inequívoca charada das esfinges, para, mediante acúmulo de material, tornar claro que o *Fausto* se passa no reino dual, efetivo-simbólico, real-verdadeiro, então resta apenas a hipótese, aliás corriqueira, de que Goethe, na noite de Valpúrgis clássica, quis exibir seus conhecimentos dos mitos antigos diante do leitor admirado.

Se devo julgar por experiência própria, tenho de admitir que só muito tarde é que tive a intuição do quanto cada palavra no *Fausto* concorda com o todo: e descobri como tudo se encaixa e se condiciona mutuamente e se complementa, se simboliza reciprocamente, de acordo com o estranho dito do poeta segundo o qual se poderia conhecer o universo pela visão e contemplação de uma vergôntea. O admirável confronto entre microcosmo e macrocosmo agita a obra de um lado a outro de maneira criativa e operante. No próprio *Fausto* encontrei uma frase que – naturalmente, apenas para mim, com outras pessoas deve acontecer por certo de forma diferente – me tem ajudado. Uma vez Mefistófeles disse de si mesmo:

> Lembrai que é velho o diabo antigo,
> Velhos ficai, pois, para compreendê-lo!

Diz-se com freqüência que a psicanálise não se ocupa de outra coisa senão do desejo sexual mais baixo. Primeiramente, já é errado falar de alto e baixo: para quem se encontra ao pé de um edifício de vários andares, o edifício parece alto; para quem olha da torre mais alta da cidade para o mesmo edifício, ele parece baixo; para o homem todas as coisas são ambivalentes. Mas, mesmo quando numa superioridade moral se fecham os castos ouvidos àquilo que o casto coração não pode descartar, quando se condena o desejo porque a concupiscência poderia trair-se nele com demasiada facilidade, dever-se-ia, no entanto, observar que a psicanálise faz uma clara separação entre sensações genitais e eróticas, que ela fez mesmo a tentativa, aliás vã, de substituir o termo "sexual" ou "erótico" pela palavra "libidinoso". Ou, referindo-se mais especificamente ao meu tema, quem acha oportuno manter-se longe da psicanálise, porque ela lhe parece indecente, também deveria deixar o *Fausto* de lado:

> Nu quase tudo, um ao outro encamisado

vale para toda essa obra, tão apreciada. Goethe também era "indecente de bom grado" onde lhe convinha. Sim, no *Fausto* vive uma frivolidade condenável, condenável para o homem superior. É o próprio Senhor quem dá ao homem a concupiscência como companheira, quem o dotou do diabo-pênis, quem fala em termos humanos com esse diabo, chama-o de maganão, assegura-lhe que não odeia os de sua laia e que o reconhece como ente criativo. De modo semelhante, infelizmente não dessa forma e não salvaguardada pelo nome de Goethe, a psicanálise também diz a mesma coisa. E quando o próprio Fausto uma vez chama este ser diabólico de "aborto da imundície e do fogo", ele quer dizer o mesmo que nós quando afirmamos que o Eros é ambivalente, une de modo inseparável o fogo puro e a sujeira imunda.

Sem dúvida, Mefistófeles é e continua sendo diabo neste *Fausto* tão apreciado pelo filisteu alemão culto, e quem sente prazer em se sentir mais moralista do que o próprio Senhor, pode, apesar de aplaudir uma e duas vezes o Mefistófeles do palco, certamente por sua inteligência maravilhosa e sua veracidade quase irrefutável, pode achar algum consolo no fato de o pênis aparecer como "filho das trevas", como um sujeito mau. Só que com isso não é possível salvar o imperativo moral: De tal assunto não se fala, muito menos se traz para o palco! – Goethe apresenta sob outras formas essa parte condenada do homem, mais ou menos como se já tivesse desejado exprimir o que Freud comunicou de forma científica, para o pesar da humanidade moralizadora; – pois o engraçado no efeito da psicanálise é: ela incita qualquer um – quer ele próprio faça análise ativa, quer a conheça só de ouvir falar – à moralização, ao desejo, a vestir as coisas, portanto a fazer como se o elevado e o baixo existissem como antíteses, e como se tivesse de esforçar-se aspirando para "sublimar" o obsceno. –

O órgão sexual do homem – o masculino, poder-se-ia dizer tranqüilamente, pois o que seria o homem sem sua potência e força masculina? Certamente, não seria homem algum – aparece duas vezes nessa obra repleta de símbolos, ele aparece naturalmente disfarçado, ou ao menos um pouco "ensublimado": na primeira vez, é a chave que leva Fausto ao reino das mães, que "fareja" as mães; – por que escrevi o *Livro d'Isso*, se tudo já estava neste poema alemão, altamente apreciado pelos alemães? – que é uma "coisa pequena", mas na mão de Fausto "cresce, reluz e cintila". Ela dá a Fausto o poder de fazer o que ninguém antes dele fez, o que nem o próprio diabo ousa fazer. – Na outra vez, é um garoto,

> Geniozinho nu, sem asas, faunozinho sem bruteza,

Euforion, que

> Dos joelhos mátrios salta aos do homem belo infante,
> Corre à mãe, ao pai retorna; beijos, mimos, brincadeiras,
> Sons pueris de afeto e afagos, gritos de êxtase ouço e encanto,
> Que, a alternar-se, me entontecem.
> [...]
> Salta sobre o solo firme, mas o solo reagindo
> Arremessa-o para a altura, e logo após uns dois, três saltos,
> Já da abóbada o arco atinge.

O poema do *Fausto*, ao que parece, não acredita muito em sublimação. Ambos os pais advertem o gênio nu, sem asas:

> Chama-o ansiosa a mãe e exclama: "Salta a miúdo e o quanto queiras,
> Mas de voar te guardas, filho, o livre vôo te é interdito".
> Vigilante o pai o adverte: "Jaz no solo a força elástica
> Que te impele para cima; teu pé roce o chão, apenas,
> Força e impulso em ti já sentes, qual Anteu, filho da Terra".

Euforion desconhece a advertência: "Fatal é o saldo. – Sim! – e um par de asas no éter desfraldo! Devo ir-me, além! é lá! Deixai-me voar!" Aí está o que acontece com o sublimar: nós homens temos de sublimar, não o fazemos de propósito, não devemos fazê-lo de propósito, somos fixados à terra, porque temos, conosco e em nós, o Euforion de crescimento vertiginoso, filho de Fausto e do "modelo de todas as mulheres", de Helena, aquela que nunca envelhece. A morte é o destino do mais elevado ato de amor, ao vôo da ereção segue inevitavelmente a morte, o colapso físico do falo Euforion, a morte psíquica da transfiguração do amor que tende ao céu. Ao prazer segue-se imediatamente "dor furiosa". Feliz é aquele que não acredita ter de entregar-se às lâmias e, no fim, tem de esbravejar com Mefistófeles:

> Homens, nós, sempre nessa maldição!
> Trouxas burlados desde Adão!
> [...]
> Da grei se sabe que não vale nada,
> [...]
> Onde se pegue; é tudo podridão.
> Vemo-lo, ouvimo-lo, sabê-lo cansa,
> Mas se a súcia assobia, a gente, ainda assim, dança.

O próprio diabo não pode abster-se de sublimar, toma tirso, bexiga de lobo e vassouras de piaçaba por belezas encantadoras. Não é de espantar que tenha ocorrido aos homens a frase absurda de que todo ser fica triste após o gozo sexual! Fausto, sem dúvida, nunca é triste, mas, apesar da poção mágica da feiticeira que supostamente o faz ver Helena em toda mulher, ele nunca sublima, consome-se sempre no desejo pelo prazer de

> Virar-se para o mais alto o mais fundo.

O mundo do homem é ambivalente, esta doutrina soa em todo verso do *Fausto*, com maior insistência do que algum dia a psicanálise ensinou. Logo após o aparecimento de Helena, Mefistófeles, partindo das sagas do diabo e da hipótese científica da origem vulcânica das montanhas, expressa-o na sua maneira profunda:

> A cousa agora está por outro bico:
> O que antes era a base, hoje é o pico.
> Daí o ensino lógico é oriundo:
> Virar-se para o mais alto o mais fundo;
> Pois escapamos da opressiva esfera,
> – integração no ar livre da atmosfera.
> É segredo óbvio, muito bem guardado,
> Pois aos povos não foi tão cedo revelado.

E aquele que o revela é crucificado e queimado para sempre.

Virar o mais baixo para o mais alto é, provavelmente, o sentido essencial da cena de Euforion, e também virar o mais alto para o mais baixo. No jogo amoroso cresce tempestuosamente a beleza mais grácil da poesia, para rapidamente morrer e atrair para a noite do Hades a mãe da poesia, Helena, o eterno feminino. A vida é isto: no homem desperta junto à mulher força e beleza, amor e poesia, da mulher são paridos, durante breves minutos vivem em frenesi estranhamente alto, a magia do amor termina com a queda do membro ereto, a masculinidade do homem aniquila-se a si própria, apenas o estado infantil do membro permanece como veste, manto e lira – bastante estranhamente Mefistófeles os guarda para si –, beleza, força, amor, poesia afundam no inconsciente; mas Helena, a eternamente jovem, a amada provocante, receptiva e parturiente do homem renega o que havia nela de paixão, recalca para o inconsciente o sentimento pelo homem, o masculino, e vive a existência obscura dos seus sentimentos maternais. Sempre acontece desse modo: no coito o homem se torna filho, a mulher se transforma em mãe, ele descansa nos seus braços. Só que todas as possibilidades persistem: em forma de nuvem o feminino – ainda feminino como roupagem – arrebata Fausto para as longínquas distâncias, para o Leste, para os países da ressurreição, do nascente ela se dirige, para se modificar:

> Em leito ensolarado e níveo se reclina
> Gigântea, divinal figura de mulher,

exclama Fausto. – Para quê? – Nada morre senão para viver, nada vive senão para morrer. Morra e seja! O coro das troianas entoa a canção sobre isso. Morra e seja, pode-se dizê-lo da vida consciente, e da vida inconsciente, pode-se dizê-lo sobretudo da relação entre consciente e inconsciente. A todo momento se desce do consciente para o inconsciente, sobe-se do inconsciente para o consciente. Qualquer que seja a forma como se toque no *Fausto*, qualquer que seja o lugar, em toda parte se vive no reino dual, no real e no simbólico, no mal e no bem, no vivo e no espectral, tudo se condiciona e se interpenetra, é esfinge:

> Ao ver-te no alto, apetitosa te acho,
> Mas fera horrenda és da cintura abaixo.

O ser humano é dual: centauro, esfinge, sereia, abundam no solo clássico, na parte central do *Fausto*, esses símbolos da dualidade. E a aliança de Fausto com Helena, a estranha mistura do antigo com o medieval, dos espíritos do reino inconsciente das mães com o Fausto vivente, que no fundo outra coisa não faz senão viver, tudo conta a mesma coisa, repete em forma sempre nova a frase incisiva de Mefistófeles:

> A vós [homens], o dia e a noite, só, convém.

Se é verdade que no Fausto o reino dual – a ambivalência, como a psicanálise o chamou – se representa em todo lugar e de mil formas, têm de encontrar-se nele também traços do segredo dual da sexualidade humana, indícios de que o homem, pelo seu caráter, é hermafrodita, é homem e mulher ao mesmo tempo. É esse o caso. O ente mais importante na noite clássica de Valpúrgis é o homúnculo, o "verdadeiro filho da virgem", como o chama Proteu, que "antes que deva ser, já é". Partindo dessas palavras, essencialmente em ligação com o seguinte: "Pois assim que homem te tornares, tudo estará perdido para ti", tem-se tentado entregar-se a muitas fantasias sobre essa fundição poética do mistério de Cristo com a dupla sexualidade do homem, com sua ambivalência no todo, caso em que deveria ser levado em conta o conselho de Mefistófeles ao Homúnculo: "Se queres ser, sê por tua própria mão!" Mas isso, então, seria material para uma nova conferência. Aqui tenho que me dar por satisfeito de citar uma frase de Tales sobre o Homúnculo. Ele diz:

> Julgo que hermafrodita seja.

Um pouco antes dessa cena, em que Proteu, um outro símbolo estranhamente multilateral do homem, leva o Homúnculo consigo para o mar, para deixá-lo despedaçar-se de encontro à beleza personificada em Galatéia e, assim, fazê-lo transformar-se devidamente do "artificial, que exige espaço fechado", no "natural, ao qual mal basta o universo", já não se usa uma vez a expressão hermafrodita: Mefistófeles a emprega depois que tomou emprestado das Forquíades seu único olho, seu único dente e seu único corpo:

> Vergonha! Tacham-me de hermafrodita.

Certamente, Mefistófeles, que simboliza o membro sexual masculino, pode ser tachado de hermafrodita, mas não o pode ser; sê-lo está reservado ao homem. Para o diabo é realmente uma vergonha, e ele faz bem em exclamar no momento em que se aproxima do hermafrodítico:

> Eis-me em meu brilho,
> Do Caos o bem amado filho!

da mesma maneira que as Forquíades acentuam sua natureza feminina, embora não tenham nenhum direito a isso; elas com certeza – o dente único, o olho único o prova em conexão com a unidade da trindade – são imaginadas como hermafroditicamente duplas. Elas também o sentem, porque à frase:

> Filhas do Caos somos!

acrescentam a palavra "incontestadas"; mas quem diz de sua afirmação que ela é incontestada, sabe que esta afirmação é contestável.

O primitivo gênero humano imagina-se uma divindade hermafrodita, de sexo duplo. Não podemos fugir à coerção do pensar ambivalente, somos obrigados, como seres humanos, a ver ambos os lados das coisas, espírito e natureza, de modo que vivemos inexoravelmente sob o poder do filho andrógino malformado, da dúvida. Mesmo para a nossa época estranha aos mitos vale a lei: no palco damos a mulheres o papel dos anjos, embora para nossa linguagem e para a tradição o anjo seja masculino. Também Mefistófeles chama os anjos de "diletântica mistura, nem moça, nem rapaz".

Sobre a máscara forquiádica que Mefistófeles usa nas cenas com Helena, pode-se imaginar o que se quiser: algum sentido ela deve ter. E para mim existe um sentido: é de supor que aí esteja sendo representada a ambivalência do existir humano. Se o admitirmos, o par Euforion-Helena ganha um novo sentido: também representam, em contraposição à terrificante figura do Mefistófeles forquiádico, a dupla sexualidade em sua forma mais bela. A maneira mais simples, poder-se-ia dizer, a única maneira pela qual essa sexualidade humanamente importante, que condiciona tudo o que é humano, de que todo mundo é ao mesmo tempo homem e mulher, que não existem seres de sexo apenas masculino ou feminino, a única maneira pela qual ela pode ser representada na arte teatral é mostrar mãe e filho em ligação íntima. O quanto é profunda essa necessidade de tornar compreensível, de algum modo, aos sentidos essa ambivalência sexual, sem ofender o senso estético e o pendor pelo humanamente normal, provam-nos os inúmeros quadros da Virgem com o filho. Mostra-se neles a unidade na dualidade, porque a Virgem sem o Menino Jesus é talvez Maria, mas não é a mãe de Deus, e a imagem de Jesus sozinho se transforma em Cristo, no Salvador, se a parte feminina do filho do homem também aparecer no quadro, ou na forma de cruz – a mãe é a cruz – ou de modo que a mãe seja pintada com o Menino Jesus. Todas as tentativas de mostrar Cristo por si só ao espectador fracassaram, também irão sempre fracassar, porque para o nosso sentimento europeu o necessário da idéia de Cristo, a dupla sexualidade, só é acessível indiretamente pela metáfora.

Helena é unidade com Euforion; assim que ele mergulha no reino das sombras, ela o segue.

A partir daqui, devemos ousar dar mais um passo. Já usei antes de propósito a expressão "existência na sombra" com relação a Helena-Euforion. Eles descem – ou sobem, tanto faz – ao Hades, ao reino das mães. Despimo-nos da forma poética, quer dizer, a idéia de mãe-filho se torna inconsciente, mergulha no inconsciente. Somente as vestes permanecem. Decerto, lá ele quer ser eterno, é ativo sem vida, e as forças todo-poderosas das mães repartem a inconsciente unidade mãe-filho como tudo o que é inconsciente, entre a luz do dia, a abóbada das trevas, enviam-no ao homem a quem só dia e noite convém. O poema sabe o que significa na existência humana o desejo do incesto, a ânsia pela união, pela fusão de mãe e filho, isso aparece sempre e sempre, e finalmente na alocução estranha e ambígua à Mater gloriosa: Virgem mãe, Rainha, Deusa!, e na frase final do *Fausto*: O eterno feminino nos eleva para o alto.

O que quer dizer isso? Acredito já ter dado a resposta na conferência sobre o *Anel dos Nibelungos*: com a concepção pela qual ela se torna mãe, a mulher cessa também de ser mãe. Transforma-se em veste, em nuvem, não é real, mas apenas mãe verdadeira. Torna-se, como exprimi naquela ocasião, educadora, nutriente, abrigo do filho; temos agora o caso individual ao qual não mais se aplica o plural "mães", o eterno se tornou carne, humanizou-se, paira em manifestação oscilante. A manifestação nunca é real, ela só se torna efetiva quando pensamentos duradouros a consolidam. O inconsciente – ou, digamos melhor, o Isso – é real, ou seja, possui a capacidade de tornar efetivas as imagens da vida, que por si sós são inoperantes, não atuam. É comovente que o poema chame de mãe este Isso inconsciente, ou como se queira chamá-lo agora. No *Fausto* já se esconde a teoria de Freud, mesmo na descrição do destino trágico de mãe e filho o *Fausto* tem idéias que permaneceram altos segredos até que Freud os revelou. Revelou, para que afundassem imediatamente de novo nas profundezas. Pois quem seria capaz de fundir permanentemente o segredo com o pensamento? Helena-Euforion só pode existir no inconsciente, o eterno feminino, a virgem-mãe somente no inconsciente. O complexo de Édipo, como o denomina Freud, é verdade, não realidade.

Quando se considera o masculino-feminino do homem, é difícil desdenhar a fantástica associação Fausto-punho*, e junte-se a isso a simbolização do membro sexual como diabo; do fato de o Senhor dar a Fausto como companheiro o maganão negativo resulta a estranha paralela simbólica de que mão e pênis são, pela natureza, companheiros um do outro, em outras palavras, que a auto-satisfação é destino humano.

Uma das descobertas mais notáveis da psicanálise – ou, melhor, de Freud, a quem se devem todas as descobertas no campo analítico – foi a identificação do erotismo infantil. Essa descoberta – ela lembra a história do ovo de Colombo, pois toda mãe deve ter conhecido em seu próprio filho o caso desse erotismo infantil, só que nenhuma ousou deduzir do fato isolado a totalidade – já agora produz conseqüências manifestas em toda parte, mas pouco a pouco irá alterar, de um modo até agora insuspeitado, a imagem que o homem faz do homem e do ser-homem. No momento em que nós, com todo o nosso ser – ainda nos encontramos longe desse momento – compreendermos que o homem, a criança no homem, parte sempre de si mesmo, do amor a si próprio, portanto, da auto-satisfação no sentido mais estrito e mais lato da palavra, ocorrerá uma inimaginável revolução de todos os conceitos éticos e até humanos, tal como se desenvolveram nos últimos séculos, provavelmente muito devagar, porém de forma irresistível. Para nós, que estamos aqui reunidos para considerar o Fausto um compêndio de psicanálise, cabe perguntar se a associação brincalhona-fantástica "o Fausto – o punho" encontra na obra um fundamento mais firme.

Chegar-se-á o quanto antes a um resultado se nos ocuparmos novamente com aquilo que a própria obra informa sobre Fausto.

As últimas palavras que diz Fausto antes de começar suas negociações com o diabo são:

Era no início a Ação.

E, se se observar melhor, vê-se que o agir era característico dele. "Incansavelmente ocupe-se o homem!" – "A ação é tudo." – A apreen-

---

* Em alemão: *Der Faust – die Faust*. (N. da T.)

são em nada podia atingi-lo, porque ele "só desejava e consumava". – Aliás, a linguagem associa com mão, não o fazer, mas o agir*, pelo sentido isso é a mesma coisa. A outra associação com mão, que é citada usualmente, é tomar, agarrar, empunhar. No diálogo com a apreensão, que acabo de citar, e que constitui um dos pontos altos da peça – no Fausto tais pontos altos se caracterizam mormente pelo fato de Fausto expressar seu desprezo pelo além –, essa particularidade da mão ressalta especialmente:

> A todo anelo me apeguei, fremente,
> Largava o que era insuficiente,
> Deixava ir o que me escapava.

diz ele de si mesmo, e prossegue depois:

> Ao homem apto, este mudo acomoda.
> Por que ir vagueando pela eternidade?
> O perceptível arrecade?

Para o apto. Não sei se está correto, mas para mim as palavras "fazer", "apto", "virtude"** estão ligadas lingüisticamente e, por conseguinte, em conceito e em essência. Creio não haver qualquer dúvida: a essência de Fausto é o agir. E, de fato, um agir que deixa o agente insatisfeito, um agir incessante, dentro do qual já vive o desejo por novo agir. O agir em si é sua maneira de ser humano, e seu destino é que a este agir ele não pode atribuir qualquer finalidade, ele não recebe qualquer agradecimento por ele:

> Insatisfeito embora, hoje e a qualquer momento!

Ao pensar numa existência humana livremente ativa, ele pronuncia a frase fatídica: "Pára enfim – és tão formoso", que lhe custa a vida e que o diabo interpreta mal, porque ele não repara no condicional da frase, toma uma afirmação condicional por uma afirmação absoluta. E, se não me engano, baseia-se nesta associação: Fausto-punho – a palavra do Senhor: Fausto é meu servo; a mãe é certamente o "servo" do homem.

A mãe faz, mas age indiferente àquilo que é para ela o além, e está sempre insatisfeita. A coisa talvez se torne mais clara se nos reportarmos a uma outra passagem da peça. Quando Mefistófeles se apresenta a Fausto, fala de seu empenho em fazer mal ao que é vivo, e de como nunca tem sucesso nisso:

---

* Em alemão: *Hand* = mão; *handeln* = agir. (N. da T.)
** Em alemão: *tun* = fazer; *tüchtig* = capaz, apto; *Tugend* = virtude. (N. da T.)

Se não me fosse a chama reservada,
Já não me restaria nada.

E Fausto lhe responde:

Assim opões ao curso eterno
Da força criadora e boa,
Teu frio punho, arma do inferno,
Que, pérfido, se cerra à toa!
Procura algum outro serviço,
Estranho ser, que o Caos fez!

Seria uma saída: a mão do diabo se fecha para destruir, a mão do homem age como servo incansável sem satisfação, e "se lhe houvera haurir de cima do amor a graça infinda, dele a suma hoste se aproxima com franca boa-vinda". – O amor? O que o poema quer dizer com isso, com esse amor de cima? É o último, o mais extremo? É o eterno feminino que nos atrai? – O Senhor, quando se afasta de Mefistófeles e se dirige aos verdadeiros filhos dos deuses, diz como frase final:

O que se forma e, eterno, vive e opera,
Vos prenda em suaves vínculos de amor.
E o que flutua em visionária esfera,
Firmai com pensamento durador!

A chama é do diabo, é a destrutiva paixão concupiscente. A construtiva paixão criadora é o sol. A chama como tal é negativa, atributo do diabo, que por certo tem também de servir ao Senhor à sua maneira; na imagem do sol de que falam as primeiras estrofes do prólogo do céu, ele é para os anjos símbolo da criação amante. E não deve ser por acaso que a segunda parte do *Fausto* também começa com o hino ao sol, do qual certamente o homem, ofuscado pelo reflexo colorido, deve desviar-se.

Com esse paralelo entre o Fausto e o punho roça-se de leve a questão de saber se o poema inclui no seu domínio o problema do auto-amor e da masturbação no sentido mais estrito. Para achar uma resposta, é preciso observar a natureza desse processo. Trata-se, no caso, de duas coisas distintas: uma vez, pelo processo de obtenção de prazer genital mediante a manipulação do próprio genital ou de outras zonas do corpo que produzem prazer voluptuoso; sabemos que a criança se dá tais sensações de prazer sem escrúpulos, até que lho proíbem. Mas a coisa tem um outro lado. Indaga-se se ao ser humano é possível entregar a si mesmo e todo o seu ser ao outro, a qualquer outra pessoa por amor. Que desejamos fazê-lo não há qualquer dúvida, que podemos fazê-lo também está certo, mas só o podemos até certo ponto e valendo-nos de algo humanamente indispensável, a fantasia. Somente pelo fato de nós, com a ajuda do espelho mágico ou da chave, transformarmos o outro – nesse contexto também podemos dizer, em vez do outro, a mulher – em Helena, exemplo de todas as mulheres, de o transformarmos na mãe – o que não depende da nossa vontade, mas de mil outros fatores, entre os quais também do diabo, que nos é dado como companheiro, e das mães, em cujo reino temos de ir buscar o espectro de Helena – somente por esse fato amamos. Em outras palavras: algo essencial ao nosso amor humano, seja expresso genitalmente ou não, é independente do objeto do nosso amor, é vivo e atuante somente mediante nossa fantasia. O amor humano sempre é permeado e até condicionado pelo amor a nós mesmos, àquilo que fantasiamos e sonhamos; e o que fantasiamos e sonhamos é o paraíso do útero materno. O que chamamos de amor ao objeto não existe na forma pura, temos sempre de primeiro transformar o objeto numa imagem, num reflexo colorido; também o nosso modo de amar pertence ao reino dual do dia e da noite. A todos os nossos sentimentos e atos de amor se mistura o amor a nós mesmos, e certamente o amor ao nosso eu-mesmo feminino, à virgem-mãe, e quando o amor se expressa genitalmente, o ato genital nunca está livre do ingrediente da masturbação.

Como isso aparece, então, nesta obra? Já mencionei que o espelho mágico na cozinha das bruxas nos informa que esse atributo humano – a transformação do objeto no reflexo, na imago – é profunda e claramente incorporado ao poema, mas o fato de a contradição na expressão "eterno feminino" ter sido colocada no final da obra faz com que me demore tanto tempo nessas coisas. As palavras finais de Fausto:

> Quem em tua luz caminha
> Louve, adore-te a mercê;
> Virgem, Mãe, Deusa-Rainha,
> Misericordiosa sê!

e "o eterno feminino nos eleva a si" devem tornar-se compreensíveis à capacidade intuitiva do leitor, do contrário o *Fausto* não tem sentido para ele.

Sobre a questão de saber até que ponto o homem, em seu amor, é dependente da sua fantasia, ou, em outras palavras, quanto das fantasias basicamente onanísticas que nele vivem ele tem de adicionar ao objeto de amor para que este se torne para ele o amado, podem ser tantos os versos que tenho de fazer uma escolha. O mais importante é talvez aquele em que Fausto leva a sério a fantasmagoria entre Páris e Helena; em vão Mefistófeles o lembra de que "ele mesmo o produz, o jogo espectral". – Fausto também está consciente do que há de esquisito no seu desejo de amor. Quando vê as ninfas nuas brincando na água, diz a si mesmo:

> Devia com isso me alegrar,
> Saboreá-lo com o meu olhar.
> Mas sempre a além meu ser aspira!

ele tenta imaginar a cena entre Leda e o cisne. É que, para nós, Helena – a mulher enquanto a amamos – "não envelhece, nem fica madura, mais sedutora, sempre, sua figura. Raptam-na moça, idosa ainda é do amor a meta". Fausto, e todos nós, no amor somos poetas, fantasiamos "a Helena da maneira como a necessitamos". Todos nós conhecemos face a face o ídolo que Fausto vê no Blocksberg*, que "a cada um parece a sua amada". O que o poeta quer dizer com o ídolo, este componente necessário do nosso amar humano, que eu aqui, talvez um pouco sem razão, incluí na consideração do onanismo?

Antes de tentar responder à pergunta, pelo menos respondê-la parcialmente, vou falar mais uma vez dos pensamentos e sonhos de masturbação. O tema já soa nos monólogos do começo, no olhar a lua cheia, quando Fausto quer "em flóreo prado, vaguear no fulgor prateado, flutuar com gênios sobre fontes, tecer na semiluz dos montes, livre de todo saber falho, sarar, em banho teu, de orvalho". Conhecemos todos esses símbolos, sobretudo porque aparecem em conexão com a lua cheia, que é, ao mesmo tempo, símbolo da mãe e da ereção. Sempre é a mãe, a virgem mãe. – Este anseio pelo homem e pela mulher em união é representado com mais força nos preparativos para o suicídio, na tentativa de beber o veneno, e aqui já se mistura o motivo que mais tarde domina toda a peça: o mar. – O homúnculo perece no mar, o pensamento no mar leva Fausto a novas pragas. O mar? O que é o mar? –

E o que impede Fausto de cometer o suicídio, este ato último e mais extremo de nossos impulsos orientados para nós mesmos? A lembrança da ressurreição; o dobrar dos sinos no dia de Páscoa. A morte é o ato de amor derradeiro. Quem vive continua tendo, após a morte de amor do masculino, a fé na ressurreição para nova vida de amor e morte. Aí se desdobram em todo lugar os símbolos, e os coros que acompanham quase não permitem a dúvida de que o simbolismo é intencional. – Logo mais aparece um novo símbolo, o voar, e bastante notável, em ligação com o sol e com o mar. E logo a seguir aparece o diabo. Para mim isso é surpreendente.

Há no *Fausto* uma cena que retrata tão claramente quanto é possível numa obra de ficção o tema dessa tendência humana para o amor a si próprio: é a cena intitulada "Floresta e Gruta". Nessa gruta da floresta, o gênio da terra se revela a Fausto, os profundos mistérios secretos se manifestam; a "lua" nasce, e da "mata úmida" se levantam as figuras argênteas do passado remoto. Mas o companheiro que o espírito lhe

---

* Montanha mítica da noite de reunião das bruxas. (N. da T.)

deu atiça no peito de Fausto o fogo selvagem, de maneira que ele cambaleia do desejo ao prazer e definha no prazer, a ansiar pelo desejo. O que vem depois dessa "transformação no ermo", diz Mefistófeles:

> Cingir a terra e o céu num rapto abraço,
> Sentir-se divindade em arrogante inchaço,
> Da terra revolver com ímpeto o tutano,
> Viver da criação o afã no Eu soberano,

– aqui é preciso lembrar uma outra frase de Mefistófeles, onde ele fala que um Deus se atormentou durante seis dias por causa da mulher e finalmente deu um bravo à sua própria obra:

> Gozar eu não sei que com macho peito,
> No todo extravasar-se em êxtase perfeito,
> Desvanecido o térreo ente,
> e pôr termo à intuição potente... (*com um gesto*)
> Não me perguntes de que jeito.

Não há dúvida de que Mefistófeles, naquilo de que corações castos não podem prescindir, pensa no ato real da masturbação e que Fausto, que pudicamente diz "Vergonha sobre ti!", compreende a ele e ao gesto.

Esta cena, que sempre chama a atenção de todos os admiradores de Fausto, não só lança uma luz sobre o que significa realmente o gênio da terra – ele apresenta uma certa semelhança com o tripé que do reino das mães segue Fausto, é um símbolo do sexo dual, tal como ele existe afinal no gênero humano; – ela também serve de transição para o meio da peça, para o ponto culminante que se encontra na cena em que Mefistófeles fala das mães. A caverna "segura", como a chama Fausto, situada no meio da floresta, é o útero. E este útero se encontra, sabemo-lo mil vezes pela experiência psicanalítica, na mais íntima ligação com nossa vida instintiva, com tudo o que é a nossa vida real; contudo, devemos lembrar aqui que, para Fausto, o poeta e o leitor, realidade não é o que possuímos, mas o que se desvaneceu, não o que flutua em visionária esfera, mas o que é firmado por pensamento duradouro, onde só pode tomar pé aquele que estava com as mães, que venceu as mães, aquele que, por ter ousado aproximar-se das mães, não precisa suportar mais nada, aquele que deseja o impossível.

Assim, pois, não é tão tolo buscar no meio da obra o que pode esclarecer. No *Fausto*, isso é assim, acredito eu. A obra mostra lá a chave que cresce na mão e que fareja as mães, mostra-a a todos aqueles que a queiram usar – poder-se-ia dizer desse modo.

> Reluto em revelar um magno arcano,

começa Mefistófeles: trata-se de algo diante do que se curva a masculinidade concupiscente, trata-se de coisa mais elevada e de segredo, do qual a concupiscência masculina possui justamente a chave sem poder usá-la, da mesma forma como é o diabo quem ensina a bruxa a preparar a poção de rejuvenescimento, mas ele mesmo não é capaz de destilá-la. Mas Fausto – e Fausto é o homem, não se deve esquecer disso –, Fausto tem a chave, sabe usá-la. Auxiliado pela chave, ele se deixa conduzir às mães, toca o tripé que como bom servo o segue para a terra.

> As Mães! Mães! Que esquisito soa aquilo!
> Estranho é mesmo.

Não posso revelar o magno segredo, sei disso. Mas posso interpretá-lo à minha maneira, e isso eu quero fazer. O que digo vale para mim, é para mim a solução do segredo; não espero que isso baste como solução para outros. Subsistem restos que me são indecifráveis.

"Que caminho é?", pergunta Fausto; a resposta é bastante brusca, uma resposta rápida que não leva tempo, a resposta daquele que "não gosta de falar" das mães: "Nenhum!" Algo do pavor de Fausto comove também o diabo. – E agora ele continua falando em palavras misteriosas, em meias frases entrecortadas:

> É o Inexplorável,
> Que não se explora. É o Inexorável,
> Que não se exora.

Nenhum caminho leva às mães, só há caminho ao inexorável, ele termina no inexorável. Será que é o útero? Penso que sim. Nenhum caminho nos leva para dentro dele, só até perto dele. Nunca podemos retornar ao útero. O que podemos fazer é apenas transferir a insondável saudade desse interior do ventre, amar uma mulher na qual vive a imago da mãe. E não somos capazes de amar uma outra se não essa, na qual em visionária esfera flutua uma imago, uma das mães das quais temos muitas, muitas. A chave cresce quando ela fareja as mães, ela está em brasa. – Isso já me parece mistério suficiente. Quem o sabe, ou, melhor, quem o experimenta com a consciência de que todo crescimento e candência da chave, toda virilidade no sentido mais estrito, toda candente excitação que leva ao crescimento do signo viril se dirige às mães; mais uma vez: há muitas mães para cada um. Ora era uma mãe alegre, ora uma triste; ora ela nos amava, depois nos repreendia; hoje ela usou aquele vestido e amanhã esse. Dentro da nossa única mãe existem inúmeras. O estudo do inconsciente fala disso, mas revelar o segredo não é nenhuma solução.

Sem dúvida, todos nós sabemos disto: o útero nos é proibido, inexplorável, também inexplorado. Lá só vivem fantasmas, o Isso, as imagens da vida, ativas, sem vida; seres que querem tornar-se homens, mas que não existem. Esse reino, no qual vegeta a criança, é na verdade o inexplorado. E nele moram inúmeras deusas; pois numa série infinita desde Eva atuam no útero outras mães que não são nossas mães carnais. – Coisas interditas! Somente uma proibição é válida para todos os homens, absoluta, geral: não deves fazer da tua mãe a tua amante. Exatamente o que todo mundo quer – nem sempre ele sabe disso –, exatamente isso é proibido, exatamente nenhum caminho leva até lá. E porque o desejo existe e nunca é satisfeito, é que o homem, e provavelmente só o homem, pode ter o impulso obscuro que o leva pelo caminho certo, a ele, insatisfeito a qualquer momento.

Nunca exorado, vedado exorá-lo. Quem quererá pedi-lo? A quem o pedido satisfará? É impossível. A morte, que nos concede isso – sem ser pedido. E no símbolo da mãe terra, do inferno ou do céu.

Isso está correto? Não é a palavra "mãe" que me induz a essa interpretação?

> Em solidão ficas vagueando em vão.
> Noção terás do que é o ermo, a solidão?

Quem a teria? Nunca estamos sós. Pois sim! Ora estávamos sós, ora tínhamos um mundo próprio somente para nós. Mas o não nascido já é homem? Não é um ser diferente, enquanto se encontra ativo, sem vida, com as mães? No mínimo, tem um outro mundo, no mínimo está só.

> Nada verás no vácuo eterno, imenso,
> Não ouvirás teu passo ao avançares,
> Não sentirás firmeza onde parares.

A interpretação está correta? Correta talvez esteja, mas possivelmente não está completa. Talvez o mistério mais alto nunca seja interpretável. Todos experimentamos, sempre voltamos a experimentar, que o homem estremece quando tenta penetrar no segredo de mãe-filho. Ninguém é capaz de partir os vínculos que o atam à mãe, todos nós somos vítimas da comunhão mãe-filho passada, presente, futura, ela nos dá forma e ao nosso destino. Ninguém supera a mãe.

Fausto o ousa, "o primeiro que à proeza se atreveu", que "foge ao que já houve, ao que já viu, entre as visões de espaços livres, soltos", para encantar-se "com o que de há muito não existe". Será que ele também retorna, pergunta-se Mefistófeles.

Retorna e traz consigo o tripé candente, rouba-o das mães e, fortificado pelo poder de sua candência, força Helena, "o modelo de todas as mulheres", a ascender à luz do dia, e da qual ele diz:

É a ti que voto o Todo da existência,
Do amor, paixão, da idolatria a essência!
Delírio que da insânia toca as raias!

Existe para todo homem essa Helena eternamente jovem, desde sempre cobiçada; é a mãe que nos põe no mundo. É esse o ídolo que avança com pés atados.

Fausto vê as mães; elas não o vêem, vêem só espectros, dos quais são formados homens. Ele vê o segredo, e rouba o tripé. Nesse tripé vive o poder "de repartir o que era outrora entre a luz do dia e a abóbada das trevas". Ele conhece o poder das mães que sentam no trono do ilimitado, e as rouba. Rompe a proscrição do desejo incestuoso – por breve tempo: porque logo depois cai de novo sob o poder das mães, e quase morre por isso. Procura Helena, o padrão, o modelo das mulheres.

Então seria isto, seria o reino das mães em sentido literal, este magno segredo? Não: o homem está confinado ao reino dual, a palavra "mães" que o faz fremir abriga outras coisas dentro de si, coisas que eram outrora, em todo o seu brilho e aparência, e que se agitam porque querem ser eternas. O que era antes e quer ser eterno? Será que é somente porque busco no inconsciente, ou o poema realmente quer dizer o inconsciente com o magno segredo? Não o sei, mas examinemos todo detalhe e na íntegra o que é dito no *Fausto* sobre as mães; nada se irá encontrar que contradiga a suposição de que o duplo das mães é o inconsciente de Freud. Feliz daquele que regressa, se subiu ou desceu lá. Fausto é o homem, eu disse. Nesse caso, o homem, todo homem, tem de possuir a chave desse reino do inconsciente. E isso é verdadeiro. Cada um tem a chave, só que nem todos se dirigem diretamente ao tripé, nem todos o tocam com a chave. E para aquele que traz o tripé para a luz, de que maneira isso serve de ajuda? Precisa do poder das Mães todo-poderosas para invocar Helena; e se Helena, por ter de fazê-lo, por ser Helena, se decide por Páris, quem não ficaria arrasado com isso? As mães são invencíveis, o inconsciente só assoma à luz até o ponto que lhe permite, em sua limitação, a natureza humana.

Ainda existe aí muita coisa obscura, sei disso muito bem. As reflexões sobre o tripé levam a um passo adiante. Que os três pés são símbolo masculino, sabemos, o terceiro pé, que a mulher não tem, é o genital. Mas o tripé contém o anel com a abertura, e o anel, não é feminino? É permitido pensá-lo, é possível crer também que o poema sabe disso. Nesse caso, Fausto, o homem, pelo menos por breves minutos, quando afundou no inconsciente com os olhos abertos e sem medo, é senhor do pensamento de que no homem ambos já estão reunidos, homem e mulher. Então, por momentos pelo menos, ele é senhor da certeza de que nós, na mãe e em tudo o que amamos, só amamos a outra metade do nosso próprio ser. Então, ele sabe que somente ele é um universo, que não precisa de outra coisa se não de si mesmo. Mas exatamente o insuportável, o inumano é que para o homem só dia e noite convém, que ele não pode estar simultaneamente na luz do dia e na escuridão da noite. Homem pertence ao homem, o homem não pode estar só. Não o suporta.

Não o suporta; Fausto também não o suporta: chama por Helena. Sabe do reino dual do homem e chama por Helena. Faz como todos fazemos. E como nós todos, ele ainda assim se torna solitário. Pois é também um segredo mais alto, há muito revelado mas não sabido, que o destino e a finalidade do homem é a solidão. Se o *Fausto* significa alguma coisa, então a obra significa a confissão e o conhecimento – o confessar é mais fácil que o conhecer – de que somos solitários, sozinhos, um mundo nosso. Fausto é solitário desde o início, desde a jornada rumo às mães ele também se afasta cada vez mais do único companheiro que tem, o diabo, aprendeu durante essa jornada que é capaz de realizar somente coisas que só podem ser realizadas por si mesmo. Recusa a preocupação, e o fato de se tornar ainda mais solitário na cegueira só lhe propicia novo conhecimento em vez de sofrimento, confere-lhe a percepção, viva para ele, de que um gênio basta para mil mãos. A última solidão vem depois com a morte, no instante em que Fausto compreende que o pressentimento da felicidade – certamente uma solidão solitária, ainda assim a única realidade que experimenta – é o instante máximo. O que está por vir, que atua e vive eternamente, cinge-o, e ele firma, com pensamentos duradouros, o oscilar da aparição. Somente a partir dessa compreensão da morte e da solidão da morte lhe são abertos os braços amáveis do amor, somente a partir dessa última solidão ele cresce e se levanta, somente então o eterno feminino pode elevá-lo a si.

Assim, Helena não é o eterno feminino, tampouco é Gretchen, nem todos os ídolos, também não está com as mães. Lá ainda existem restos terrenos. Erra o homem enquanto aspira.

Existe algo de especial no amor de Fausto: quando Gretchen lhe é tomada, ela deixa de existir para ele, não tem para ela um único pensamento, nem com remorso nem com saudade, ela se foi. E com Helena acontece a mesma coisa: uma nuvem adquire a sua forma, depois ela desaparece de sua vida. Mas a sua essência mais profunda, que está na sua relação com a imago da mãe, essa permanece viva dentro de Fausto. Muda apenas a forma do símbolo. A mãe e a luta com a mãe já começam no vôo – é bastante significativo que isso ocorra ao voar –, no vôo para a solidão da montanha. O mar emerge e domina a partir daí a vida terrena de Fausto, o mar, que é o verdadeiro símbolo da mãe. – Depois da despedida de Gretchen é o sol, apesar de toda interpretação psicanalítica para nós alemães, mãe é apenas mãe; depois de Helena, é o mar, a luta com o mar. O sol cega Fausto, o mar desperta nele "algo de grandioso, de admirável, algo que o homem deseja", a vitória sobre o mar, sobre a própria mãe.

> Percorreu meu olhar o vasto oceano;
> Cresce, e em si mesmo se encapela, alto;
> Logo após se desmancha e ao vasto plano
> Da orla, se lança em tumultuoso assalto.
> Amuou-me. O gênio livre, independente,
> Preza o direito e o seu lugar à luz,
> Mas a arrogância, a exaltação fremente,
> Só mal-estar no espírito produz.
> [...]
> Vem, sorrateira, todo canto invade,
> E espalha, estéril, a esterilidade.
> Cresce, incha, rola, se desfaz, e alaga
> A árida vastidão da inútil plaga.
> Impera onda após onda, agigantada!
> Para trás volta e não realizou nada.
> E me aborrece aquilo! me é um tormento
> O poder vão do indômito elemento!
> Ousou transpor meu gênio a própria esfera:
> Lutar quisera aí, vencer quisera!

Fausto não é o homem? Quando um homem algum dia teria feito, poderia fazer algo diferente senão refrear o inútil embate da paixão materna, estreitar as fronteiras da amplidão úmida, consciente ou inconscientemente? É esse o conteúdo da vida humana e termina, como no *Fausto*, com a morte e com a destruição de tudo o que foi alcançado por meio do elemento do complexo da mãe. Édipo.

O poder vão do elemento indômito, diz Fausto. "Ele ainda não se libertou", nem sequer vê, até o fim de sua vida ele não vê que não pode libertar-se, que ninguém se liberta a não ser que o amor de cima participe nele, que esteja sendo guiado para a iluminação por *una poenitentium* e pela Mater gloriosa, que ouse compreender o enigma: virgem, mãe, rainha-deusa. E é possível – ao menos para o filho – pressentir a idéia de que somente a virgem é mãe ou vice-versa, que toda mulher se torna virgem pela maternidade. O filho não pode acreditar que a mãe não é virgem, o filho possui a chave, e sob seu poder mágico, em nome das mães, atribui à luz do dia – ao consciente – e à abóbada da noite – ao inconsciente – "aquilo que foi outrora, se agita em todo o brilho e aparência, porque deseja ser eterno".

O mar, os elementos, o amor entre mãe e filho e a paixão, com todos os seus desejos e recalques carregados de maldição, não são inúteis. O eterno feminino nos eleva para si.

> Até o ar e a luz inda não me hei liberto,

queixa-se Fausto antes que a apreensão o defrontasse e cegasse com seu hálito. O que é essa liberdade, à qual ele quer chegar lutando? Talvez seja difícil dizê-lo; seja-me, porém, permitido refletir um pouco sobre isso. Fausto fornece uma espécie de resposta a isso. Diz:

> Pudesse eu rejeitar toda a feitiçaria,
> Desaprender os termos de magia.

Esta feitiçaria, esta magia tem, segundo parece, algo a ver com a apreensão, pelo menos Fausto repete a mesma expressão ao ser que está aí e em cujo coração tem que ressoar, que, em transmutada "forma, exerce feroz poder, que, nos caminhos, sobre a onda, é eternamente inquieto companheiro, sempre encontrado, nunca buscado, tão adulado quanto amaldiçoado", – repete ante a apreensão: "Calma, exorcismo algum vás pronunciar". E logo a seguir: "Em meio a assombrações [o homem] ande sereno". Será que a apreensão não é aquilo que foi recalcado no inconsciente, ou não arraigará de alguma forma no recalcado? Talvez o caminho para a liberdade seja esquecer as fórmulas mágicas dos complexos recalcados, afastar-se da magia, separar-se dos fantasmas daquilo que foi, renunciar às fórmulas mágicas humanas de qualificar algo de bom ou de mau, tornar-se cego diante de tudo isso, para que "no interior brilhe a clara luz". Alguns dentre aqueles que se ocupam com o inconsciente e estudam-no profundamente com árduo labor acreditam ser possível libertar-se pela conscientização do inconsciente. O poema tem outra opinião; ela dá a resposta antes:

> Seguia-se uma lúgubre rima – morte.

E Fausto o diz em outras palavras:

> Só homem ver-me, homem só, perante a Criação,
> Ser homem valeria a pena, então.

Só, inteiramente só o homem é apenas na hora de morrer, a morte é solidão. Talvez.

Em todo caso, a morte é condição para crescer e ser. Somente depois da morte Fausto cresce e se eleva, somente depois da morte o eterno feminino o eleva para o alto. Somente depois da interrupção da consciência, isso é importante no contexto em exame. Totalmente solitário e isolado é o imortal de Fausto, ele tem apenas um poder de pressentir, pressente a proximidade das penitentes.

Será possível descobrir o que se deve entender pelo eterno feminino? Para onde ele nos eleva? Para o alto. Ou seja, para o Senhor, para o indescritível. O insuficiente torna-se realização. Basta o que todos sabemos de fato, que nos tornamos homem, senhor, somente por intermédio da mulher, porque somente ela – na imagem da mãe – transforma o insuficiente em alguma coisa própria – realização não é acontecimento, mas tornar-se alguma coisa própria –, ou será possível que o eterno feminino não se encontre na outra pessoa mas dentro de nós mesmos, que não é a mãe carnal que se transforma em imago, ou, melhor, nas *imag(u)ines*, mas que todo homem é mãe, virgem, mãe, rainha, deusa; que o complexo de Édipo é também apenas uma metáfora, porque não podemos compreender que o homem não é concebido pela mulher, mas pelo ovo, e que ele já existe antes da concepção, que pai e mãe são objetos insuficientes, que o homem e sua vida são uma roda que gira por si? Nesse caso, nós mesmos seríamos o eterno feminino, e também o eterno masculino. Então, noite e dia não convêm mais para nós, mas teríamos a luz. Só que, para isso, é necessário cegar e é necessário morrer. Morrer e ser!

Amor é morte, amor é vida. Ele abaixa a tocha, ele alça a tocha.

Terei de voltar mais uma vez às mães? Não gostaria de fazê-lo, pois, quando digo que a palavra é o inconsciente, isso não basta, mesmo que leve mais longe do que ao complexo de Édipo, ou ao menos mais em amplitude. E se uso o elástico e mais abrangente Isso, repito dessa maneira apenas o que Goethe chama de magno segredo, nada de novo se acrescenta com isto.

Na verdade, desisto de lutar com essa obra em cujas profundezas tentei penetrar. Ainda teria que dizer mais alguma coisa, muita coisa. Mas será que alguém quer ouvi-lo?

Temo que todos tenhamos lido terrivelmente muito sobre o *Fausto*. Já que não é fácil satisfazer, é mais fácil confundir, mesmo que não queiramos confundir.

Cada um aborda o *Fausto* à sua maneira, essa é a minha; hoje, agora, é a minha. Não quero dizer com isso que ainda será a minha amanhã ou daqui a alguns anos; o homem erra enquanto vive. Não creio, porém, que esquecerei algum dia que o poeta, ao escrever, via como que ao longe o que possuía, e que aquilo que desapareceu se lhe tornou realidade. Que tudo quanto é efêmero, apenas uma alegoria, guarda-se facilmente na memória, embora não se guarde tão facilmente no pensamento; mas que o verdadeiro, aquilo que tem possibilidades de realizar-se, não é o prático, não é o real, mas aquilo que é firmado por pensamentos duradouros – feliz daquele que conhece isso e vive tal conhecimento.

Uma Citação do Fausto

> *Gerettet ist das edle Glied*
> *Der Geisterwelt vom Bösen,*
> *"Wer immer strebend sich bemüht,*
> *Den können wir erlösen".*
> *Und hat an ihm die Liebe gar*
> *Von oben teilgenommen,*
> *Begegnet ihm die selige Schar*
> *Mit herzlichem Willkommen.*
>
> [O nobre espírito está salvo
> Do mundo atro dos demos:
> "Quem aspirar, lutando, ao alvo,
> À redenção traremos".
> E se lhe houvera haurir de cima,
> Do amor a graça infinda,
> Dele a suma hoste se aproxima
> Com franca boa-vinda.]*

Estas palavras Goethe coloca na boca dos anjos, quando eles, flutuando nas esferas superiores, levam consigo a parte imortal de Fausto; as aspas dentro das quais estão colocadas os dois versos do meio, Goethe, cem anos atrás, inseriu a lápis e de próprio punho no manuscrito, antes de lacrar a cópia pronta para impressão. Por quê?

* Tradução de Jenny Klabin Segall (Goethe, *Fausto*, Belo Horizonte/São Paulo, Itatiaia/Edusp, 1981, p. 447).

A grande edição de Weimar explica, no volume com as variantes do *Fausto*, que as aspas serviriam para realçar a frase principal; essa explicação desse fato estranho deve-se talvez ao relato de Eckermann, segundo o qual Goethe teria dito que os versos dos anjos continham a chave da salvação de Fausto. A suposição da edição de Weimar é falsa. Abstraindo o fato de que, segundo especialistas nos manuscritos de Goethe, não era hábito de Goethe colocar entre aspas orações essenciais, de que ele aparentemente nunca o fizera, então, para que a explicação de Weimar tivesse sentido, todos os oito versos deveriam estar entre aspas, e não apenas dois; pois, segundo Eckermann, Goethe qualificou todos os oito versos de chave da salvação.

Nesse caso, se as aspas servem para enfatizar uma oração essencial, os dois versos que elas contêm, pelo teor ou pelo sentido, devem ser uma citação; foi esse também o parecer inconsciente da maioria dos revisores do texto, pois muitas vezes, por exemplo, na edição de Herzog-Ernst da Insel Verlag, encontram-se dois pontos após as palavras "*vom Bösen*", seguindo-se depois as aspas. Não é uma citação literal, portanto, nas duas linhas é invocada uma opinião conhecida dos anjos e naturalmente também dos leitores. De quem é a opinião: "quem aspirar, lutando, ao alvo, à redenção traremos"? Não é a opinião dos anjos, seria um exagerar perverso do seu poder: os anjos podem salvar, mas não podem redimir. Os versos traduzem uma opinião alheia. O texto diz de quem é a opinião, é a opinião do mal (demos).

O poema do *Fausto* considera má a crença no esforçar-se sempre a aspirar, lutando, seja condição prévia da redenção. Será que a declaração de Goethe, na forma como Eckermann a cita com a data de 6 de junho de 1831, está de acordo com isso? Em primeiro lugar, quero salientar que a versão escrita dessa conversa provavelmente não foi, como tantas outras, revista e aprovada por Goethe; a memória de Eckermann e sua interpretação são os únicos suportes do teor da frase. Já que considerar de má crença na condicionalidade da redenção de quem se esforça a aspirar contradiz o pensamento habitual há séculos, é facilmente possível que Eckermann tenha ouvido algo que não era intencionado na forma como o ouvinte o interpretava.

Eckermann relata: Nesses versos, disse Goethe, está contida a chave da salvação de Fausto: no próprio Fausto uma atividade cada vez mais elevada e mais pura até o fim e do alto o eterno amor que vem em seu auxílio. – Goethe usa a palavra "salvação"; não usa o termo "redenção", pois ele tinha com a idéia de redenção uma relação muito diferente da da Igreja e do pensamento corrente: ele rejeitava a idéia de redenção. Na verdade, Fausto não está sendo redimido, sua parte imortal está sendo "raptada" pelos anjos, eles "capturam" o tesouro da alma. Durante esse rapto, Fausto se encontra em "estado de crisálida". – Isso pressupõe que sua vida transitória na alegoria foi a da lagarta. Só aos poucos, após a morte, ele se transforma de crisálida em psique-falena e, separando-se, com o auxílio dos infantes bem-aventurados, dos flocos que o cercam, logo ultrapassa nos membros poderosos esses seus futuros alunos: ele, que aprendeu, ensinará aos nascidos da meia-noite o que o Pater Seraphicus não conseguiu apesar de toda a boa vontade. O poema *Fausto* não trata da redenção, tampouco da evolução do mais baixo para o mais alto, mas da alegoria da metamorfose, da transformação. O drama é um intermédio entre o Prólogo no Céu e o desdobramento do divino.

Da mesma forma que Goethe não fala a Eckermann a respeito da redenção, ele não diz que o esforçar-se-sempre-a-aspirar contribui com alguma coisa para a salvação de Fausto; em vez disso, ele chama de chave da salvação de Fausto a sua atividade cada vez mais elevada e mais pura até o fim e o eterno amor do alto que vem em seu auxílio. Ambos os complementos adjetivos da atividade nada têm a ver com moral, são genuínas expressões de Goethe. Além disso, quem não sabe que com atividade mais elevada Goethe quer dizer oposta à cotidiana, àquilo que Goethe, sem o menor indício de desprezo, sempre chama de comum, isto é, comum a todos, precisa apenas folhear as suas declarações sobre a segunda parte do *Fausto* para saber por que Goethe chamava de mais elevada a atividade do falsificador, do ladrão, do incendiário, do assassino, do Fausto moralmente inescrupuloso. E o termo "atividade mais pura" tampouco tem algo a ver com moralidade; significa uma atividade que é dirigida puramente para o fazer, que faz, não aspira. Não é a palavra, não é o sentido, não é a força que para Fausto está "no começo", mas a ação. "A ação é tudo." – Há em todo homem um tempo em que ele apenas age, um tempo de puro agir: é o tempo da infância, e "se não vos tornardes como as criancinhas, não entrareis no reino dos céus".

Segundo a informação de Eckermann, Goethe sublinha expressamente a importância do amor de cima para a salvação de Fausto. Jamais se poderá comprovar se Eckermann compreendeu a maliciosa ironia das seguintes palavras de Goethe: "a nossa imaginação religiosa"; Eckermann não percebeu que de repente Goethe, em vez da palavra "amor", coloca a palavra "graça", uma palavra que não tinha lugar no seu modo de pensar, assim como Eckermann desconheceu em toda parte o travesso Goethe. O fazer de Fausto é puro, é pura atividade. Essa pureza foi embaçada uma única vez, no momento da sua morte. Então, e somente então, o esforçar-se-a-aspirar acomete. Nesse momento, ele aceita uma meta, a meta da satisfação, do espreguiçar-se, da auto-admiração, nesse único momento o servo do Senhor se afasta do Senhor, ele não erra, mas nessa única vez ele se esquece e falha, na verdade sem suspeitar de que está falhando: assim o proclama o coro das penitentes. Pois essas penitentes não pedem à Mater Gloriosa pela boa alma de Gretchen, como estranhamente se diz, mas por Fausto.

Fausto é o servo do Senhor, é essa a primeira coisa que a obra diz dele, ele serve de maneira confusa, mas serve em tudo o que faz; logo o Senhor o conduzirá à claridade. Na alegoria, ele é uma arvorezinha em botão, cuja "flor e fruto" o jardineiro sabe que "irão adornar os anos vindouros". O erro faz parte do crescimento da arvorezinha: erra o homem enquanto aspira, errar é humano.

Acreditar que quem sempre se esforça-a-aspirar possa ser redimido é mau. Entre o começo e o final do poema não existe para a redenção o espaço da largura nem sequer de um fio de cabelo. O indescritível é feito no símbolo, na alegoria da transformação é sugerido o mistério do transitório, o morrer e o ser no eterno feminino, o fenecer do masculino no abraço do feminino, o nascer do filho do homem, do que está por vir no eterno regaço do feminino, do estático, do existente.

Numa gravura em cobre de Dürer, chamada *A Virgem com a Coroa de Estrelas*, a virgem está cingida por uma coroa de raios, como se nesse momento ela estivesse saindo, com o filho nos braços, da abertura do ventre materno. O pintor retrata à maneira do pintor o mesmo mistério do eterno feminino que Goethe o faz à maneira do poeta.

João Felpudo

Raras vezes falei com tanto prazer e tanta segurança sobre um tema como o fiz, em Berlim, sobre o *João Felpudo*. A questão é se vou conseguir colocar no papel o que é tão fácil de falar.

O fato de ter chamado este livro infantil de quarto compêndio de psicanálise, de haver terminado com ele as reflexões sobre a literatura psicanalítica, em primeiro lugar prova apenas que encontrei nele algumas coisas do modo de pensar analítico que considero merecedoras de estudo. Nada preciso dizer sobre o valor artístico da obra. Pessoalmente, não tenho dúvidas de que *João Felpudo*, à sua maneira, tanto quanto outras obras de ficção, pode reivindicar a classificação de maravilha da ficção; tem lugar na biblioteca de todo aquele que deseje entender algo de literatura, tem lugar no estudo de todo aquele que queira ocupar-se cientificamente com o ser humano e com a sua alma. Em outras palavras, *João Felpudo* é, no sentido mais verdadeiro do termo, um livro para crianças de qualquer idade até os cem anos. Pessoas que se julgam adultas não deviam tomá-lo em mãos: não entendem como é que, na sua tediosa seriedade, poderiam ser chamadas de seres vivos, mas certamente não vivem. Porque viver significa ser dual, estar pronto a todo momento para a seriedade e para a brincadeira.

A criança conhece a natureza dual da vida; o adulto, em primeiro lugar, deve adquirir esse conhecimento, pois não possui a mobilidade de observar as coisas ora de cima, ora de baixo, às vezes de frente, outras vezes de trás, da direita e da esquerda; tentará sempre captar uma imagem unitária, racionalizar, não tem talento para a irracionalidade do existir. Por isso, não lhe serve de nada um livro ambivalente como *João Felpudo*: na verdade, ele o considera um livro de figuras para ficar no quarto de crianças. No entanto, tem a marca do livro de sabedoria; conta, rindo, histórias jocosas, mas na obra jocosa esconde-se a dourada seriedade da vida; ameaça com espancamentos, com fogo, com feridas, com morte e ri de suas ameaças porque sabe que o ser humano tem de ser travesso se quiser ser contado entre os seres humanos e não entre os hipócritas mentirosos e tolos.

"Histórias divertidas e figuras engraçadas para crianças de 3-6 anos" foi como chamou a sua obra o autor de *João Felpudo*, o alienista Heinrich Hoffmann, falecido há muito; não creio, porém, que em toda a literatura moderna exista algo que tenha impressionado mais profundamente a humanidade do que este livro para crianças de 3-6 anos. Os elementos de nossa vida se formam nos três primeiros anos da existência; depois, tem início a estruturação da nossa relação com o meio ambiente e com o próximo, e com o nosso próprio eu. E é precisamente nesse período de vida que ocorre o primeiro contato com *João Felpudo*. É um livro para a vida, mesmo para aqueles que nunca mais o abrirem. E está incluído entre os melhores compêndios de psicanálise; em todo caso, é o mais fácil de compreender. Sem dúvida, as crianças entre seis e oitenta anos, se quiserem compreendê-lo, devem readquirir a visão atenta da criança de três e quatro anos; então, irão conhecer claramente o que a criança pequena só sente de forma apática, sem dar expressão a esse sentimento. – Antes de entrar em maiores detalhes sobre o livro, devo pedir ao leitor que se muna de um exemplar e vá me controlando em tudo. *João Felpudo* é dos raros livros que escondem a seriedade por trás do seu humor. Não me exprimi de modo muito preciso, mas não acho fácil dizer o que quero dizer. – Nietzsche diz, acho que no *Zaratustra*, que a vida começa a brincar quando se quer conversar com ela a sério, mas se torna mortalmente séria quando se ri com ela. *João Felpudo* é mais ou menos assim, é ambivalente. Talvez se torne mais compreensível o que quero dizer se chamar a atenção para uma particularidade do infantil, quer ela se manifeste no adulto quer na própria criança. O infantil está sempre preparado para ambos os lados das coisas; tem a capacidade, que Mefistófeles chama de marca do ser humano, de pressentir o dia e a noite em todo acontecimento; não conhece nada de absoluto, vive no reino dual, é dotado, como a própria vida, da mesma capacidade que tem a vida de levar a sério ou na brincadeira a mesma coisa, a mesma experiência. O homem infantil tem, em sua essência, a possibilidade de se comover até o fundo da alma com o Rei Lear, mas também tem a capacidade de se divertir com a comicidade desse homem superfútil; o homem infantil pode compreender e vivenciar profunda e internamente a idéia de Cristo, de maneira que seu pensar e agir é influenciado decisivamente por isso, mas vê ao mesmo tempo quão ingenuamente o homem deu uma formulação mítica a essa idéia, quão estreitamente, nas histórias, se confundem sofrimento e peso da cruz com as cômicas imperfeições do humano; pode absorver vida e morte com simpática seriedade e com olhar divertido. *João Felpudo* possui essa disposição para o lado duplo de todos os fenômenos. Acredito que a criança conhece a natureza dual do livro e por isso o ama tanto, porque ela tem em si mesma exatamente o infantil, a natureza da criança; mas o adulto tem de forçar-se, de educar-se, ele é, como em tanta coisa, inferior à criança, não possui a agilidade para se colocar em todo ponto de vista, para observar os objetos ora de cima, ora de baixo, às vezes pela frente, outras vezes por trás, pela direita ou pela esquerda; ele sempre tentará captar uma imagem unitária, racionalizar, não tem mais qualquer talento para a irracionalidade do existir.

Considerando o breve tempo de que dispõe, o autor se limita a duas histórias mais conhecidas: a "História de Joãozinho Desligado" e a "História do Isqueiro"*, bastante triste.

Em todas as gravuras de "Joãozinho Desligado" três coisas se repetem: as pedras da calçada, a pasta vermelha e a figura de Joãozinho. As pedras da calçada aparecem de forma quase inalterada, fornecem o fundo das gravuras, indicam que aquilo que está acontecendo tem validade universal. A pasta e Joãozinho mudam de uma gravura para a outra, fornecem as explicações sobre o sentido dos acontecimentos. Nas gravuras 1 e 3, Joãozinho, salvo minúsculas diferenças, é sempre o mesmo, está com a perna direita esticada rigidamente para a frente, a cabeça levantada e a boca aberta; o cachorro corre ao seu encontro num grande pulo. Com o braço esquerdo o menino aperta contra si a pasta. Agora aparece, na primeira gravura, um acessório que lhe confere muita importância para além da narrativa e eleva essa história para crianças ao todo-humano: vêem-se no ar três pássaros.

É de supor que esses três pássaros devessem explicar o olhar do garoto fixo no alto. Mas, de acordo com o título dos versos, o rapaz olha para o ar, e o verso decisivo diz: Joãozinho olhava fixo para o ar. E então, nas gravuras posteriores, três peixes aparecem no lugar dos pássaros.

O que acontece com o três? Três é o número da masculinidade, do masculino típico; compõe-se de um e dois, do membro masculino e dos dois testículos. Quando se observa a figura dos três pássaros, nota-se que eles se acham dispostos, na figura do masculino, como se acentuassem o fato de, no homem, os testículos não estarem à mesma altura, mas um ser mais baixo do que o outro.

Naturalmente, pode-se rejeitar essa interpretação, e o autor não tem dúvida de que os ouvintes o fazem. Mas ele pede que retardem

---

* Literalmente, *Hanns Guck-in-die-Luft* (*João Olha no Ar*) e *Feuerzeug*. (N. da T.)

um pouco mais o juízo de condenação. Em primeiro lugar, há o fato de que, naqueles idiomas que o autor conhece razoavelmente, a marca do homem é designada pelo nome de pássaro, especialmente na linguagem infantil: no alemão *Hähnchen* ou *Piepmatz* (galinho ou passarinho), no francês *coq* (galo), no inglês *sparrow* (pardal), no sueco *fagel*. E temos na ficção a mesma coisa: Boccaccio fala diretamente do rouxinol como nome do membro masculino, e a cotovia e o rouxinol de Shakespeare, em *Romeu e Julieta*, são usados simbolicamente pelo inconsciente do poeta. Como para nós, epígonos, se perdeu, apesar de Goethe, o senso do símbolo, não compreendemos mais por que a linguagem colocou lado a lado *Zeuge* e *Erzeuger*, *testis* e *testiculum**, porque, segundo o direito antigo, só podiam dar testemunho duas testemunhas masculinas, correspondentes aos dois testículos procriadores. Também não compreendemos mais por que o marco de fronteira tem a forma do falo, do membro masculino, não compreendemos mais o que significam as palavras ereto e independente (não pendido) e autônomo**. Para o autor permanece em aberto a questão de saber se os nossos antepassados, quando formularam essas estranhas palavras em ligação inconsciente com o fenômeno da ereção, foram mais imorais que nós, que usamos essas palavras sem termos consciência do seu sentido.

Continuando com a idéia de que os três pássaros não são apenas adorno, mas têm algum significado, percebe-se a árvore que, atrás de Joãozinho, estende um dos galhos bem à frente; em paralelo a isso está a perna do menino, levantada para o alto, em vias de dar um passo: o simbolismo da idéia da ereção aparece de modo cada vez mais claro. E com isso a pasta adquire significação. Joãozinho está a caminho da escola; porventura existe para o masculino – e na minha opinião Joãozinho é o masculino – uma outra escola além da mulher? Todo mundo sabe que a bolsa, a pasta, é símbolo da mulher; sem prejuízo de toda cientificidade que se faz de exata, pode-se afirmar até que foi no caminho do amor à mulher e do fruto do ventre da mulher que tanto o homem quanto os animais encontraram inconscientemente a idéia de escolher uma cavidade como o abrigo mais seguro. Desse fato de segurança no seio materno se originaram todas as habitações, porões, armários, bolsas, pastas. De mais a mais, a pasta de Joãozinho é também de cor vermelha – decerto, algo inusitado para uma pasta escolar, mas, simbolicamente, o vermelho parece expressar sempre a mesma coisa.

Se agora olharmos mais uma vez a figura do garoto, perceberemos que, em sua postura, é acentuado por duas vezes o número três,

---

* *Zeuge* = testemunha e *Erzeuger* = procriador, em alemão; *testis* = testemunha e *testiculum* = testículo, em latim. (N. da T.)
** Em alemão, *aufrecht*, *unabhängig* e *selbständig*. (N. da T.)

que para o autor significaria o símbolo do masculino: no primeiro caso, o membro é simbolizado pelo busto no estado fálico, onde a cabeça é a glande, a perna parada e o braço apontado para trás são o par de testículos; o segundo três é composto pela perna ereta com o sapato vermelho, que simboliza a glande, e pela perna no chão e o braço pendente, que formam o par de testículos. O símbolo do feminino se repete na boca aberta do rapaz.

O cachorro é o guardião. Não é difícil interpretá-lo como a moral sempre atenta do homem, que o protege da concupiscência. Mas é possível também que o inconsciente do escritor queira com o cachorro chamar atenção para o fato de que a natureza criou para o homem uma limitação absolutamente segura do desejo, já que toda ereção tem que relaxar após breve tempo; demonstra isso o fato de, na segunda gravura, tanto o menino quanto o cachorro estarem representados no estado de impotente relaxamento – após a queda.

Nessa segunda gravura, é ressaltada a pasta, o feminino. O masculino caiu, relaxou; até os galhos da árvore pendem para baixo. Mas a pasta é pintada separada do rapaz, rodeada por diversos arabescos estranhos, aparentemente sem motivo. Esses arabescos já estão presentes na primeira gravura, mas lá eles formam uma corrente contínua; são símbolo da ejaculação, que faz os espermatozóides se agruparem em torno do feminino, a pasta. A postura tanto do rapaz quanto do cachorro – eles abrem os membros em pose receptiva e jazem deitados de costas – reforça o símbolo da mulher no ato da concepção.

As gravuras 3 e 4 estão relacionadas uma com a outra. A árvore desapareceu; em vez dela é o poste fálico que estabelece a ligação entre as duas gravuras. O número três, o masculino, é – em parte, em ligação estreitíssima com o quatro, o princípio do sexo feminino com os quatro lábios do portão de entrada da mulher –, o três é representado pelo menos uma dúzia de vezes; especialmente o lampião se destaca nesse particular. Também está nos degraus que levam à água. No entanto, o mais surpreendente são os três pássaros e o duplo aparecimento dos três peixes, que, além disso, surgem uma vez na transversal e outra na horizontal. Não é preciso dizer que o peixe é o símbolo do masculino, ou do menino no ventre da mãe, que vive na água, e mais do falo na vulva da mulher. Para melhor compreensão, o autor deve deter-se aqui por um instante, para indicar a grande importância da equiparação simbólica entre órgão genital e homem. O melhor nesse caso é partir da mulher; com ela a linguagem, por meio da palavra útero, dá esclarecimentos sem qualquer coisa mais. Mãe e útero são simbolicamente idênticos, isto é, todo mundo tem duas mães, a mãe pessoal e o útero dessa mãe. Se isso for correto, a vagina deve ser a companheira de brinquedo do homem e da mulher, a irmã, a amada, a filha. Com efeito, é isso o que acontece na realidade: a vagina nada tem a ver com a criança, mas tem a ver com o jogo amoroso. No masculino as circunstâncias são análogas. Considere-se a união do homem e da mulher como ato de procriação; no caso, o falo é símbolo do pai. Se se partir do jogo amoroso, o falo torna-se companheiro, irmão, amado, filho. Transpondo essa cognição para o símbolo do peixe, tal como foi usado, por exemplo, nos tempos do cristianismo primitivo, adquirem-se fugazes conhecimentos das conexões mais profundas entre símbolo e vida.

"Aprumado", Joãozinho vai até a beirada, mas, estranhamente, se precipita "todo de ponta-cabeça" na água. Na verdade, isso é impossível, é escrito dessa maneira porque o inconsciente forçou o símbolo do coito; de ponta-cabeça. Na gravura de cima, os peixes abrem a boca amplamente. Quando, consumados o coito e a fecundação – é isso que significa a queda na água, também nos sonhos é isso que significa – se escondem assustados, as bocas estão fechadas. Os peixes se escondem, o desejo de Joãozinho é satisfeito, como provam suas pernas frouxamente arqueadas e o pedacinho da mão que ainda é visível, produziu-se a gravidez, os peixes como fruto masculino se ocultam na água do ventre materno. – Estranho é também o nove, resultado da soma dos três trios de pássaros e peixes: nove é o número da gravidez, dos nove meses que o uso corrente considera a duração da gravidez. Finalmente, deparamo-nos mais uma vez com um gracejo do inconsciente: nas duas vezes o falo Joãozinho é pintado entre as pernas de um seis, três pássaros, três peixes, três peixes, três peixes; o seis é desde sempre o feminino, o masculino é sete, cabeça, tronco, membros e falo, o feminino não possui falo, é o sete mau, o seis. Nessas gravuras não aparecem mais símbolos do sêmen, ele é usado para a fecundação.

Enquanto na quarta gravura a pasta está meio afundada na água – a ligação entre mãe e filho ainda é muito estreita no tempo da fecundação –, na quinta ela se afasta boiando, enquanto Joãozinho aos poucos emerge da água: a criança cresce no ventre da mãe. Os três peixes se voltam para a mesma direção que o rapaz meio emerso, fazem parte da criança, não do Três formado pelos dois homens e pelo meio poste, que como parteiros já indicam, pela posição ajoelhada ou agachada, ou pela bissecção do poste, seu papel relativamente neutro frente ao Eros.

Na última gravura a pasta boiou para longe: aproxima-se a situação edipiana, teve início a luta de Eros e Anteros pela mãe. Mas o masculino cresce com vigor, os peixes se levantaram da água a meias e com bocas bem abertas fixam Joãozinho.

No essencial, parece ao autor que a estória de "Paulinha" gira em torno da mesma pergunta: quais as forças que motivam a mulher? – A primeira gravura insinua, nas patas levantadas dos gatos, o papel do masculino, e a trança também faz parte do simbolismo do masculino, mas principalmente o braço esticado da menina. No entanto, mesmo esses símbolos se acham impregnados do feminino: a escolha dos gatos já é significativa, e no caso são dois, não um ou três. A trança é claramente masculina, mas já se observa nela que, estando tudo às costas de Paulinha, tudo se torna passado rapidamente. Isso é compreensível no caso do eterno feminino, pois somente o presente pode ser eterno, nem o passado nem o futuro têm eternidade. Seu braço estendido vai pegar o isqueiro, a caixa, símbolo da mulher, que se encontra em cima da cômoda – igualmente símbolo da mulher. Na mão Paulinha segura a boneca, símbolo da criança e do brinquedo, mas já na gravura seguinte a boneca é jogada para trás de Paulinha, para o passado, a caixa virou, a cômoda está meio desaparecida. Os gatos, o sensualmente feminino, são enfatizados pelas duas patas levantadas. Na terceira gravura, Paulinha pegou fogo, mas o fogo está atrás dela, a mulher não pode gozar do jogo do amor da mesma forma que o homem, o parceiro não tem nada a ver com o fato, e mesmo que o fogo a devore, ela não o goza. Na última gravura, do masculino somente restou o laço dos cabelos, a possibilidade de usar o homem novamente para adorno da mulher e para o jogo, mas os gatos sobrevivem ao fogo, e diante do montinho de cinzas que representa Paulinha dois rios de lágrimas provenientes dos gatos circundam dois sapatos vermelhos, os sapatos do amor, símbolos femininos no símbolo da gravidez. O feminino permanece. E agora, por fim, um detalhe: bem escondido, na parte de baixo da gravura, está sentado sobre a grama o rato, o macho, mas no tronco da árvore que liga as duas figuras sobe um segundo ratinho: O eterno feminino o atrai para o gato no alto.

Quando se reflete sobre o que é contado em *João Felpudo*, vemos que são coisas que não se aprendem, mas também que fazem parte tanto da vida infantil quanto da adulta. Somente uma pessoa insensível pode achar que pentear e escovar os cabelos não é uma coisa desagradável. Na maior parte das vezes, os adultos o fazem de forma tão desajeitada e rude que não admira que as crianças se defendam e gritem. É para as crianças uma prática tão infame quanto assoar o nariz, que é a coisa mais abominável que a criança experimenta. Só posso recomendar às mães que reflitam no que causam aos filhos quando não têm qualquer consideração pelo narizinho. Sei por experiência própria o quanto isso é doloroso. O que vale para o assoar do nariz também é válido para o pentear e, em menor grau, para o cortar das unhas. O cortar das unhas não é em si tão doloroso e maligno quanto o puxão dos cabelos; mas atrás disso se esconde outra coisa: o medo da tesoura, do ato de cortar. Voltarei a esse problema quando analisar a história do Garoto Chupa-Dedo*. O assunto merece men-

---

* Em alemão, *Daumenlutscherbube*, mais uma estória de *João Felpudo*. (N. da T.)

ção, porque é possível observar que toda criança tem medo de cortar as unhas. Não dói, mas elas gritam. Só pode ser o medo de que se lhe corte a ponta do dedo. Pela estória do Garoto Chupa-Dedo é possível deduzir a origem desse medo. É o receio da castração, que desempenha um papel tão importante na vida humana. – Na história seguinte, "O Malvado Frederico"*, descreve-se outra característica humana que todas as crianças revelam ter: a paixão pela destruição e pelo bater, o que se entende atualmente pelo tolo nome de sadismo. Não se trata de uma má-criação das crianças que é produzida artificialmente, mas tem origem em fontes observáveis em todo o mundo: é o que distingue a estória de Frederico e, com poucas exceções, todas as estórias de *João Felpudo*. Lê-se em "O Malvado Frederico": Frederico era raivoso, estava sempre furioso! Caçava as moscas na casa e lhes arrancava as asas. Chutava cadeiras, pássaros matava, e aos gatos grandes sustos dava. E veja só o quanto era mau, até na Margarida batia de pau. – Olhando-se a gravura, nota-se a mesma coisa que na vinheta do título. Em ambas o menino é retratado de pernas abertas. Além disso, os Senhores podem ver que ele tem uma gaiola vazia, um pássaro morto jaz entre as suas pernas, e ao seu lado há um galo morto. São símbolos tão óbvios quanto é possível imaginar, devido ao significado simbólico do pássaro, da gaiola, do galo; e a significação dos animais mortos é que toda a constituição do sádico típico tem algo que pode conduzir ao complexo de impotência. Entre as causas da impotência o sadismo da morte é um dos elementos mais importantes. O que eu tratei nesse aspecto, em homens e mulheres, revelou ser uma conseqüência do conflito entre a inclinação sádica e a moral. Quanto maior for a profundidade do recalque dessa chamada tendência perversa tanto maior será a certeza de uma incapacidade no intercurso sexual. – O gato jaz embaixo, abatido por uma pedra: novamente um símbolo da impotência. Ao lado, Frederico pula de uma escada. A escada se repete com mais ênfase embaixo. Todas as vezes ela é inexplicável e somente adquire algum sentido porque significa um simbolismo que não preciso explicar com maiores detalhes. Os Senhores sabem que o subir da escada contém um simbolismo sexual, significa o coito e se repete em sonhos, nas obras de ficção, em desenhos e símbolos de amor dos deuses primitivos, os Senhores encontram a escada em todo lugar. – Vem em seguida a estória do cachorro que bebe do poço. Também essa contém algo que diz respeito especialmente à vida infantil. Se os Senhores pensarem na vida infantil, verão que existe uma série de brincadeiras que são privilegiadas. Nelas o poço tem um papel preponderante. Isso deriva do ato de urinar, um fenômeno que sempre espanta a criança e que para nós, adultos, não tem nenhuma importância, como se não significasse nada. A criança que assiste,

---

* Em alemão, *Der böse Friedrich*. (N. da T.)

ingenuamente, à transformação do líquido branco do leite em líquido amarelo deve achá-lo tão formidável quanto o milagre da mudança da água em vinho. Nós, adultos, somos tolos demais para compreender o fenômeno e interessar-nos por ele. Se os Senhores tentassem analisar os milagres do Novo Testamento com relação à gênese e à sexualidade, iriam comprovar que são uma versão poética daqueles eventos naturais que nós, adultos inteligentes, não mais consideramos dignos de reparo, mas que propõem enigmas à compreensão primitiva daqueles que mourejam neles. – Ao lado do poço está um cachorro. Já disse anteriormente que ele é o guardião e protetor da casa e, por isso, adquire um simbolismo como imagem do pai; que da mesma forma que ele late, o pai tem uma voz rouca e profunda – em contraste com a mãe – que se funde com a palavra tonitruante de Deus, com o trovejar da ira. A mordida do cão, em suas particularidades, também conduz ao pai. Todos os Senhores já devem ter observado que os pais, pai e mãe, têm o hábito de brincar mordiscando os dedos da criança. Esta leva o dedo ao encontro do adulto, que o apanha com a boca. Quanto à mãe, a criança a conhece bem demais, nada tem de aterrador; mas, o pai tem algo de perigoso, especialmente se usa barba cerrada; dessa forma, os dentes são menos visíveis, a barba esconde algo de misterioso no seu rosto, e o medo dele é mais compreensível, sem mencionar que o respeito que leva à idéia de Deus se refere mais ao pai que à mãe. Se os Senhores levarem em conta o obsceno, o cabeludo, nos pêlos, nos cabelos da cara do homem, não é de admirar que o cachorro seja o símbolo do pai. A criança deve ficar impressionada com o fato de o cachorro morder o malvado Frederico depois que este o mordeu, embora ela não consiga perceber o simbolismo. Não é preciso que ela o compreenda, é natural nela e produz comoção sem que haja compreensão. A lógica da razão só aparece muito mais tarde na vida. Se os Senhores observarem ainda o quanto é estranha a postura do cachorro e das pernas de Frederico, podem tirar daí novamente uma série de conclusões que são importantes. Por exemplo, o motivo por que o boné lhe cai da cabeça, o chicote lhe cai da mão quando ele quer bater, por que este está no início rigidamente esticado e depois se abate. Na página seguinte, os Senhores vão encontrar de novo uma escada sem qualquer motivo; ela conduz à cama onde está deitado o menino que foi mordido na perna e que, tocando-nos de modo muito estranho, recebe um remédio para a perna doente. Mas essas coisas se tornam compreensíveis pela força de atração que têm sobre a criança; se lembrarmos que também os meninos têm a idéia de que poderiam ter filhos. Meninos pequenos, entre 3 e 6 anos, não estão totalmente certos de que não podem ter filhos. Brincam com bonecas, sentem prazer nisso e ainda não chegaram a descobrir as reais diferenças de sexo. Na idade de 3 anos é que surge a prática, ignorada pelos adultos, de se convencerem da existência ou não de diferença entre o homem e a mulher, da sua insuperabilidade ou não, ou de ser apenas um atraso da mulher no crescimento, ou de ter tido o membro cortado. Isso nos conduz ao Garoto Chupa-Dedo. Em todas as crianças está presente a idéia de que brincar com os órgãos sexuais traria a conseqüência de serem estes cortados e, assim, produzir-se outro ser, que não é igual ao menino formado ou ao homem. Em *João Felpudo* essas coisas têm a sua elucidação em quase todos os poemas. Já chamei a atenção para o cortar das unhas. Em "O Malvado Frederico" isso se revela principalmente no fato de ser o chicote levado pelo cachorro. O pai é apresentado à criança como o anjo punitivo, o vingador. Quando um menino brinca com seu pênis, a ameaça diz que o pai ou o doutor irá cortá-lo. O doutor aparece na história não sem uma razão explicável. A idéia se torna ainda mais clara nos versos finais: o cachorro se sentou na mesinha, onde Frederico comia o grande bolo; comia também o bom chouriço e bebia o vinho para matar a sede. Trouxe consigo o chicote e o guarda com muito cuidado. – São coisas que só adquirem para o adulto o seu significado mais profundo quando ele se lembra do que se pode tratar. Bolo, chouriço, tudo isso leva novamente à mãe. Dela a criança recebe o alimento, é ela que lhe prepara tudo. Desses prazeres que na verdade lhe são destinados se apropria o cachorro, que na realidade é o pai. Nessa estória se introduzem novamente coisas que estão ligadas às idéias de incesto, que se acham relacionadas intimamente com as nossas formas de doença e nossas formas de vida. O fato de Hoffmann ter tido a idéia de sublinhar o sadismo como causa de doença (bater no cachorro poderia ser atribuído a esse complexo) prova o quanto é importante o papel que a inclinação sádica desempenha na origem das nossas doenças; igualmente indicativa é a enfatização do poço e do ato de urinar. Que ambas as coisas têm esse sentido os Senhores poderiam ver por esse pequeno fato: ao lado da cama de Frederico é introduzida uma mesinha de cabeceira, ao lado aparece o penico. Além do poço é fortemente acentuado o complexo do urinar, que por sua vez está ligado à forte enfatização do complexo sadista.

O poema seguinte é a história do Mouro. "Passeava diante do portão um mouro tão preto quanto o carvão. Queimava-lhe a cabeça o sol, por isso ele pegou seu guarda-sol." Novamente o número três ocupa o primeiro plano. Ele já se encontra em Paulinha e está menos nítido em Frederico, por causa do doutor que lhe foi acrescentado. Na história do Mouro aparecem os três nomes: Gaspar, Luís e Guilherme; são nomes que provêm da sua própria família ou de conhecidos. Todas as crianças têm alguma coisa que sobressai: o topete, a pluma e a bandeira, a terceira tem no chapéu uma borla pendurada. Aqui também predomina a linha reta. Os braços aparecem rigidamente estendidos, e as pernas apresentam a postura rígida que é comum em livro ilustrado e é característica para a impressão a ser causada pelo livro. O prazer da ereção é extraordinariamente grande na criança pequena e tem um significado maior do que comumente supõem os educadores. Também os emblemas que são representados na mão das crianças, bandeira, arco e rosquilha, são facilmente compreensíveis e têm um significado sexual que me interessa, por causa do estado de ânimo do autor. As crianças não entendem esses símbolos, mas os sentem e os vivenciam. Para elas o arco é simplesmente uma mulher, um ser vivo. O trio de garotos (três é o número sagrado, e isso resulta do fato de o homem ser um *lingam*, ter três pernas – os dois testículos e o membro –), esse trio é enfiado no tinteiro, conhecido também dos Senhores como forte símbolo da vagina feminina, às vezes também empregado no sentido do inferno negro, profundo e escuro. No tinteiro os meninos são tingidos de preto. Já indiquei uma vez, anteriormente, que a cãibra na escrita é muitas vezes produzida apenas pelo uso do tinteiro. Pessoas que sofrem desse tipo de cãibra poderiam escrever facilmente com um lápis, uma caneta-tinteiro ou na máquina de escrever, mas o uso do tinteiro lhes é difícil, porque com isso se lhes torna mais claro o simbolismo do escrever. Na escrita com lápis há certamente o movimento, mas falta a ejaculação, um elemento essencial da satisfação sexual, que no uso do tinteiro vem à memória imediatamente. –

Vem agora a história do "Caçador Feroz", que pretende caçar uma lebre, deita-se ao sol e adormece. A lebre rouba-lhe os óculos e a espingarda e o afugenta com um tiro. Aqui gostaria de chamar a atenção também para o traçado das linhas. Novamente as linhas retas é que são características. Na arte a linha curva é considerada o fundamento da estética, e os adultos, mesmo entre os povos primitivos, preferem as linhas curvas. A criança tem uma inclinação pelas linhas retas, que indicam o que ela deseja, ou seja, tem relação com o desejo de ser grande, ser poderoso, ser o pai, a mesma coisa que o pai já é. Isso se evidencia também aqui no caso do caçador. É simbolizado o momento em que a criança faz troça dos seus pais. É um triunfo do menino o momento em que pode comprovar algum engano dos adultos. Mais tarde não ousará zombar do pai com tanta razão. Como toda criança pequena, ele troça especialmente do pai. Mais tarde ele o substitui pelo professor. Origina-se dessa idéia a estória da lebre que atira no caçador. A coisa fica ainda mais acentuada porque a lebre é escaldada pela xícara de café que a mulher deixou cair das mãos. A lebre representa o rapaz, que é muito mais hábil que o adulto. A mulher do caçador é a mãe, que rebaixa o garoto à sua pequenez, lembrando-lhe que não passa de um moleque pequeno, ainda sujeito a vara. Depois desse quadro onde a mãe ocupa o primeiro plano mediante a xícara de café, ela retorna ao primeiro plano no "Garoto Chupa-Dedo". Não se trata de acaso. O Chupa-Dedo é a estória da castração. Toca aqui no sentimento do incesto. Traz à lembrança o estranho fato de que falta à mulher algo que o rapaz tem, e de que o menino sempre tem medo de se tornar mulher, de se tornar impotente. Para provocar esse medo, não é necessário que algum dia se tenha mencionado diante da criança a palavra "castração". Esses fenômenos já são dados, devem ser inatos no homem, chegam junto com ele ao mundo como atributos seus, mais ou menos como o sentimento de poder que cada um traz consigo, ligado ao sentimento de culpa e à angústia que o acompanha em surdina. O fato de Hoffmann ter escolhido o ato de chupar o dedo como tema mostra de forma muito clara a sutil organização de sua mente. Toda a psicanálise parte do fenômeno chupar dedo. Vinte anos antes de Freud, um médico húngaro reconheceu o fato (significado) chupar dedo; nisso Freud progrediu muito mais do que em qualquer outra coisa. Somente o chupar dedo propicia a compreensão sobre a conexão entre alimento e amor, entre fome e amor. Que ambos regem o mundo já é estória velha. Do fato de os bebês sugarem no seio da mãe origina-se uma cadeia de outros fenômenos que, afinal, levam ao próprio ato sexual; deles faz parte também o sugar no dedo. A princípio, ele é o substituto para o sugar no seio materno, que proporciona satisfação ao mesmo tempo da fome e da sexualidade da criança. O sugar no dedo dirige a atenção para o membro sexual masculino e para o amor do órgão sexual feminino. Para designar a boca é usada a mesma palavra que designa o órgão sexual feminino, e o dedo é concebido como o símbolo do membro masculino, que está sendo introduzido na boca da mãe. Além disso, quero lembrar-lhes o Pequeno Polegar, o dedo de Deus que tão significativamente é uma ameaça em todos os campos etc. O fato de ser uma tesoura, com que se podem cortar os polegares, tem também significado. A tesoura é uma clara simbolização da mulher. E assim chega-se à transição, de ecos místicos, da impotência e castração, e ao fenômeno segundo o qual mediante o coito ocorre uma castração, no amor está implícita a destruição, um tema que se pode seguir de perto em camadas religiosas, na combinação de morte e amor, na semelhança, que reina entre ambos, que leva à sepultura, às entranhas da terra e ao enterro no regaço da mãe. –

A história seguinte é "Gaspar da Sopa", o menino que não quer comer a sua sopa. É uma má-criação que ocorre diariamente na vida da criança, tanto quanto o é troçar do negrinho ou chupar o dedo, e que tem o seu castigo no fato de a criança que era gorda emagrecer aos poucos e ser finalmente levada à cova. Em cima do túmulo é colocada uma sopeira tampada. Os Senhores não estão errados se acreditam que no "Gaspar da Sopa" se encontra igualmente uma formulação inconsciente dos fenômenos do sexo masculino e feminino. Gostaria de aproveitar a ocasião para frisar que as crianças não aprendem as más-criações nos livros ilustrados. Também não é correto, quando a criança não quer tomar a sua sopa, passar por cima desse fato sem mais discussões, usando apenas a palavra má-criação. Há um número infinito de razões que tornam essa ou aquela sopa insuportável para a criança, e seria mais racional que os pais dedicassem sua atenção ao fato. Iriam aprender algo que seria muito importante para a sua própria saúde: a educação é coisa secundária. O importante é a compreensão da própria pessoa. Não subsistiriam muitos sintomas de doença se fosse possível ensinar ao ser humano uma compreensão de si mesmo. Não se deve ater-se às representações da infância, mas tentar progredir. –

Em "Felipe Inquieto" destacam-se novamente os fenômenos sadistas, bem como uma porção de coisas engraçadas. "E a mãe, toda muda, lança seu olhar à mesa toda." O pai é a parte que age. A inquietação é o membro masculino. O balançar-se das crianças na cadeira leva ao balanço em geral, às diversas sensações no movimentar-se pelo ar, que são tão compulsivas que todas as crianças se agitam nas cadeiras. Ninguém se dá ao trabalho de descobrir a razão dessa agitação. Não é compreensível que nas crianças todos os fenômenos sejam considerados inatos. Se se pesquisar, vai-se descobrir que neles se escondem fenômenos sexuais; disso o nosso século não quer saber. Nas ilustrações que acompanham essa estória são interessantes os diversos emblemas: uma garrafa de vinho e um presunto, no outro lado peixe e salsicha; objetos compreensíveis ao primeiro olhar. Na segunda página aparecem como enfeites maçãs, um cacho de uva, cereja e pêra, o bule de café, a xícara e um pedaço de pão com uma forma muito estranha. E finalmente as duas varas que estão penduradas dos dois lados. Também aqui é enfatizado o número três e as linhas são ressaltadas de modo notável, enquanto a curva é evitada. –

No final, temos a história de "Roberto Voador", o menino que sai para passear com o guarda-chuva. A forma da nuvem é estranha e a maneira como o vento passa por ela e o fato de ao lado se encontrarem uma torre de igreja e uma igreja. Quanto mais clara for a maneira de retratar a nuvem, com mais evidência ela assume a forma do membro masculino. Estranha também é a água, a chuva, todo o complexo de urina que é apresentado nessa história. – Com *João Felpudo* gastei, não sem razão, uma hora inteira, não só porque ele contém uma coleção inteira de todos os fenômenos e símbolos sexuais, mas porque o livro produz um grande efeito, é querido de modo geral, portanto os fenômenos da análise tratados até a exaustão e até a náusea devem ter, apesar de tudo, uma grande força de atração. Em *João Felpudo*, como em nenhuma outra obra, se revelam a pintura e a poesia inconscientes. Não o esgotei em minha análise. Os Senhores poderiam descobrir em cada ilustração muito mais do que interpretei. Se os Senhores acreditam que lhes impingi alguma coisa, nada tenho a dizer contra isso e fico contente por ter-lhes impingido algo. A análise desse livro é útil por causa das experiências pessoais que cada um teve isoladamente. *João Felpudo*, com todas as suas ilustrações e seus versos, é mil vezes mais importante para a saúde dos Senhores do que a luta contra todos os bacilos e todas as teorias do mundo, e valeria a pena repetir a sensação que os Senhores experimentaram com *João Felpudo* na infância e retransportar-se ao ambiente daquela época. Não é coisa muito difícil, e o resultado é habitualmente bastante favorável.

Parte IV

Símbolo

Nunca foram da índole de Groddeck as discussões teóricas que não emanam diretamente da evidência concreta e nela deságuam; e isso tanto menos quanto mais velho se tornava. Em *O Homem como Símbolo* só ressalta a questão incidentalmente: O que afinal se deve entender por símbolo? Símbolo significa "não a semelhança entre duas coisas, mas antes duas coisas se confundem no símbolo"– até aqui tudo bem, tendo como base inicial o significado da palavra – mas a seguir vem: "Elas são idênticas". Esse conceito de símbolo não considera a dimensão vertical, do inconsciente para o consciente, que, apesar de tudo, é decisiva para a construção de símbolos. Na verdade, a definição de Goethe no ensaio sobre Shakespeare já previne contra uma simplificação tão extensa da relação do símbolo: "Uma ação importante, que insinua uma muito mais importante" (p. 59). Por conseguinte, um desenvolvimento ou aprofundamento dentro do inconsciente, como se pode analisar *a posteriori*. É sugerida a mesma coisa no *Livro d'Isso*, segundo o qual o símbolo é "a representação de um processo interior"; o aditamento, "uma peça de teatro do Isso", torna claro que se trata de um processo visível no palco da vida, que aponta para o correspondente processo no inconsciente, invisível, de modo nenhum idêntico. Enquanto a filosofia escolástica amplia o conceito de analogia, levando-a de mera relação de igualdade a uma relação de semelhança, e com isso assenta a base para seus conhecimentos mais extensos, Groddeck toma o caminho inverso. O seu conceito de símbolo não traz benefício ou dano ao colorido e à vivacidade de suas exposições sobre *O Homem como Símbolo*.

Na falta de um texto teórico, escolheu-se o manuscrito de uma conferência antiga, na qual Groddeck tenta uma clarificação básica dos problemas colocados pelo símbolo. A sua primeira parte pode valer como um preâmbulo a *O Homem como Símbolo*. Foi proferida em Baden-Baden, na época em que Groddeck manteve contato, pela primeira vez, com a moderna forma de arte do expressionismo (01.05.1918). O simbólico é demonstrado primeiramente num poema: "O efeito poderoso que esta absurda idiotice produz, e o estranho modo como uma associação de palavras afeta". Por conseguinte, o símbolo como florescência oriunda das raízes profundas no inconsciente. Depois, Groddeck interna-se na pintura. O seu propósito é mais bem ilustrado pelas pinturas recentes de Picasso do que pelas obras da época. Sobre um corpo feminino, que é escavado medusamente como um cadáver submerso no fundo do mar e depois é impelido à superfície pela evasão de gases, Picasso coloca uma cabeça abstrata (ilustração 2), portanto, novamente uma generalização, uma tipificação, não diferente da realizada no caso da "mancha de cor" impressionista (p. 63). Isso é arte moderna simbólica, como parece entender Groddeck. Embora a relação consista apenas na situação semelhante da consciência, um quadro de Kandinsky representa o pequeno Isso emergindo do inconsciente, que, segundo *O Livro d'Isso*, "na verdade não existe". À sua composição abstrata Kandinsky chamou *Pequenos Mundos*, da mesma forma que Groddeck, em *O Pesquisador de Almas*, batiza o seu herói quixotesco de Weltlein (Mundinho): por trás de um véu de confusos arabescos acredita-se reconhecer um rosto humano, com olhos arregalados ao mesmo tempo de pavor e arrogância, de modo nenhum seguros da própria existência (ilustração 3).

Groddeck continua tateando, com a ajuda de uma figura que lhe é especialmente familiar, Margarida. Para ele Margarida não é nenhuma ingênua, como a preferem representar e como é imitada pelas donzelas alemãs. Tenha ele razão ou não, o fato é que, com esse exemplo, Groddeck tem consciência da diferença entre o estilo de criação do poeta, que em Goethe em todo caso é ingênuo, e o estilo de vida de suas personagens. De passagem menciona que, em comparação com a Margarida do *Fausto*, a Clarinha de *Egmont* seria uma verdadeira ingênua. Dessa comparação resulta que, inversamente, a ingenuidade de Clarinha também não é a ingenuidade de seu criador; que, de modo geral, uma vida e criação nascidas das profundezas do inconsciente não deveriam ser expressas de modo a que as criaturas tragam em si mesmas as marcas de sua origem obscura. Não existe entre os conteúdos representados de uma obra de arte, o seu conteúdo de símbolo e o modo de representação oriundo da personalidade do artista uma relação tão simples como fora pressuposto em *Tragédia ou Comédia?*, onde a obra de Ibsen – e com isso o conceito groddeckiano de tipo, a partir do qual se desenvolveu organicamente o seu conceito de símbolo – era relacionada diretamente com os contornos difusos das figuras na pintura impressionista (p. 63). Aí, o estilo impressionista, portanto simbólico, era contrastado com as Madonas de Rafael; no entanto, em *O Homem como Símbolo*, é sobretudo por meio das obras do mestre da Renascença que Groddeck justifica o simbólico. Falando de modo geral, o símbolo é o correlato, no inconsciente, das coisas do mundo cotidiano, e vice-versa; e somente quando essa raiz ainda recebe a seiva vital é que pode ser realizada uma genuína obra de arte. De novo é o teórico da pintura "abstrata", Kandinsky, que lhe presta ajuda; do mesmo modo, quando fala de desenhos infantis com expressões que poderiam ter saído de um compêndio de psicanálise. Na verdade, com essa vivacidade e calor, isto deveria ter sido escrito por Groddeck: A criança tem, "além da capacidade de ignorar o exterior, o poder de revestir o interior restante de uma forma em que ele vem à tona e atua com força máxima. Uma enorme força inconsciente da criança" – e, como é lícito acrescentar, dos grandes mestres do passado. É isso, portanto, o que os cavaleiros azuis procuram, da mesma forma como o procuraram os primitivos.

As criações "expressionistas", "arrancadas" indiscriminadamente da profundeza do inconsciente, são para Groddeck "matéria-prima e um amontoado de rochas empilhadas", e em matéria de símbolo os mestres da Antiguidade nada lhes ficam devendo. Assim, para provar o caráter simbólico da imagem humana, ele prefere Cranach, Rembrandt, Sassoferrato, Dürer, Michelangelo, Jan Steen, Memling e David de Heem. Para ele também os pintores mais modernos não vão buscar o significado simbólico em suas pesquisas de lendas e folclore, mas diretamente em seu próprio inconsciente.

O exemplo básico da relação simbólica remonta novamente à primeira linha de idéias sobre "deus-natureza"; é igual à relação da parte com o todo e vice-versa: "O homem é o símbolo da cabeça e a cabeça, o símbolo do homem". Esse simbolismo esquemático de superfície é esboçado no primeiro capítulo, que se apresenta como complemento do *Livro d'Isso*, publicado dez anos antes, e com toda a razão pode ser intitulado "Do Isso". Esse simbolismo retorna outras vezes nos capítulos seguintes. As tríades, que aparecem regularmente na observação dos fenômenos da vida, são adaptadas ao esquema dualista, de forma que os três membros são conduzidos, por pares, à identidade: "mulher-homem – homem-mulher, criança-homem – homem-criança". Do mesmo modo, "espírito-alma" e depois "sopro e alma-espírito" são simbolicamente a mesma coisa, ou seja, um é o símbolo do outro. "Alma espiritual e corpos são formas de manifestação do isso", que sempre usa ambas as funções simultaneamente. Aqui Groddeck pisa o solo firme da sua experiência médica, que expôs no estudo já mencionado, "Condicionamento Psíquico e Tratamento de Moléstias Orgânicas pela Psicanálise": "Corpo e alma espiritual são a mesma coisa", um é símbolo do outro. O que empresta cor e profundidade a esse esquema são as análises das obras plásticas, especialmente as pinturas, além, é lógico, das análises de palavra de que já tratamos (p. 112), das interpretações ocasionais de contos como o do "Pequeno Polegar", ocasião em que, resumindo mais uma vez, chama-se a atenção para "a relação simbólica mútua das partes do corpo e da parte com o todo". Quatorze dessas pinturas são entretecidas no texto e acompanham o livro como ilustrações. Oito delas são tratadas num texto volumoso, escrito à máquina e não-datado: "Do Inconsciente na Arte Plástica"; o texto contém, além disso, um número considerável de análises não-incluídas no livro. Aparentemente, trata-se de um esboço, do qual se fez uma seleção posterior para publicação e que foi, por outro lado, ampliado.

Das nove pinturas que fazem parte dos capítulos publicados a seguir foram excluídas de antemão aquelas que toda pessoa culta conhece. Para o último capítulo foram escolhidas as duas naturezas-mortas com o ninho de pássaros, por causa do seu correspondente simbolismo, contrastantemente surpreendente, deduzido por Groddeck.

Ambos os quadros referentes ao capítulo 1 ilustram a trindade do homem pleno: homem-mulher-criança. A análise da *Vênus* de Lucas Cranach enriquece a relação esquemática do símbolo com a característica da eterna virgindade da mulher que ama. Na *Anatomia do Doutor Tulp* de Rembrandt, ao simbolismo horizontal ainda provisório, no sentido da definição introdutória, junta-se a passagem do tempo como nova dimensão: "Os diversos estágios do destino do homem masculino". A ele se refere o capítulo 2, que se intitularia "Do Homem", o "ser pensante", com o que se prepara a identidade simbólica corpo-alma espiritual. No quadro *As Três Idades da Vida*, de Sassoferrato, volta-se a falar da componente temporal. O capítulo 3 também se apresenta como transição; trata principalmente "Da Mulher", tal como é personificada no quadro de Dürer, *Maria com a Coroa de Estrelas*. Dá a Groddeck o ensejo de mais uma vez tirar da profundidade de sua compreensão especialmente a natureza da mulher. Completa-se aí a identidade corpo-alma-espírito. No quarto capítulo, a metade do livro, parece inicialmente que o autor está marcando passo: "Anão e Gigante" parecem fáceis de ser interpretados em seus diferentes aspectos. É interessante observar que a passagem do tempo, transformada em mármore no grupo de *Laocoonte*, tal como se costuma interpretá-lo mediante o ensaio de Lessing, se inverte na análise da profundidade: o menininho não é vítima da futura mordida da serpente, mas símbolo da excitação que está apenas começando; e o rapaz que está morrendo da mordida venenosa é o seu estágio final, e o futuro corresponde à relação etária. A partir de tal contexto anedótico o capítulo toma maior desenvolvimento com a *Criação do Homem* de Michelangelo, o que nos proíbe de privar o leitor de seu texto completo, enquanto os dois capítulos anteriores, no sentido da presente seleção, poderiam ser considerados uma transição. Groddeck tentou, em diversos escritos e conferências, uma interpretação da "obra pictórica mais magnífica do mundo". Em *O Homem como Símbolo* ele ofereceu mais uma vez uma daquelas formulações que "são como o sol em seu nascimento", que ele tanto amou em seus anos de juventude: "Este homem cria-se a si mesmo: ele vê e através do ver ele vive". A interpretação de *O Médico* de Jan Steen, no sentido do conceito de "transferência" familiar ao psicanalista, representa, em face disso, um anticlímax de amável profissionalismo.

O manuscrito "Do Ver", a que já aludimos anteriormente, fundamenta com o seu terceiro tema, "Do Ver sem Olhos", aquilo que, em *O Homem como Símbolo*, era intuitivamente conhecido na pintura de Michelangelo. Na origem disso se encontra a convicção de Groddeck acerca da importância preponderante da experiência pré-natal: "Que o ver não se produz somente após o nascimento, mas que já se vê no ventre materno – que o ver já existe e cria para si o olho". A função cria o órgão e é às vezes conservada, mesmo quando o órgão deixa de existir. Groddeck prova isso com a experiência de crianças que se tornaram cegas e que como expressão fisionômica reproduzem no sonho o que experimentaram acordadas pelo tato. O olho é símbolo da mãe, do feminino em confronto com o mundo dos objetos. A pupila do olho, a "bonequinha", *kore* em grego, corresponde à "pupila do mundo", *kore kosmou*. O fato de Groddeck ter-se ocupado mais profundamente com o texto hermético que recebeu esse título ter-lhe-ia proporcionado a convincente confirmação da concepção groddeckiana: os homens são punidos por seus pecados de modo que a divindade os impede de ver sem olhos mediante a interposição do aparelho ótico. Em contrapartida, o objeto que é visto envia, segundo Groddeck, os seus raios para dentro do olho como o princípio masculino, "a retina é fecundada". Por conseguinte, no caso normal, existe uma ação recíproca. Somente no caso excepcional, como no do inato, da criança que cegou, do "vidente" tipicamente imaginado como cego, é que o processo de ver ocorre exclusivamente de dentro para fora. Só excepcionalmente, portanto, é válido desde o pecado original o verso altivo do místico hermético-órfico:

Com o brilho olhamos, mas com os olhos nada vemos.

É significativo, nesse contexto, que Groddeck tenha tido como paciente um dos videntes mais bem-dotados de sua época.

Os dois capítulos seguintes de *O Homem como Símbolo* servem novamente de transição. Quando se lê, no início do capítulo 5, que o infantil faz parte do conceito de humano como terceiro componente, poder-se-ia supor que, no capítulo anterior, se tivesse tratado principalmente da mulher. Mas não foi o caso. Na verdade, em tudo e por tudo, a mulher em seus diversos aspectos domina a obra de Groddeck em todos os tempos e em todos os textos. Não só o grande símbolo de todas as mulheres individuais, como expressara aquela "simplória mulher sábia" (p. 107), mas da vida em geral; todavia, na disposição do presente livro, apesar de termos fixado aqui aquele *aperçu*, o feminino não ocupa a posição central. As observações sobre o capítulo "Da Criança" são fundamentadas principalmente em associações de palavras, até mesmo no "Eia popeia"*. Derivando de uma canção grega de ninar, Groddeck troça da lei de mutação consonântica como recurso etimológico, a qual, se for aplicada mecanicamente, agrilhoa a livre associação. Mas o autor de *Ekkehard*, de onde provém a anedota, talvez já não tenha levado muito a sério essa derivação. – Somente quando o capítulo passa a estudar a "única simbolização perfeita do homem" é que se produz a sua análise da pintura: a *Virgem com o Menino Jesus* de Hans Memling. O capítulo 6 recapitula a trindade homem-mulher-criança e a conduz, no conceito de indivíduo, à unidade. Surge aqui a derivação do sexo de *secare*: homem e mulher são uma unidade "cortada" do homem pleno, perfeito em redor, segundo o mito do *Banquete* de Platão. O conceito de indivíduo, do ainda "não cortado", é sotoposto ao tema original do capítulo: "Da Personalidade". Groddeck deriva a palavra *persona* do *phersu* etrusco, isto é, máscara. Os caminhos estranhamente tortuosos da linguagem: A etimologia escolástica interpreta *persona* como *personat*, algo "soa através", através de um intermediário. Certamente, Groddeck pensou nos versos de "Primavera Olímpica", que ele tanto apreciava, segundo os quais uma onipotência má de proveniência estóica torce todo som humano do amor no seu contrário:

Um coro de máscaras mil vezes horrendo,
No qual se perdeu o saltério sagrado da alma.

A outra interpretação da escolástica, *persona* como *per se una*, "essência do um", forma máxima de tudo o que existe, é exatamente o que Groddeck não deseja, que reprova na pretensa personalidade individual como arrogância. Novamente a referência a Goethe: a felicidade suprema dos filhos da terra não é, mas "seria" a personalidade. As duas análises de pinturas desse capítulo se referem convenientemente ao *Pecado Original* de Dürer e, como complemento da *Criação do Homem*, à *Criação da Mulher* de Michelangelo. O capítulo 7 é também reproduzido no todo. Trata "Do Viver e Morrer", do todo da vida. Aqui as análises de quadros se atropelam; mais de um terço dos anexos de página inteira são agregados a esse capítulo. É como se Groddeck

---

* Forma alemã de ninar, conhecida popularmente. (N. da T.)

quisesse recolher ao celeiro enquanto é tempo toda a colheita de seus profundos discernimentos.

No entanto, o ponto alto da análise pictórica de Groddeck, a interpretação simbólica da *Madona Sistina*, não foi incluído no último livro. A interpretação da figura humana ereta como símbolo fálico retorna de maneira mais ou menos aberta neste livro, do mesmo modo que em conferências anteriores. É patrimônio comum do folclore a adoração do *lingam* como símbolo de fertilidade, amplamente difundida nos cultos orientais. Será a simples idéia ofensiva ao pensamento ocidental? – Em Groddeck ela se transforma na chave para uma compreensão mais profunda da obra de arte. Seria o caso de escandalizar-se apenas porque se olha no fundo das coisas? – É escandaloso dizer que o cogumelo cresce no estrume? Parece que somente numa refeição de omelete com cogumelos. – É a interpretação sexual da obra de arte por Groddeck importante pelo seu teor? – Quando muito, no contexto psicoterapêutico; mas é de importância fundamental que ele tenha demonstrado nas profundidades do inconsciente criativo um foco no qual o artista reúne os raios visuais oriundos do mundo dos objetos exteriores para projetá-los depois numa tábua ou numa tela como obra-prima em perfeita unidade, coesão, harmonia de formas e cores.

Para a *Madona Sistina* existem diversas interpretações. No início de uma conferência proferida, em 1930, em Baden-Baden, sob o título de "O Inconsciente nas Artes Plásticas", ela é colocada como símbolo, para cujo mistério um dos dois anjos chama a atenção com o dedo fechando a boca, ao mesmo tempo que, com a direção do olhar, insinua a solução oculta aos olhos humanos: "O ser humano não é homem, nem mulher, é um homem-mulher, ou uma mulher-homem – não é homem nem criança, é homem-criança". Mas Groddeck faz sondagens mais profundas, com relação à interpretação fálica da figura ereta, abrange o penteado, as vestes, as figuras secundárias, o plano de fundo; ao pé da figura da madona o par de cabecinhas de anjo, simétricas, mas não totalmente, uma um pouco mais no alto do que a outra, e por vezes ainda mais minuciosos o véu que esvoaça, o manto, a cortina partida. Isso só aparece impresso no *Pesquisador de Almas*, pela boca do bobo Thomas Weltlein, que diz tudo o que lhe ocorre e, por isso, ninguém o leva a sério. Fora isso, só num círculo restrito é que Groddeck retornava ocasionalmente ao problema. Na verdade, ele às vezes experimentava um prazer infantil em chocar as pessoas; mas dificilmente no caso da madona. Ele mesmo era, à sua maneira, um admirador da mãe de Deus e já a colocara, em conferência anterior (18.01.19), no centro do problema da mãe e dizia, ao falar do caos generalizado que seria de esperar: "A adoração da mãe de Deus se salvará".

Terá a análise que fez Groddeck da *Sistina* estragado o prazer para o amador das belas-artes? Por certo, o botânico que disseca uma planta precisará de um esforço meditativo especial para que possa voltar a deleitar-se com a sua forma, cor e aroma num entendimento algo mais profundo. Por acaso Groddeck ridiculariza o admirador da Madona? – Porventura será uma figura ridícula o suíço que, na *Retirada de Marignano*, repete mais uma vez o movimento cem vezes executado de levantar a alabarda para, num último alento, defender a bandeira da cruz branca, porque este símbolo muito antigo e venerado do Ocidente pode ser chamado, com um interesse simplesmente material, de "trapo de pano"? – Para Groddeck, a "matéria-prima" da obra de arte autêntica encontra-se no inconsciente; na bandeira, é evidente, o valor ideal está inversamente cada vez mais escondido. Com isso Groddeck destrói por acaso o fervor da pessoa religiosa? Que católico será impedido de aproximar-se da mesa do Senhor, por saber que, na comunhão, o pão é cozido no forno e o vinho é espremido no lagar, que o próprio ato sacrificial tem relação histórica com ritos sangrentos dos tempos antigos? – Afinal, será realmente uma blasfêmia relacionar o sagrado com funções e partes do corpo consideradas imencionáveis? – Então, também é blasfêmia a analogia com que a doutrina da Igreja tenta lançar-se ao mais alto: *Analogia proportionalitatis* é explicada, segundo o processo aristotélico, pela semelhança das relações do homem essencialmente sadio com o seu excremento "sadio" apenas enquanto sintoma.

Não se deve privar o leitor de uma interpretação pictórica de Groddeck especialmente preciosa: *A Melancolia* de Dürer. Nesse caso, o símbolo não é o homem como tal, mas uma das suas degenerações anímicas, e, numa encantadora inversão do conceito goethiano de símbolo, a incapacidade de agir. Aparentemente imposta a si mesmo, ela acentua o único agir importante do isso, no qual deve ser buscada a causa da sujeição patológica.

Para terminar, faz-se necessário deixar que fale o próprio Thomas Weltlein e defenda a intrigante imagem, traçada por Groddeck, de sua própria luta por um aprofundamento da compreensão da arte. "Thomas Weltlein" despe-se de seu nome civil e de outras ligações e, como um apreciador contemplativo, percorre o mundo com o devasso mas divertido pintor Keller-Caprese, emitindo juízos profundos e tolos numa colorida mistura. Dessa maneira colhe, nas galerias da Europa, suas estranhas messes de sabedoria. A visita à sala de Rubens, no Kaiser Friedrich Museum, em Berlim, fornece-lhe o ensejo de constatar que "toda criança pinta as suas fraldas e lençóis, e que se encontram aí as raízes de toda a arte". Ao deixar o museu, um dos saltos mentais tão característicos dele leva-o ao tema da *Madona Sistina*. Ambos visitam novamente o Kaiser Friedrich Museum; nessa ocasião desenvolve-se o memorável diálogo cujo teor, extraído do *Pesquisador de Almas*, do capítulo intitulado "Mais uma visita ao Museu, tão entediante quanto a anterior", encerra os textos sobre "literatura e arte" de Groddeck. Resta esperar que o leitor se lembre dos seus conhecimentos escolares de grego e não interprete erradamente a inexpressa confrontação entre a "má" e a alegre mensagem. Tal como os crentes das religiões orientais, Thomas venera no membro masculino um "mistério", o símbolo do poder de criação de deus-natureza. Assim, ele cresce além da simples existência "mundinho" e, por outro lado, com o próprio Groddeck e com cada um de nós ele permanece preso a ela. Sobre esse conhecimento "o Bobo junta reverentemente as mãos".

Expressionismo

Recebi uma carta que por enquanto não posso tornar pública, mas que me dá ensejo de me ocupar com o seu teor. Com referência à palavra "psicanálise", ela chama a minha atenção para o fato de serem fortes as relações desse método com todas as tendências modernas – coisas que alguma vez devem ser mencionadas. Ela sublinha que, no momento, se está dando muito menos importância à forma que à essência das coisas, e que se está tentando chegar mais perto da essência das coisas, que por isso mesmo se está processando em nossa tendência artística uma grande transformação. É apenas um indício, que quero dar, do motivo por que isso leva à questão que ocupa os jornais de estética, a questão do *Expressionismo*. Trata-se de uma expressão de arte, sob a qual cada um entende o que deseja entender. Talvez eu possa dar-lhes um exemplo; ele é da maior importância e, se os Senhores abrirem caminho por entre as frases iniciais, ficarão surpresos com o efeito poderoso dessa imbecilidade aparentemente absurda e com a aparência tão estranha das associações de palavras. A coletânea se chama "A Humanidade", de August Stramm. O título diz: *Chorando Gira o Espaço*. Certamente, um estranho absurdo, e no entanto de um efeito singular. Quando tentamos descobrir como realmente funcionam as associações, o nosso raciocínio muitas vezes esquece o que se passa com o poeta. É curioso que o todo esteja sendo ofertado como obra poética. Lembra a pintura de arabescos, que se tornou moda, a pintura simbólica, na qual tudo leva a pensar inicialmente que se trata de uma loucura total, mas em que, depois de uma observação mais demorada, não podemos defender-nos da estranha sensação de que ali existe algo que luta por expressar-se, que falta apenas a mão criadora. Sempre permanece apenas a matéria-prima e um empilhar de gigantescos blocos de pedra, onde certamente se produzem efeitos devido à massa e à impressionante estruturação, mas que nada têm a ver com efeitos estéticos. Queria comunicar isso, por se tratar de algo que nos fornece uma ilustração do lugar onde estamos no momento, do lugar aonde chegamos com nossas formas de expressão. Faço questão de dizer que conheço pessoas que têm estofo para realmente escrever poesias e ser artistas, que olham tais manifestações com inveja e se esforçam por produzir também algo desse tipo, em que a forma desaparece e tudo se confunde em sombras. Isso é um indício de que nosso tempo procura algo, não é capaz de exprimi-lo e não tem mais uma verdadeira compreensão da forma, e estão brotando idéias que ainda precisam encontrar o seu estilo. Acho que foram tempos semelhantes que antecederam a época de Goethe e que nós, se ainda nos sobrar tempo, também chegaremos a uma formulação acabada desses obscuros impulsos inconscientes, a manifestações perfeitas na sua forma. A idéia de que a essência da coisa pode coincidir totalmente com a sua forma, de que pode vir a ser criado algo que vale ao mesmo tempo como universalmente humano e, ainda assim, ostenta traços nitidamente individuais, é facilmente comprovável na literatura a idéia de que isso pode e deve ser conseguido onde existe harmonia entre substância interior e forma exterior. Nós, alemães, experimentamos isso em primeiro lugar com o nosso poeta Goethe, e acredito que ele é único na literatura alemã, e talvez se possa dizer, na literatura mundial. Nele o caráter próprio da poesia ingênua se manifesta de uma maneira que não se encontra em nenhum outro lugar. Schiller escreveu um ensaio sobre "a poesia ingênua e a poesia sentimental" e exemplificou-a com Goethe. Em nenhum outro lugar é tão claro o que é poesia ingênua quanto nas criações de Goethe. O que *nós* chamamos de ingênuo é algo diferente de ser ingênuo. Gostaria de explicar isso aos Senhores por meio de uma obra poética que lhes dará explicações psíquicas, ou seja, o *Fausto*, do qual pretendo escolher apenas trechos isolados. Quando pensam no *Fausto*, os leitores, ou aqueles que o viram representado, costumam pensar na primeira parte, e com a expressão "ingênua" lembramo-nos de Margarida. Ela é natural, é ingênua, e nos círculos de mocinhas alemãs todas se esforçam para ter o seu tipo, e no estrangeiro, por diversas razões, nos temos tornado alvo de zombaria por causa dessa idolatria por Margarida. O francês gostava muito de falar da Margarida alemã, e não está errado em rir-se de nós. O *Fausto* é uma mistura de poesia ingênua e uma massa muito refletida e não realizada totalmente. Fausto e Margarida não são personagens ingênuas, e Margarida muito menos. Que Fausto não o é, prova-o à saciedade a obra. O poema trata de um homem que volta a ser ingênuo, de um homem vivido em sua inteireza, que aparentemente já passou por tudo, que tem a força de voltar a ser ingênuo. É a descrição do ato de o homem tornar-se ingênuo; em outros termos, o ato de voltar a ser criança, o ato de ir da criança ingênua, através do tempo consciente, não ingênuo, até chegar à ingenuidade consciente. Em Margarida, o desfecho é diferente. Ela também se torna ingênua, mas não conscientemente ingênua; ao contrário, ela se torna ingênua no momento em que enlouquece. Todo o resto que antecede não é verdadeiro. Ela é uma natureza falsa e é retratada conscientemente de modo falso. Goethe tem-se divertido amiúde com a interpretação dada ao *Fausto*. A concepção que se tem de Margarida, como se fosse uma moça ingênua, natural, é tão estranha que uma época que concebe dessa forma uma tal criatura só pode ser olhada com sentimentos muito misturados, é tão estranha que se pode indagar: quando é que os homens vêem algo de natural, se tomam por natural uma criatura tão enfiada em sua roupagem como é Margarida? Anteriormente nada era correto; tudo só se torna correto no momento em que ela enlouquece; somente então ela é redimida, somente então é dada a palavra: ela está salva. Isso ainda é mais admirável porque mais ou menos dessa mesma época data uma personagem feminina de Goethe que, pelo seu destino, é sob muitos aspectos semelhante a Margarida e que é de fato um ser ingênuo, isto é, a Clarinha de *Egmont*. Tem-se a impressão aqui de que deve ser assim mesmo, de que Clarinha não quer parecer diferente de si mesma, uma criatura que não tem medo da mãe, que se comporta de modo livre e diz: "Amo este homem; pouco importa o que me vai acontecer e o que as pessoas dirão. Amo Egmont, e caso encerrado". Tendo pela frente um exemplo como esse, parece estranho que se queira tomar Margarida por natural, Margarida, que sempre é cheia de escrúpulos. Principalmente, Fausto nada é para Margarida; são outras as razões que a envolveram nessa estranha fatalidade e nesse trágico destino. Quando se observa o curso da ação, deve-se ter isto em mente: mesmo para Fausto, Margarida é apenas a personificação acidental de uma ilusão, de um encantamento. Antes de conhecer Margarida, ele bebe a poção mágica, e Mefistófeles lhe diz: "Com essa poção na barriga verás Helena em toda rapariga". – Margarida é para ele a fêmea com que se depara, e conseqüentemente a ama. Ela é uma representante casual. Ela é isto e ele o sabe, e daí resultam as suas tentativas de fugir dela e a consciência: "Eu sou a perdição dela, disso nada pode resultar de proveitoso". Após tê-la assassinado, ele não olha mais para trás; para ele ela desaparece completamente, não tem mais qualquer importância. Isso é esclarecedor e mostra que as maravilhosas cenas de amor que são entretecidas têm algo de típico e poderiam ser consideradas como totalmente separadas do pessoal – e no entanto sempre permanece sendo Fausto e Margarida. Não é algo de informe, que ficou preso ao simbólico. Tornou-se individual, de forma tão poderosa que se deve remover primeiramente o individual e ler muito atentamente para se descobrir que para Fausto Margarida não tem importância. Mais difícil ainda é compreender que para Margarida Fausto não tem importância, que aí são retratados apenas impulsos originais. Com Fausto isso tem início quando ele se olha ao espelho, e todo o resto se origina dessa cena de bruxas. Também para Margarida o espelho representa um importante papel na primeira cena, quando ela está em seu quartinho. Como eu já disse antes, o olhar-se-no-espelho é algo maravilhoso. É um símbolo da fantasia, retrata o próprio eu-mesmo, mostra projetado fora o que se passa dentro de nós, sob renúncia de outras personalidades. Nesse pedaço de vidro vemos a nós mesmos, nossas imagens de fantasia e podemos muito bem representar que o espelho nos leva sem mais nada ao amor a si próprio, à idéia da idolatria do próprio eu, da auto-adoração. É característico de Fausto e de Margarida. O ver e o querer-ver. Fausto vê no espelho uma mulher. Margarida olha no espelho e admira-se a si mesma. Olha sua jóia, tira-a de uma caixinha em que ela estava guardada. O fato principal é que ela admira-se a si mesma e já no primeiro instante em que é descrita com mais detalhes comete um ato que só tem relação com outros se ela pretendesse deslumbrar as demais pessoas. Regozija-se com a sua jóia, que não pertence à sua pessoa mas que de alguma maneira lhe fica bem. Os Senhores chegam a uma conclusão diferente: a caixinha representa os órgãos sexuais da mulher, e sua jóia é a mesma coisa. O que a enfeita é o seu ser-mulher, a sua feminilidade e, no sentido lato, os órgãos que a capacitam para o amor e a maternidade. Para Margarida os órgãos continuam sendo adorno exterior. Ela não está em harmonia com essa sexualidade, assim como não o estava quando criança. Está em conflito com isso; é algo que existe fora dela. Ela conta como esperou sua irmãzinha e como cuidou dela. Agora está morta; tornou-se-lhe estranha; uma parte dela está atrofiada e morta. Margarida leva uma vida que a afasta de Eros. Seu inconsciente vive sem dúvida, mas ela procura empurrá-lo para o lado. Se ele a incomoda demais, então ela procura pretextos e aproveita as oportunidades de exteriorizá-lo. É para isso que serve o espelho; sua jóia e suas relações com Marta Schwerdtlein. Essas relações indicam quão pouco ela é verdadeira, com quão pouca ingenuidade ela se comporta. As palavras que troca com Mefistófeles, no primeiro encontro na casa de Marta Schwerdtlein, são significativas. Ela não é como diz. Fala mais tarde a Fausto de Mefistófeles com palavras muito duras. Tais expressões não são genuínas. Mefistófeles é o diabo, o desejo simbólico, o órgão sexual, o macho, o diabinho que ameaça a mulherzinha. Sente asco diante dele; e não se refere apenas a Mefistófeles como diabo personificado, mas também a toda a sexualidade que fervilha em seu próprio inferno e ferve e ribomba nela, coisa que mais tarde é expressada na cena em que ela enlouquece, na qual se fala do ferver e fervilhar do inferno. São muito singulares a esse respeito pequenos detalhes, sobretudo um que aparece no primeiro monólogo: presos ao ouro, atrás do ouro é que todos correm. Pobres de nós! Margarida está sendo comprada por Fausto, é isso a raiz de tudo. A princípio ela não se enamora dele. É o ouro que fala, o dinheiro desempenha um papel importante. Isso leva ao primeiro encontro que tem com ele. Fausto aborda-a na rua e Margarida sente claramente que isso é para ela uma vergonha, que isso a equipara a uma prostituta. Em vez de impeli-la, isso a atrai. Ele não a trata de antemão como uma prostituta. Ela tem fantasias de prostituta. Quer ser comprada, quer experimentar uma estranha aventura como tal. Se os Senhores lerem isso com atenção, irão descobrir que em Margarida estão reunidos todos os impulsos: o sádico e o masoquista, o de querer-se-exibir, mas tudo escondido, recalcado, desmentido, falso. Somente no final, quando caem as barreiras à custa da sua razão, tudo isso emerge claramente e se mostra tal como é. E isso tem um preço, é a razão. Somente pela renúncia à sua razão, à sua consciência pode ela ser salva, pode chegar ao céu.

Do Isso

Nos dez anos que decorreram desde as minhas últimas comunicações acerca da hipótese de trabalho do Isso do homem, nada aconteceu que me pudesse levar a desistir dessa forma muitas vezes aprovada de observação ou a mudar algo de essencial nela.

Mantenho a afirmação de que tudo o que é humano depende dessa entidade envolvida em mistério indecifrável, e do mesmo modo afirmo que ninguém é capaz de penetrar nas profundezas do Isso.

No entanto, posso dizer alguma coisa acerca daquelas formas do Isso que até o momento foram pouco comentadas. Considero igualmente necessário ressaltar que uma dessas formas é o ego. O modo como imagino isto, comuniquei-o até onde podia no *Livro d'Isso*.

Uma outra forma do Isso que me é mais acessível, quero chamá-la de duplo do Isso: tudo o que é humano pode ser visto como ao mesmo tempo masculino-feminino e infantil-púbere.

Mais uma coisa é a experiência de que o Isso se manifesta ora de modo independente ora mutuamente dependente, tanto na vida integral do homem quanto nas partes desse homem vivo; ou, dizendo de outra maneira: parece que, entre o todo do homem e a célula ou ainda entidades menores, o tecido, o órgão isolado ou parte do corpo, existe uma relação semelhante àquela que, nos conceitos de macrocosmo e microcosmo, se supôs anteriormente existir entre o todo e a parte.

Finalmente, o simbólico que acompanha todas as relações humanas de vida é uma forma do Isso.

Na tentativa de observar essas formas do Isso, fui levado, à parte das minhas obrigações da vida cotidiana e da profissão, a ocupar-me de forma algo unilateral e teimosa com obras de arte plástica e com a linguagem.

Que cada ser humano isoladamente contém em si mesmo o masculino-feminino e o infantil-púbere pode-se concluir sem qualquer problema a partir do fato de o ser humano provir do homem e da mulher e de, até onde conseguimos provar até o momento, produzir-se uma mistura, mas não uma dissolução mútua desses componentes. É igualmente evidente que ele, por mais adulto que seja, permanece infantil em todas as funções fundamentais da vida, na morte e geração das células, no respirar, no dormir, no movimentar-se, no alimentar-se etc. A seguir, iremos falar de tal modo do símbolo que mesmo eu poderia supor que meus esforços neste ensaio são dedicados tão-somente à descrição dessa forma do Isso.

O fato de o ser humano ser masculino-feminino e infantil-púbere e de viver no símbolo, podemos usá-lo, como se fosse um vidro colorido, para observar a vida humana. Decerto, uma tal maneira de observação nos aproxima tão pouco da verdade como se olhássemos por um vidro amarelo ou vermelho; ao contrário, numa tal tentativa, sabemos de antemão que o uso do pedaço de vidro colorido empresta ao mundo cores falsas, e assim o autor dessas observações sabe igualmente que, com seu método, tinge de maneira uniforme o mundo policrômico. No entanto, não é apenas uma brincadeira tola abordar problemas humanos dessa maneira; ao contrário, esse processo parece ser tão antigo quanto a tradição do passado humano.

A primeira conseqüência da observação do mundo por esse meio é a desconfiança acerca da realidade [*Realität*]. Presumivelmente o real existe; mas nunca chegamos a ter contato com ele. Nosso Isso muda o X desconhecido do real, influi nas coisas e transforma o real no verdadeiro [*wirklich*]. Obra e objeto não são a mesma coisa. O humano não trabalha com um "princípio de realidade" [*Realitätsprinzip*], mas com o princípio de verdade [*Wirklichkeitsprinzip*]. Se levarmos isso em conta, desaparece o contraste entre o Eu e o Isso, tem origem um mundo-homem no qual o Eu é apenas uma função do Isso. Esse mundo verdadeiro do ser humano se desintegra na tentativa de entender o real.

Mediante a ação recalcadora do humano e nosso ambiente humanizado (educação e outras coisas), somos forçados a fantasiar acerca do real. Por enquanto não nos temos ocupado de coisas, mas de símbolos. Até o momento pouco nos tem preocupado saber como o recém-nascido chega a conhecer o ambiente, o que ele pensa a seu respeito. Se reflito sobre o que eu possa ter experimentado no ventre materno, chego à conclusão de que, então, tomei tudo o que pertencia ao meu mundo como se fosse um componente do meu próprio Eu: Eu e meio ambiente do Eu eram a mesma coisa. Talvez essa maneira simbólica de pensar seja mudada um pouco pelo nascimento; mas, conforme o comportamento dos bebês nos seus primeiros tempos de vida, devo supor que, no essencial, a criança, na época principal da aprendizagem de vida, nas primeiras horas, dias e semanas, ainda pensa de forma simbólica: para a criança uma colher não é uma colher, mas uma mão, uma porta não é uma porta, mas uma boca, uma cama não é uma cama, mas um colo materno etc.

Dessas primeiras noções, que as culturas primitivas conservam com poucas alterações, nunca estão totalmente afastados nosso consciente e inconsciente: até o fim da vida o conhecimento humano permanece preso ao símbolo. Por mais instruídos que nos tornemos, não adianta: uma janela continua sendo para nós um olho; uma caverna, a mãe; um poste, o pai.

Também o ser humano e suas partes, vemo-los de maneira simbólica, como fizemos quando éramos crianças. Soubemos uma vez por experiência que a cabeça em si é ao mesmo tempo todo e parte, independente e dependente, que o ser humano é o símbolo da cabeça e a cabeça, o símbolo do ser humano. Símbolo não significa a similaridade de duas coisas, mas no símbolo duas coisas são conjugadas, elas são idênticas. Porque pensamos e sentimos de modo simbólico, em suma porque em tudo estamos ligados ao símbolo como a algo pertencente ao humano, é possível considerar toda a vida humana de forma simbólica.

Todas as épocas têm expressado, no pensamento e na ação, no mito e na vida cotidiana, que o homem é bissexual, nunca homem, nunca mulher, mas sempre mulher-homem, homem-mulher, que ele nunca é criança, nunca é adulto, mas sempre homem-criança, criança-homem. Não foi a arte cristã a primeira a representar o ser humano no símbolo de mulher e garoto, de Senhora e Cristo. A Antiguidade colocou lado a lado Afrodite e Eros, Vênus e Cupido, e mesmo agora que se tornaram as sombras daquilo que foram anteriormente, são uma unidade, um símbolo do ser humano.

Em Roma, na Villa Borghese, encontra-se uma pintura de Lucas Cranach, conhecida mundialmente, uma Vênus, inesquecível para todos os que a viram. A razão disso é a alegoria. O bissexual, tal como se manifesta na combinação da mulher com a criança – ao mesmo tempo se mostra aí o infantil-púbere – é acentuado pelo tronco de árvore masculino e pelas fendas femininas na casca. A árvore tem, simbolicamente, ambos os sexos e idade: a árvore, o carvalho; raiz e fruto são criança, tronco e ramo, homem, e casca e copa, mulher.

Na palavra "fruto" – *fructus ventris tui* – isso torna-se imediatamente claro. *Wurzel* (raiz) origina-se de *wurz*, que significa planta, erva, e originariamente é *wurzwala* (*wala* = haste, vara); o *w* desapareceu, como em *Römer-Römware, Bürger-Bürgware*. Em *Wurzel* ressalta-se, pois, a virilidade da criança. *Stab* (*wala*, *vala* em português) é afim do sânscrito *sthapai*: fazer parar, o que conduz, então, ao alemão *Ständer* (esteio) e ao sueco *stond*, para significar a ereção do pênis. Aproveito a ocasião aqui para dizer que, como símbolo do ser humano, são usados o menino ou o membro masculino, nunca a menina; para o conceito de ser humano o simbólico parece preferir o que é ereto, reto, sincero, independente. Além disso, no menino e no membro sexual, o bissexual e o infantil-púbere é visível mediante a relação glande-prepúcio e ereção e flacidez, enquanto, na moça, tudo é mistério. Finalmente, *Wurzel* tem a mesma origem que *Rüssel* (tromba); o que significa tromba para o pensamento primitivo toda criança mostra ao ver o elefante.

O masculino-simbólico em árvore e ramo se revela no costume de empregar ambas as palavras para significar o membro ereto. Além disso, cabe menção a *Stammbaum* (árvore genealógica), onde está expressa a idéia da origem arquimasculina. Para o etimologista, *Stamm* (tronco) está ligado à raiz *stha* (ficar em pé); no grego, o cântaro de vinho chama-se *stamnos* (σταμνος): o recipiente do qual o vinho da vida é vertido no cálice (a mulher) é especialmente masculino. *Ast* (ramo) mostra sua significação no verbo *asten* (fertilizar o campo); lembra a maldição com que Adão foi expulso do Paraíso, o símbolo da lenda em que a mulher era o campo fecundo, e o homem, o camponês que arava.

Krone (*Kranz*, coroa) é conhecido em geral como símbolo decididamente feminino, nele se expressa o abraço excitante. *Rinde* (casca) é vocábulo afim de *Rand* (beira, margem), em inglês *rim*, a casca defende o tronco com o abraço, protege-o maternalmente e cinge-o com carinho. Os entendidos ligam *rim* ao gótico *rimi* (calma). Assim, na palavra *Rinde* (casca) estaria presente a natureza feminina no sentido daquilo que acalma, pacifica a paixão. No grego, calma é *eroe* (ερωη) (propriamente "ataque com fadiga posterior, calma"). É lícito supor que *eroe* seja afim de Eros (ερως); para os gregos, Eros é o irmão gêmeo da morte – o falo morre pelo ato de amor – e a morte é calma.

O inconsciente da arte, que sublinha especialmente o duplo sentido do símbolo quando faz com que a cabeça do menino em pé chegue até uma fenda da casca do tronco e dirija seu olhar para o colo da mulher, acrescenta à alegoria mais um motivo, o qual empresta ao quadro uma profundidade quase impenetrável: em torno dos quadris da Vênus, revelando e velando o colo, é lançado o véu, o símbolo remoto da virgindade e da morte da virgem na concepção. O feminino, o divinamente amante na mulher, a Vênus Urânia é sempre virginal. Quem reconhece que, independentemente da personificação na mulher individual, existe um eterno feminino, sabe que esse eterno feminino, independentemente de todos os atos físicos, apesar do ato de amor e do parir, permanece invariavelmente virgem. O mito de Cristo diz a mesma coisa: na conhecida canção do galho que brotou suavemente de uma raiz se diz:

> Caiu um celestial rocio
> Numa delicada virgem,
> Mulher melhor não havia
> Que fizesse sua criancinha.
> Apesar de já ter dado à luz,
> Permaneceu virgem pura.

A vida cotidiana ensina a mesma coisa; toda mulher, quando tem a sua excitação amorosa aumentada de alguma forma até o máximo, torna-se novamente virgem: nesse caso, sua abertura, apesar de freqüentes partos, de novo se contrai, de modo que a penetração do membro é sentida inicialmente como dolorosa, como no momento da defloração, e não raras vezes ocorre um sangramento correspondente ao da ruptura do hímen. Cranach, como Botticelli na sua *Primavera*, incorporou em sua obra essa profunda sabedoria: sua Vênus está grávida.

Não é de admirar que uma representação da Deusa do Amor esteja repleta de simbolismo. Mas o grande artista não pode tampouco retratar os acontecimentos quotidianos a não ser com o uso inconsciente do símbolo. Observe-se, por exemplo, a *Anatomia do Dr. Tulp*, de Rembrandt, que está em Haia (ilustração 4). Pretensamente, é o retrato de um grupo de oito médicos, no qual é ressaltada de modo especial a figura do Dr. Tulp. Na verdade, não são oito homens, mas nove, e exatamente o nono, o morto, recebe a luz total do quadro. O morto, portanto, transformou-se na figura principal, seja porque fosse essa a intenção de Rembrandt, seja porque seu inconsciente o obrigou a fazê-lo. Nove é o número da perfeição; de alguma maneira a idéia de perfeição deve ter-se infiltrado no quadro, e a perfeição deve estar relacionada com o corpo morto. No entanto, nove é também o número da gravidez, e nove é três vezes três. Em nove pessoas, o inconsciente costuma forçar a divisão em três, três é o número mais poderoso, o Três sagrado. Ele simboliza em primeiro lugar a masculinidade, a potência total na união do membro com os dois testículos, e ainda o masculino-feminino-infantil. Observando-se o quadro no tocante ao agrupamento em três, da figura do Dr. Tulp em pé e que é a única que atua fazem parte as duas figuras bem inclinadas para a frente; são elas as que participam mais visivelmente da ação. Atrás dessas há um outro grupo de três; apenas um dos homens está totalmente atento, o segundo interrompe a leitura e passa a interessar-se pela autópsia, um terceiro, bem no fundo, não participa muito da ação. O terceiro grupo está dissociado da ação no cadáver, as duas figuras suplementares, fora do foco central do quadro, o cadáver, não dedicam qualquer atenção ao acontecimento, um até olha para fora do quadro, a autópsia não lhe diz respeito. Todavia, o morto é totalmente indiferente, e no entanto tudo gira em torno dele.

Na observação do quadro, partindo-se do número nove, o retrato de gênero de um grupo se transforma numa pintura de destino do masculino, numa representação do nascimento, da ação e do morrer do homem. Homem, verdadeiramente homem, ser humano masculino, ele só o é enquanto possui e usa sua potência masculina; ele se origina* da excitação, morre no ato de amor que se segue à excitação; se não acontecer tal ato, ele não morre, mas apenas se encolhe, virando garoto.

Visto como símbolo, o quadro mostra os diversos estágios do destino do homem masculino. No grupo de fundo tem início a excitação: o desejo de procriar está vivo numa das testemunhas (*testis*, *testiculus*) oculares, sua excitação ainda não contagia o outro, mas o membro se transforma no falo. O homem que personifica isso interrompe a leitura; interpretada simbolicamente, a leitura é a fantasia acerca do feminino. – O segundo grupo mostra ambas as testemunhas em tensão extrema e o homem de pé (esteio) em plena ação. É o único que usa chapéu, e está com a gola meio aberta, ambos símbolos da união com a mulher. – O terceiro grupo representa a conseqüência imediata do ato, não como relaxamento do falo, mas como morte; relaxou o desejo das testemunhas. A ferida no braço esquerdo, braço do coração e do amor, revela que a morte aconteceu por intermédio da mulher, e o fato de os dedos permanecerem imóveis apesar do estiramento do músculo flexor prova manifestamente a morte. Os órgãos sexuais estão cobertos por um pano, cruzado sobre eles; acha-se escondido da visão o estado vergonhoso da impotência. Tampouco é visível o polegar da mão direita, que simboliza tão claramente o falo. Ambas as coisas correspondem ao comportamento do ser humano masculino, que se vê obrigado, pelas forças do Isso, ou a subtrair-se mediante o sono à consciência de sua virilidade perdida, ou ao menos a esconder do ser humano feminino essa perda. – O insulto "bola-murcha"**, que nos últimos anos se tornou chique, prova quão grande é a vergonha de uma morte dessas. Conta a história da arte que o morto era um enforcado. Seja isso nesse momento verdadeiro ou não – se não for verdadeiro, a lenda prova a força simbólica do inconsciente –, o fato de haver ejaculação no enforcado reforça minha suposição de que, por trás da ação da aula de anatomia, se esconde o mistério de procriar e morrer, de amor e morte.

Gostaria de ressaltar aqui que a configuração e os hábitos de uso do polegar, bem como suas doenças e ferimentos, podem ser influenciados pelo poder de símbolo do Isso, da mesma maneira que algumas feridas devem muitas vezes sua formação, forma e possibilidade de cura ao simbolismo do feminino ou do bissexual.

Para abordar o Isso é possível tomar um outro caminho, o caminho da linguagem. Muitas vezes ele se cruza com o caminho da obser-

---

* No original, *entsteht*, que é formada de *ent* e *stehen*, literalmente *de* e *estar ereto*. Além disso, o autor acrescenta como que em explicação: o termo *entsteht* foi usado de propósito, frase suprimida na tradução. (N. da T.)

** Em alemão, *Schlappschwanz*, literalmente "rabo mole". (N. da T.)

vação da obra de arte, às vezes corre paralelo a este, por alguns trechos é até o mesmo. Aqui também o exemplo mostra da melhor maneira possível o que quero dizer.

Já na escola chamou-me a atenção que Homero, quando fala da obscuridade do futuro, usa a locução: *theon en gunasi keitai* (θεων εν γουνασι χειται). Segundo o nosso modo de pensar, podemos traduzir como: "Isso está no regaço dos deuses". Mas *gony* não é regaço, mas joelho. A tradução literal é portanto: "Isso está nos joelhos dos deuses". A locução moderna, que diz que o futuro está no regaço dos deuses, pode ser compreendida sem dificuldades: futuro e fruto do ventre são a mesma coisa. A idéia de que o grego, ao dizer joelhos, talvez equipare igualmente futuro e criança ocorreu-me primeiramente pela experiência junto aos meus doentes. No tratamento analítico de inflamações da articulação do joelho, sempre voltei a encontrar o fato de o doente, nas suas comunicações do inconsciente, haver tomado o inchaço da articulação do joelho como um símbolo da gravidez. Naquela época, eu não tinha muito conhecimento do simbolismo dos órgãos, mas aqui e ali doentes me declaravam que o fêmur poderia ser considerado o homem, os dois ossos da coxa a mulher e a rótula o filho. Durante muito tempo achei que tais declarações constituíam apenas uma amabilidade diante da minha mania de encontrar símbolos em tudo. No entanto, mais tarde me foi apresentada, ocasionalmente, uma outra idéia. Alguns doentes me relataram que haviam tomado a perna estendida como um símbolo da excitação fálica, que no estender estaria representada a união do homem e da mulher, enquanto a rótula anteposta, como tudo o que está colocado à frente, seria o futuro, a criança futura. De acordo com isso, o joelho seria símbolo do masculino-feminino e do infantil-púbere. No dobrar do joelho, especialmente no ajoelhar-se, essas pessoas viam o relaxamento que acontece ao homem após o intercurso sexual, uma hipótese que encontra uma espécie de confirmação na dificuldade que muitas pessoas sentem de ajoelhar-se. Folheando um dia um dicionário de grego, deparei-me com as expressões *hypolyein* (υπολυειν) e *blaptein ta gunata tinos* (βλαπτειν τα γουνατα τινος). Uma significa matar; a outra, fazer afrouxar. O dicionário acrescenta que, para Homero, os joelhos eram a sede principal da força física; vale supor que, para Homero, o fato de parar em pé com o auxílio do joelho tinha uma importância decisiva, pois o fato de o falo manter-se em pé é em toda parte um sinal de força viril. Se substituirmos a palavra força por vigor, não é de todo insensata a conjectura de que, para os gregos e talvez também para o inconsciente do moderno doente sensível aos símbolos o joelho estendido é ou era o símbolo da potência masculina, do falo rígido; pois vigor está ligado a rígido. A expressão grega *hypolyein ta gunata* (afrouxar os joelhos) para designar morrer conduz, então, à igualdade, conhecida dos gregos, entre morte e amor; eu a mencionei a propósito da anatomia de Rembrandt. O ajoelhar-se seria, então, uma expressão para caracterizar a impotência após a realização do ato sexual (*blaptein* = fazer relaxar).

No idioma latino encontra-se a confirmação dessas coisas. O joelho em latim é *genu*; acrescentando-se um *s*, ele se transforma em *genus*, o que leva diretamente ao conceito de reprodução, ao todo-humano masculino-feminino, infantil-púbere.

Desse ponto tem-se uma visão surpreendente. É lógico que os etimologistas afirmam que *genu* e *genus* nada teriam em comum; mas, numa ciência que como a etimologia trabalha em tão alto grau com hipóteses, não se deve acreditar em tudo o que é dito, sobretudo quando se verifica que, em outros contextos, decerto não *genu* e *genus*, mas *Knie, kennen, können, König, Kunst, Kind* e *Kinn** são atribuídos a uma e mesma raiz. Enquanto não me provarem que *genu* e *genus* não mantêm qualquer ligação entre si, continuarei dizendo, com base no símbolo, que são lingüisticamente aparentados[1].

Quem queira orientar-se no labirinto das associações de palavras observe o radical variável e multi-histórico "Kan, ken, kun", ao qual se acrescenta "gen", por motivos que desconheço. Mas nisso se deve proceder com ousadia**. Supostamente, essa raiz milagrosa contém dentro de si o significado de *gebären* (parir). – Desta raiz *kan, ken, kun* deriva a palavra sânscrita *janu* = joelho. Por outro lado, a partir de uma raiz sânscrita *jan* = procriar, *janus* = nascimento, *janas* = gênero sexual, *jantu* = criança devem pertencer aos nossos fios de Ariadne *kan, ken, kun, gen*. Mas, segundo a opinião dos entendidos, *janu* e *janus* têm uma relação tão pequena entre si quanto *genu* e *genus* no latim. O que fazer então?

O melhor será combinar as afirmações dos etimologistas segundo o seu próprio critério, sem se importar com a opinião particular dos

---

* Palavras alemãs que significam, respectivamente, joelho, conhecer, poder (verbo), rei, arte, criança e queixo. (N. da T.)

1. Depois de haver concluído este meu trabalho, o acaso me colocou em mãos um ensaio de Hermann Güntert, pesquisador de Heidelberg, que do mesmo modo, embora por outros caminhos, constata, apoiando-se em coisas do sexo, a afinidade entre *gony* e *gignesthai* com suas conseqüências; nessa oportunidade ele faz menção à expressão homérica *theon en gunasi keitai*. Sinto-me grato e contente com essa concordância, em especial porque é comprovadamente impossível que um de nós tenha conhecido o pensamento do outro. O trabalho de Güntert (editado em *Wörter und Sachen*, vol. 8) foi publicado em 1928; minha primeira exposição sobre as palavras *gony* e *gignesthai*, *gignoskein* e outras foi dada a público em 1926, numa revista particular, *Die Arche*. Güntert não pode ter tido conhecimento dessa revista.

** No alemão, *kühn*, ousadamente, com ousadia. A seguir o Autor acrescenta a frase entre parênteses "(aliás *kühn* deriva também do fecundo radical *kan, ken, kun*)", excluída por razões óbvias. Sobre o radical *kan, ken, kun* veja-se o asterisco anterior. Daqui para a frente, para evitar o excesso de notas de rodapé, vamos manter em alemão, sempre que possível, as derivações etimológicas do Autor, dando o seu significado entre parênteses. (N. da T.)

lexicógrafos. Para rebater de alguma maneira a acusação de saltos demasiado grandes da fantasia, anteponho uma frase do *Dicionário Etimológico* de Kluge, que se encontra no verbete *können* (poder): "Todos reconhecem a ampla ramificação da raiz indogermânica estreitamente afim *gen, gno*, 'conhecer', 'saber'".

Se nos ativermos a esse parentesco, grandes áreas da vida ordenam-se de forma surpreendente em torno do conceito *Knie* (joelho) nos diversos idiomas indogermânicos.

No grego, à palavra *gony* (γονυ) = joelho pertencem *gignoskein* (γιγνωσχειν) = conhecer e *gignesthai* (γιγνεσθαι) = tornar-se, nascer, ser nascido, ser procriado, com todos os seus derivados. O significado disso ressalta logo, quando se pensa que a palavra *gnose* ou *gnóstico* (portanto, uma boa parcela de toda a filosofia e religião) está, por meio disso, sendo relacionada com o joelho supostamente físico, da mesma forma que o vocábulo *gênese* ou *genos* = sexo, gênero. Ademais, pertencem a essa associação *genys* (γενυς) = queixo, e *genaiaskein* (γεναιασχειν) = deixar crescer a barba, tornar-se púbere.

No latim, de maneira semelhante, muitas vezes até idêntica, em torno da palavra *genu* = joelho agrupam-se: *cognoscere* = conhecer, *nasci* = ter nascido, *genus* = gênero, sexo. Um campo especial entra aí de cambulhada, a ciência dos dentes: *dentes genuini* = dentes molares, queixais. Mais tarde será mostrado o quanto a dentição está ligada ao processo da procriação e do parto também no mundo dos símbolos e, assim, também na vida orgânica do homem, em seu ser e devir. Quem quisesse pesquisar conscienciosamente todas essas relações teria certamente que viver e trabalhar durante algumas gerações.

No inglês, *knee* = joelho está relacionado com *to know* = conhecer, saber, *knowledge* = conhecimento, *nation* = nação, *native* = nativo, *gentry* = nobreza, *gentleman* = cavalheiro, *chin* = queixo e tantos outros.

No alemão, em torno da palavra *Knie* = joelho encontram-se *kennen* = conhecer, *können* = poder, *König* = rei, *Kinn* = queixo, *Kind* = criança, *Kunde* = notícia e outros tantos.

Nessas breves notas, que devem ser apenas uma espécie de introdução a ensaios futuros, gostaria apenas de frisar algumas coisas que para o médico são dignas de consideração. Afirmei anteriormente que achaques na articulação do joelho representam talvez, no símbolo da doença orgânica, o caráter bissexual do homem, sua infanto-puberdade, processos de procriação, gravidez e parto; nessa matéria tenho-me reportado a informações provenientes do inconsciente de meus pacientes. A pesquisa em idiomas indogermânicos me parece atestar que tal símbolo colaborou na origem da linguagem; acredito ser bastante provável que o símbolo ainda hoje funciona, abstraindo minhas experiências pessoais no tratamento de doentes com o auxílio de identidades simbólicas, porque o poder da palavra em todas as relações de vida ainda é o mesmo que foi há milênios de anos. Numa série de idiomas a denominação da articulação entre coxa e perna soa quase igual em línguas mortas há muito tempo, e a expressão "o homem conhece a mulher" é no nosso tempo tão compreensível quanto para os autores do Velho Testamento.

O fato de eu haver relacionado, apesar de alguns reparos, a palavra *König* (rei) com *Knie* (joelho) – fazendo uso do multiforme *ken, kan, kun* (*kuni*, em gótico, quer dizer linhagem nobre) – torna fácil para mim dizer que não é raro que doentes do joelho tenham o inconsciente influenciado por fantasias de descendências reais. Estou inclinado também a atribuir a denominação latina *rex* para rei ao princípio masculino vital do manter-se ereto.

Uma probabilidade, que por acaso não poderia ter comprovado por experiência médica própria, é que as doenças gonorréicas da articulação dos joelhos estão em estreita relação com o simbolismo da cópula da articulação e que o tratamento deveria levar isso em consideração.

Finalmente, digo que a ciência moderna emprestou nova vida à antiga e fecunda raiz no termo "gene". Na teoria da hereditariedade, gene abrange tanta coisa que, pelo seu valor, deve-se colocá-lo ao lado da antiga gênese. Não gostaria de afirmar que a ponte entre o homérico *theon en gunasi keitai* e a teoria da hereditariedade é firme. Mas, assim como trepadeiras tropicais lançam uma ponte sobre rios com quilômetros de largura, aqui também isso pode acontecer. São estranhos os caminhos que levam ao Isso.

Sobre o Anão e o Gigante

Quando os latinos queriam ressaltar a força do masculino, falavam de um *vir*; para isso, os gregos tinham a palavra *aner* (ανηρ). E o alemão não tem nada que lhes corresponda?

Há muito tempo que venho me atormentando com isso, o que não teria sido necessário se eu fosse um hábil especialista; meio por brincadeira, à qual não falta uma certa seriedade, relato aqui como encontrei a resposta a essa pergunta. Eu estava tentando tirar uma cigarrilha de uma caixinha de lata; na tampa se via o retrato de Carlos I da Inglaterra; de repente descobri que para nós que somos do norte o vocábulo que eu estava procurando é *Kerl**. A palavra (em alemão antigo *karal*, em sueco *karl*) significava e significa ainda hoje, em várias associações, o homem em plena virilidade, o amante (em anglo-saxão *ceorlian* = casar); *prachtvoller Kerl* (sujeito vistoso) ou *das ist mal ein Kerl*, *Hauptkerl* (isto sim é que um cara, um grande cara) é tão bom alemão quanto *Saukerl* (um tremendo cara). De modo especialmente claro ressalta o significado sexual no fato de *Kerl* ser usado, na vida diária, como designação do membro sexual eficiente, assim como *Kerlchen* (sujeitinho). – Também a palavra *Held* (herói) parece dever sua origem à força do membro sexual masculino, relacionado que está com *caleth*, *calath* = duro.

Talvez seja digno de observação que o nome Karl (Carlos), que é o mesmo que Kerl, foi usado com tanta freqüência como nome de

---

* Em português do Brasil corresponderia mais ou menos a *sujeito*, *cara*. (N. da T.)

rei que quase chegou a valer como título real. – Já aqui quero chamar a atenção para o fato de o nome do homem ter para ele e sua vida conseqüências eficazes; entre os reis, os Carlos se destacam muitas vezes por atuações particularmente brilhantes, são autênticos sujeitos, ou sobressaem, segundo o sentido degradante da palavra, pela incapacidade. Terei oportunidade de falar das ligações da realeza com a força sexual.

O termo *Held* (herói), mencionado anteriormente, traz à lembrança a palavra *Recke* (valentão) usada no alto alemão médio, mas empregada ainda hoje. Somente muito tarde, pelo que pude comprovar junto aos entendidos, ela veio a significar "guerreiro forte"; originariamente, deve ter sido um nome para o "solitário", o "desterrado", o "errante"; tarde também ela aparece no idioma suíço como *rek* = vagabundo, e o inglês *wretch* = vadio (em anglo-saxão *wrekka* = fugitivo) mostra como o sentido dessa palavra foi fortemente acentuado um dia. Também o nosso alemão *Rächer*, *Rache* (vingador, vingança) provém da mesma raiz. Com isso, é ressaltado um lado do masculino, do herói, do sujeito, que tem como sentido básico uma oposição ao feminino, ou seja, a profunda solidão do homem e seu notável desamparo, sua necessidade de ajuda diante de problemas cotidianos simples. A natureza infantil do homem, que se revela tão nitidamente na atitude de seu órgão sexual fora do período de excitação, torna compreensível o fato de se usar a mesma palavra para o herói e o miserável (*elend*); é que o homem é um outro – *elend* significa o outro, lat. *alius*, ingl. *else*, o deslocado, o construído de modo diferente –, um duplo, sujeito e sujeitinho, gigante e anão, de acordo com seu estado de ânimo.

No meu modo de ver, não existe nenhuma dúvida de que os conceitos gigante/anão são deduzidos do fenômeno da ereção e do relaxamento; de maneira idêntica devem ter tido influência as oposições entre criança (também da não nascida) e adulto; acrescentam-se a isso os cumes das montanhas, comparados a elevações insignificantes do solo (montículos feitos pela toupeira). Se se pudesse ligar a palavra *Recke* (valentão, gigante) a *recken* (esticar), ter-se-ia um novo suporte para a tentativa de construir uma ponte entre símbolo e linguagem, ou mesmo vida. Mas *Recke* (afim de hipotético gótico *wrakja*, do gótico *wrikan* = perseguir) nada tem a ver com *recken* (lat. *porrigo*, gr. *orego* [ορεγω], alto alemão moderno *recht*, reto); na verdade, é lícito supor que Wieland, o redescobridor da palavra, seguiu mais a unissonância e a semelhança de sentido das duas palavras, *Recke* e *sich recken*, que a esquecida ligação *Recke-Vertriebener* (desterrado). Wieland foi buscar a palavra, que havia desaparecido do vocabulário, nos poemas épicos da Idade Média, onde o termo é usado muitas vezes com o mesmo sentido que *Riese* (gigante).

Com isso, torna-se aconselhável observar melhor as oposições entre gigante e anão. Eu disse acima que, quanto a isso, considero provada a conexão com os processos do erótico: os combates entre anão e gigante, na forma como são cantados muitas vezes nas sagas de todos os tempos, terminam com a vitória do anão insignificante, arquivelho, que, dotado de misteriosos poderes insuperáveis, vence o gigante desajeitado apesar de sua força sobrenatural (*Riese* [gigante] afim do sânscr. *vrsan* = viril, forte); isso quer dizer que toda ereção sucumbe no relaxamento. O fato de não raro o gigante ter o seu tamanho diminuído de uma cabeça com referência ao anão (rapaz) vencedor ilumina de modo estranho a relação do castigo – aqui da decapitação que corresponde ao desaparecimento da glande no prepúcio por ocasião do relaxamento – com processos sexuais; referi-me a isso em outra oportunidade.

À mesma raiz de *Riese* parece pertencer o gr. *rheon* (ρεον) = promontório, pico; a freqüente associação de sentido entre gigante e montanha talvez encontre aqui uma espécie de explicação. Walde, no entanto, rejeita a afinidade do grego *oros* (ορος) = montanha com *Riese* (gigante), mas a expressão *Bergriese* é usual nas línguas nórdicas já desde tempos antigos; os contos de fadas e as sagas usam com freqüência a identidade. – A relação entre montanha e falo também se evidencia claramente no latim *mons* = monte; *mons* provém da raiz *men-* (sobressair), e da mesma raiz origina-se *mentula* = membro masculino. (Mal se pode evitar de lembrar-se das palavras *Mensch* [ser humano] e *Mann* [homem] originárias da raiz *man, men-* [pensar]). O nome alemão *Berg* (montanha) confirma a conexão, já que deriva da raiz *brg-* (alto); também a palavra significativa *empor* (para cima) provém da mesma raiz. O caráter sexual das palavras se torna mais pronunciado no conceito oposto a *Berg*, *Tal* (vale; lat. *vallis*, de raiz afim), ao qual pertencem o grego *tholos* (ϑολος) = zimbório (seguramente símbolo do feminino) e o eslavo antigo *dolu* = buraco, vala. *Felsen* (rocha) e *Stein* (pedra) fornecem novas ligações entre *Felsriese* (pedra gigante), *steinerner Riese* (gigante de pedra) e *Phallus*, inicialmente na qualidade da dureza; mas também nas palavras é mantido o parentesco. É verdade que o termo alemão *Felsen* não deve servir para muita coisa; em contrapartida o latino *rupes* (de *rumpo* = quebrar, romper) fornece pontos de contato. De *rumpo* deriva *rupex* (grosseiro) que traz para o alemão *Rüpel* = malcriado, grosseirão. (Não sei se o nome Ruprecht, especialmente na associação Knecht Ruprecht*, tem algo a ver com isso, mas no mínimo acredito ser provável uma mistura posterior com *rupex*.) No hindu antigo, *ropam*, que pertence à mesma raiz, significa buraco, que reencontramos no islandês antigo como *rauf* = fenda, buraco, em sérvio *rupa*; o irlandês *ropp* (animal no cio) deve ser afim; certamente o alemão *Raub* (roubo, como em *Brautraub* = rapto da noiva) e *rauben* (roubar) estão relacionados com *rumpere*. De

---

* Figura da lenda alemã. (N. da T.)

tudo isso é possível concluir que o comportamento dos sexos colaborou para o uso da palavra, possivelmente também para a sua origem. Walde relaciona também com *rumpo* a palavra *rubus* = amora (*raufen* = colher, *rupfen* = arrancar). Quando nos lembramos de que a amora é justamente um símbolo sexual conhecido (uma marchinha alemã do filho do caçador e da mocinha que juntos colhem amoras termina assim: e quando a mocinha saiu do mato, as amoras cresceram, e não demorou mais que três quartos de ano para que ela segurasse um filho no colo), talvez se possa dar razão a Walde, se não preferirmos pensar em associações inconscientes, o que seria igualmente comprovador. A propósito, amora é a *Dornbeere* (espinheiro; hindu antigo *bramo* = *Dorn* [espinho], daí o ingl. *broom* = giesta e, caracteristicamente, o fr. *framboise* = framboesa, o símbolo igualmente bissexual é: *Brustwarze* [bico do seio] = clitóris e glande), mas *Dorn* (espinho), *Stachel* (ferrão), *stechen* (picar), *sticken* (bordar) são símbolos do masculino em sua relação com o feminino. *Stein* (pedra) é pela raiz *sti* (tornar firme) afim dos gregos *stia* (στια) = pedrinha, *stear* (στεαρ) = coagulado, *steibo* (στειβω) = triturar, *stile* (στιλη) = gota, *stibatos*, *steptos* (στιβατος, στεπτος) = maciço, firme. As relações com o fenômeno da ereção, do enrijecimento e entesamento do anão "sujeitinho", do pênis (do lat. *pendo*) pendente, bambo e balouçante são, ao meu ver, bastante evidentes; da mesma forma, a associação da gota e do enrijecimento de um líquido, *stear* (vela de estearina é um exemplo valioso da invenção lingüística do inconsciente com base na identidade simbólica; vela é um meio amplamente difundido de auto-satisfação), é compreensível com base na ejaculação masculina e sobretudo feminina. A matéria é vivamente ilustrada pelo inglês *stone* = pedra como designativo dos testículos; são também elucidativos os vocábulos latinos *stipo* = grego *steibo* = endurecer, e *stiria* = gota; do último são afins o islandês antigo *stirar* = rigidez dos olhos, o alemão *stieren* = olhar fixamente, o lituano *styros akis* = olhos fixos e *styrtu* = enrijecer e *styroti* = estar parado rigidamente, sem graça (sobre as relações entre olhos e erotismo falarei no ensaio "Do Olhar e Ver"), o latim *stiprus* = forte, rígido, o alto alemão médio *stif* = rígido, ereto, o alto alemão moderno *Stift* = lápis. Além deles, o latino *stipes* = estaca, mourão, vara, o alemão moderno *stip*, *stippe* = ponto, pinta, e *stippen* = molhar. Uma afinidade digna de nota é a palavra *stips* = soma de dinheiro, doação. Encontramos nessa palavra – vamos encontrar a mesma em outras – a estreita ligação simbólica entre dinheiro, posses e os processos do Eros e, da mesma forma, a afinidade de sentido entre *Gabe* (dádiva), *Gift* (veneno), *Opfer* (sacrifício, vítima) com os eventos do sexo. A palavra "*stipulor* = convidar perguntando" se encaixa aqui, embora não tenha sido usada para convite sexual, pelo menos na linguagem literária. Essa relação com o sexual se torna evidente no latino *stipendium* = soldo: é composto de *stips*, mencionado anteriormente, e *pendo* (*penis*), significando portanto, com o auxílio de *stipulus* = firme, a transição do pendente para o firme, ressaltando a *virtus* (aptidão do soldado). – Não sei se *stiria* = gota congelada, sincelo, e *stiva* = esteva, são afins de *stips* e *stipo*; no entanto, a mim me parece que a palavra *stirps* = tronco de árvore, linhagem, pertence a essa área.

Obtemos algum esclarecimento sobre o conceito de "anão" na palavra *Wichtel*, *Wichtelmännchen* (homúnculo, duende): *Wicht*, que deriva dela, significa coisa, ser, alguma coisa em oposição ao nada, no qual ressalta o vivo e o demoníaco (em holandês, mas também no alto alemão moderno, designa criança pequena, membro sexual infantil pendente – *böser Wicht* [coisinha ruim] como brincadeira para o dedo mindinho – em oposição ao "sujeito" masculino forte e ereto). *Wichtelmännchen* – *Wichtel* sozinho é usado para ambos os sexos – é sempre um ser anão, a maioria das vezes morador na casa (ventre materno), é, talhado em madeira, colocado sob o nome de *Tocke* (relacionado talvez com o símbolo masculino *Stock* = bastão, sânscr. *tuj* = agitar violentamente) no *Ehren* (lugar atrás do fogão, genitálias femininas, usado também para o prepúcio, o que é significativo). Assim, o duendinho entra em estreita ligação com os penates romanos. Penates devem estar ligados a *penitus* = por dentro, bem no interior, *penetrare* = penetrar, *penus* = o interior do templo de Vesta; como o culto de Vesta era dedicado sem dúvida ao símbolo da mulher, é possível supor ligações com o atributo do eterno feminino e do eterno virginal, ambos dotados da capacidade de transformar o coisinha ruim (*digitus* = dedo) no hominho infantil (*penates*); insinua-se uma relação com *penis*, mas esbarra no *e* longo dessa palavra.

São instrutivas as sagas do *Däumling* (Pequeno Polegar), que mostram de forma especialmente clara as relações simbólicas mútuas entre as partes do corpo e entre a parte e o todo. A palavra *Daumen* (polegar), da qual deriva *Däumling*, provém da raiz indogermânica *tu* = inchar, e significa o forte (lat. *tumeo* = inchar). Em toda parte se conhece o simbolismo sexual que vive nela, todo mundo sabe que introduzir o polegar entre o segundo dedo e o terceiro, ou entre o terceiro e o quarto, da mão fechada é um convite ao intercurso sexual, e simbolismo semelhante tem empunhar o polegar, apertar o polegar dentro do punho fechado (chamar a sorte, sendo a sorte a união entre homem e mulher). O costume romano de virar o polegar para baixo, quando os espectadores exigiam a morte do gladiador vencido, para cima, quando ele deveria continuar vivo, baseia-se na mesma identidade; o ereto, a ereção era para os antigos – e ainda o é também para nós – vida, e o relaxamento, morte. – O sexo duplo do símbolo sobressai na palavra *Däumling*, quando o alemão chama de *Däumling* o dedo de luva com que protege o polegar machucado. – Um exemplo clássico do poder do símbolo inconsciente encontramos na lenda do Fausto: a Fausto (o punho) ela junta o diabo, mas Fausto e diabo juntos produzem o ato de masturbação*. Não tenho dúvidas de que Goethe conhecia e usou essa relação, pois ele, com base em sua segunda natureza mefistofélica, tinha consciência de muita coisa. – Da raiz *tu-* deriva *Tausend* (mil) (sânscr. *tavas* = força, *tuvi* = muito, *tuvismat* = forte, *tuvistama* = o mais forte; de *hunda* = al. *hundert* = cem, é composto *tu-hunda* = al. *tausend* = mil). Mil é portanto muitos cem ou cem forte). A ligação com a área sexual é confirmada pelo lat. *mille* e o gr. *chilioi* (χιλιοι) (segundo Grimm, do hindu antigo *sa-hasram* vem o islandês antigo *saha* = força, o gót. *sigis* = vitória, logo o grego primitivo *cheslioi* [χεσλιοι] de *sgheslio*, o lat. *mille* de *smi-zghsli*). O significado dos dois é cem forte. – Sommer deriva as duas palavras de um antigo feminino *smi* e *ghsli* (*smi* do gr. *mia*, μια, mais a raiz latina *sem-simplex* = um). Como *smi* é feminino, a interpretação de Sommer em conjunto com a de Grimm dá uma idéia da bissexualidade simbólica de todos os números; isso se aplica especialmente ao número 1, que, segundo o modo de pensar matriarcal ou patriarcal, é entendido como símbolo da mulher ou do homem. Trata-se de uma constatação fundamentalmente importante para todas as relações da vida, sejam elas o que forem, porque no animal matemático homem o número influencia tudo.

A palavra latina para polegar é *pollex*; é derivada de *pollos* = grande, que por sua vez se liga estreitamente a *polleo* = ser capaz, poder, ser forte em alguma coisa, e *pollens* = rico. Também aqui a ligação com a área sexual é evidente. O grego usa a expressão *megas daktylos* (μεγας θαχτυλος) = dedo grande forte. Uma outra palavra para polegar é *anticheir* (αντιχειρ) = contramão. Como *cheir* (χειρ) significa palma da mão, côncavo da mão (véd. *haras* = garra, *harati* = segura, irl. *hir* = palma da mão), portanto é receptiva em termos femininos, *anticheir* deve ser símbolo masculino. O simbolismo, também demonstrável em outras partes, do ato de pegar como relação entre homem e mulher (compare-se o simbolismo entre Fausto e diabo, mencionado acima) se expressa muito bem nesse confronto entre mão e contramão. O sentido de mão (*Hand*) como símbolo da relação sexual está contido nas palavras *Handlung* (ato), *behandeln* (manejar), *Handel* (comércio), *Akt* (ato) etc.

A palavra latina *pollen* e *pollis* (*polenta*, *pulvis* = pó, *puls* = papa) = pólen não é ligada por Walde a *polleo*, o que lamento muito. O pólen é tão manifestamente masculino que facilmente se adaptou à força viril, à capacidade sexual (febre do feno).

A palavra latina para designar anão é *pumillus*, *pumilio*, que se liga ou a *puer*, *pubes* (raiz *puh-*, *fuh-*) ou ao grego *pygmaios* (πυγμαιος), que pode, portanto, ser traduzido por pequeno polegar; de qualquer modo acentua a qualidade de anão; na verdade, ela não deriva de polegar, mas do dedo médio. A lenda de Pigmalião e da estátua de uma

* O Autor faz aqui um jogo de palavras entre Fausto e punho (*Faust* em alemão). (N. da T.)

moça que ele criou e a quem Vênus, a seu pedido, deu vida conta a quem quiser ouvir, em correspondência com a lenda de Eva e da serpente no paraíso, que a moça é despertada para a vida, para ser mulher, pelo falo *pyx* (πυξ = dedo médio esticado com a mão fechada).

Wecken (acordar) é palavra afim do latim *vegeo* = excitar, estar bem-disposto, *vigil* = vigilante, *vegetus* = ativo (da raiz indogermânica *uegh*-; do hindu antigo *vajah* = força, rapidez, alto alemão antigo *wakar* = vivo, valente). À mesma família pertence a raiz indogermânica *aueg*-, que significa crescer, aumentar; dela derivam as palavras latinas *augeo*, *augustus* = alto, e *auxilium* = auxílio, e as gregas *aexo* (αεξω) = fazer crescer, *auxano* (αυξανω) = fazer crescer para fora. Sua raiz presumível é o sânscrito *uks* = tornar-se maior, mas também ejacular: a ligação com processos sexuais masculinos não podia ser mais pronunciada. No alemão, pertence a essa família provavelmente a palavra *Ochs* (boi): no entanto, não no desbotado sentido moderno de touro castrado, mas no sentido de força simbólica do sexo, como é usada na zoologia e fora dela pela Alemanha.

O grau de afinidade que sente o inconsciente entre o conceito de crescer (acordar) e a atividade sexual pode-se ver na palavra latina que se usa para crescer, *crescere*, da qual parte o extremamente importante *creo* = criar. A raiz é *ker*- (crescer, alimentar; o nome de Ceres, deusa da fecundidade, reúne os dois significados da raiz). São afins de *crescere* e *creare*, por meio de *ker*-, as palavras armênias *ser* = descendência, *serim* = sou nascido, descendo, cresço, *serm* = semente; as gregas *koros* (χορος) = adolescente, também galho novo, broto, *kore* (χορη) = moça, pupila; a hindu antiga *cardhati* = é insolente, apesar de Walde estranhamente excluí-la da ligação porque significa também "ele peida", portanto, relaciona-se com soprar, inchado. Não existe nenhuma dúvida de que para o inconsciente criador da linguagem o crescimento do falo parecia um inchaço; *furzen* (peidar) provém aliás da raiz *puh*, que domina o ser sexuado. Nessa raiz encontra-se também, como demonstrei anteriormente, a mesma identificação de "crescer" e "aumentar" (por exemplo, no sueco *fetta* = boceta e *föda* = alimentar, parir).

Com as palavras *crescere*, *creare* o círculo anão-gigante se aproxima do centro do cósmico: o vocábulo grego *gigas* (γιγας) (franc. *géant*, ingl. *giant*) = filho da Terra, gigante, pertence a essa conexão (*ge*, *gaia*, γη, γαια = terra, está ligado a *gen*-, gerar, tem como base a raiz *gen*-); eles são gerados por Tártaro que habita no interior mais profundo da terra. (A idéia de que a força geradora que confere eficácia ao sêmen do homem mora na caverna aparentemente pode ser provada em todos os seres humanos.) É digno de menção que os gigantes eram imaginados dotados de pés de serpente (a serpente é um símbolo bissexual com ênfase especial no masculino).

O mito da origem de Urano, do céu, que teria nascido das forças da terra sem a junção com o ser sexuado masculino talvez se deva à idéia do inconsciente segundo a qual para a fecundação é necessária a caverna misteriosa. (Concepção virginal e nascimento do filho é colocado desde o início, uma convicção inconsciente de todos os homens, que ainda está viva na crença na concepção imaculada de Cristo e da Virgem Maria.) O mito traduz uma outra idéia infantil-primitiva quando faz nascer os deuses e titãs da ligação da mãe Gea com seu filho Urano. Urano vem de *ureo* (ουρεω) = urinar (fecundação da terra pela urina do céu, a chuva). É crença de todas as crianças numa determinada época da vida que a procriação se realiza pela urina.

Wolke (nuvem), que está ligada a *welken* (murchar), *verwesen* (decompor-se), pertence certamente a essa família. – No latim a nuvem, *nubes*, parece ter-se adiantado ao céu, *caelum*, que deve ter algo a ver com brilho, fogo: a ciência na verdade não liga *nubes* a *nubere* = casar, o que, porém, não quer dizer nada; ao contrário, o inconsciente parece ter forçado os etimologistas, contra a sua vontade – senão, teriam considerado afins *nubes* e *nubere* – a insinuar as conexões (Walde relaciona a palavra *obnubere* = anuviar, tapar somente a *nubes*, mas "tapar, cobrir" era considerado, por todos os idiomas e costumes, um símbolo do feminino em relação com o masculino, é o símbolo para a cópula). *Terra* (Gea) deriva da raiz *ters* = seco – o feminino seco se torna úmido na excitação; a mãe é molhada pelo pai para dar fruto. A teoria inconsciente da procriação pela urina se impõe em todas as circunstâncias de vida sadias e enfermas (doenças dos rins e da bexiga).

A palavra "urina" tem muitos afins, e todos se relacionam com água; também no pensamento moderno tem-se mantido essa relação com urina, significativamente na linguagem infantil, em palavras como lago, lagoinha, riacho. – Walde expressa dúvidas se *urinator* não seria mergulhador, já que *urinari* é submergir na água; mas justamente isso leva a creditar ao inconsciente a ligação entre urina e procriação, já que a criança que ainda não nasceu está submersa em água semelhante a urina, portanto o feto é "mergulhador" por natureza. Sobre a palavra *Erde* (terra) não se encontra muita coisa nos etimologistas, porém *Himmel* (céu) parece relacionar-se com *Heim* (lar; lar dos deuses). Entre os gregos, o filho da terra e do céu é o tempo *chronos* (χρονος). Também no latim e no alemão as palavras *saeculum* = duração da vida humana, e *Welt* (mundo; *wer*, *werwolf* = vir e *old*, *yld* = época) têm sentidos afins com semear e masculinidade. *Welt* é o lat. *mundus* = elegante, limpo, mas também adorno das mulheres; e aqui nos defrontamos com algo estranho, pois lingüisticamente *mundus* se liga ao gr. *mydos* = umidade (derivação: *mulier* = mulher de molhado, comparem-se dados anteriores, de fato para todo homem antes do nascimento a mulher é o mundo, um mundo úmido): de acordo com isso, a excitação sexual é o ornamento da mulher, até mesmo o mundo. – A palavra grega para designar o mundo é *kosmos* (χοσμος), o que novamente significa adorno. Digna de nota é a sua derivação de um indogerm. *kens* = falar pomposamente (lat. *censeo* = avaliar, *censor*). Desse modo, é estabelecida a ligação da palavra falada pomposamente com a criação do mundo ("Faça-se a luz"); para isso é necessária a feminina *mydos, kosmos*.

Entre as palavras alemãs que, como *Kerl* (homão), acentuam o masculino, o figurativo *Degen* para herói ocupa um lugar especial. *Degen* não é, como se supunha de início, derivado da arma *Degen* (espada), mas a arma recebe seu nome do masculino que está contido em *Degen*; *Degen* (alto alemão antigo *degan*, anglo-saxão *pëgn* = seguidor, criado, ingl. *thane* = barão) significa originariamente "rapaz" (*Knabe*), mesmo no alto alemão antigo *thegan* é exatamente "viril". No grego a raiz indogermânica de *Degen, tek-no*, aparece nas palavras (τεχνον) = criança, *tokeus* (τοχευς) = pai, *tikto* (τιχτω) = parir, procriar. Essas palavras, ligadas ao fato de a *Degen* espada pertencer a bainha, tornam compreensível quão fortemente masculino é o simbolismo do *Degen*, mas também sugere a idéia de que as palavras *Knabe, Knappe* (pagem), *Knecht* (cavalheiro), ingl. *knight*, também têm origem no simbolismo sexual, e todas contêm a raiz *gen, ken*. A psicologia conhece a dependência que existe entre a fabricação e manejo das armas e o símbolo arma – falo; a linguagem confirma a justeza dessa opinião. Com base nisso, chamo atenção para a palavra *Scheide* (bainha): enquanto esta palavra está presente nas línguas indogermânicas (inclusive para designar o órgão feminino), ela não aparece no gótico, onde se usa, em vez dela, a palavra *födr*; temos aqui de novo a raiz *puh-, fuh-*, a gata borralheira dos filólogos. Certamente, *födr* também significa *Futter* = alimento. Já encontramos muitas vezes essa afinidade do alimento com a procriação, também facilmente explicável pela idéia primitiva da vida fetal. O item *"vagina = Scheide* = bainha" de Walde é instrutivo da estranha atitude do etimologista: ele relaciona-a com o lituano *voziu, vozti* = calçar algo oco, mas não lhe ocorre ligar essas palavras às alemãs *Votz, Fut, fuen* e outras. A mesma atitude tímida a lingüística assume diante da palavra *Faust* (punho). Quando nos defrontamos, no dialeto suíço, com a designação *Wiberfust* para um punho com o polegar fechado, é difícil deixar de relacioná-la com a palavra *Votz* (boceta), especialmente se levarmos em conta a expressão alemã *"die Faust ballen"* (cerrar o punho). *Ballen* vem da raiz muito bem dotada *bhel-*, que significa "estar repleto, inchar", e dela Walde deriva o latim *follis* = saco de couro; ele apresenta toda uma série de palavras que estão ligadas às relações sexuais (gr. *phallos, phales* [φαλλοσ, φαλησ] = membro masculino, irlandês antigo *ball* = membro, hessiano *Bille* = membro, pênis, *Bulle* = vulva, anglo-saxão *beallock* = escroto etc.). A expressão do dialeto suíço propõe nova charada: ela poderia ser tomada como símbolo da união do homem e da mulher ou como símbolo da teoria segundo a qual o feminino provém do masculino graças ao corte do membro e dos testículos, ou finalmente – e é isso que quero crer – poderia ser uma palavra para representar a idéia de que dentro da mulher existem pênis e testículos do mesmo modo que o polegar no punho (útero com colo igual ao membro masculino, ovários iguais aos testículos). – O *Wiberfust* é ainda a morte do homem dentro da mulher: enquanto o polegar estiver dobrado, o polegar masculino, o dedo forte, é impotente. – Finalmente, este *Wiberfust* é símbolo da gravidez, o fruto no ventre materno. Encontram-se juntos aqui os símbolos mais importantes, os do sexo dual e da infanto-masculinidade do ser humano, o morra e seja.

Ao conceito de anão ainda pertence a palavra *Kobold* = duende; *kuba-hults* = *Haus-Holde* = duendes da casa: *Holde* são duendes domésticos benéficos); a primeira parte da palavra é *Koben*, do alto alemão médio *kobel* = casa estreita, anglo-saxão *cofa* (palavra altamente poética) = dormitório, grego *gypas* (γυπας) = moradia subterrânea. É de supor que *kuba* signifique útero e *Holde* seja o homem.

Se o plano desta obra me permitisse, seria essa a ocasião de incluir no âmbito das observações as lendas e obras poéticas de toda espécie; contento-me em lembrar-lhes a lenda grega da guerra dos grous (símbolo de ereção, gigante) com os pigmeus e o romance de Swift, *Viagens e Aventuras de Gulliver no País dos Anões*: o fato de que a uma ereção sucedem-se muitas e muitas formas anãs do membro masculino se torna mais claro na literatura do que nas artes plásticas (o urinar de Gulliver, o Pantagruel de Rabelais).

Na arte descritiva é principalmente a lenda do gigante Golias e do rapazinho Davi que tem sido usada como símbolo. O interessante nessas obras plásticas é que falta nelas a mulher: enquanto o relaxamento do falo pelo ato de amor com a mulher é simbolizado claramente nos retratos de Judite – em Florença existe um quadro de Allori que representa Judite com a cabeça cortada de Holofernes, enquanto a sua velha serva segura, como símbolo da mãe, o saco (=*uterus*) em que a cabeça será enterrada –, o Davi de Verrocchio mostra o fato de o gigante Falo ter sido diminuído de uma cabeça pelo próprio falo, pela espada. A vida acaba com a maioria das ereções não por intermédio da mulher, mas mediante o retorno do masculino ao infantil: o inconsciente de Verrocchio colocou na mão do rapaz uma espada meio abaixada, caracterizando o processo de relaxamento; o garoto Davi vence o forte Golias com o lançamento da pedra, a certeza de que ereção, ejaculação e relaxamento acontecem por conta própria, sem que a mulher intervenha (onanismo, polução), confere a essas obras de arte o motivo inconsciente.

Um produto estranho do inconsciente é o *Davi* de Michelangelo: nele é exposta diante dos olhos com uma nitidez quase cruel a idéia, que também se encontra na *Criação do Homem* de Michelangelo, de que o masculino experimenta por si só a ereção e o relaxamento. – Davi é gigante e menino ao mesmo tempo, ele carrega a funda sem que seja mostrado o adversário. Mal se pode suportar essa exposição desvelada do amor-próprio do masculino. O inconsciente da Antiguidade também tem representado com freqüência o masculino fechado em si mesmo – pensemos no Doríforo – mas a figura do menino gigantesco com a aptidão de usar a funda, esse hino triunfante à auto-suficiência do masculino e sua independência da mulher, já que o homem possui as três formas do ser humano, aparentemente não foi usado em lugar nenhum, e para o autor é compreensível que a multidão de homens tenha imediatamente jogado pedra no colosso.

A afinidade lingüística entre os conceitos de gigante – anão, de acordar – crescer – criar é objeto da pintura mais imponente do mundo, a *Creazione dell'Uomo*, no teto da Capela Sistina em Roma. Deitado de comprido, com o braço alongado para a frente e um dedo que avança, o SENHOR dá vida. Ele está envolto num manto que, como se fosse um pedaço da abóbada viva, sente junto a excitação do momento. Nesse símbolo do regaço protetor fervilha um exército de crianças, dez ao todo. Mas o olho investigador logo vê que apenas nove dessas crianças fazem parte do símbolo feminino do manto; a décima agrega-se à mulher no braço do SENHOR, agarra-se à coxa da mulher e a mão do SENHOR toca o seu ombro. Nove crianças: nove é o símbolo da perfeição, da gravidez terminada, nove vezes falha o sangramento da mulher. Abaixo do deus voa, como se tivesse de amparar o gigante, um ser masculino cuja figura, concisa como é e meio escondida que está, acentua a inesgotável força de procriação do símbolo masculino, uma força que sempre volta; o deus é gigantesco, enquanto dura a tempestade da geração, por baixo dessa força vê-se a capacidade e possibilidade do descanso e recolhimento e ressurreição. É possível criar homens, porque antes e depois da criação há descanso, exaustão e recolhimento. – Homem, mulher e criança juntos são o ser humano, só que unidos o homem se torna criador e deus. O inconsciente da pintura repete essa união em símbolos intimamente entrelaçados: aí estão a mulher e a criança nos braços do SENHOR, não objetivos para ele, mas algo que ele tem; ambos, mulher e criança, são seres próprios, que se uniram e se deixam arrebatar pelo deus criador. Mulher e criança é também o manto com os anjos, são atributos do deus, mas a sua meta é acordar o homem para o qual ele voa.

Esse homem – o quadro se chama *Criação do Homem*, em contraposição à criação da mulher, o inconsciente de quem lhe deu o nome viu que não se trata da criação do ser humano, muito menos da criação de Adão e Eva –, esse homem é – bastante estranhamente, mas em correspondência com os segredos mais profundos do inconsciente – o verdadeiro criador, ele cria a si mesmo: ele vê, e mediante o ato de ver ele se torna vivo, é a criação da sua visão, de sua fantasia. O dedo do SENHOR ainda não o toca, e seu braço já se estende, seu corpo se levanta, ele apóia a perna para erguer-se, para ficar de pé: ele cresce.

Mas sua visão já é vida plena, vida viva. Seu olhar é sonhador, ele olha de dentro para fora; quem segue o olhar não sabe se este se dirige para o deus-homem infantil-feminino ou para a mulher que, admirada e sem nenhuma ilusão, sem olhar o deus, contempla o homem, ou para a criança que faz parte da mulher e continua agarrada a ela mesmo quando reconhece o homem. O homem abarca tudo o que é humano, quando se torna vivo, quando sente a aproximação da tempestade do amor, quando a sua masculinidade começa, como no quadro, a levantar-se para a ação de procriação; não se vê a si mesmo como é no estado de perfeição masculina, a trindade homem-mulher-criança. O autor projeta no inconsciente desse quadro o mistério do masculino que as mulheres conhecem tão bem, mas nunca reconhecem, porque, em caso contrário, teriam de agir de acordo com ele, o mistério de que àquilo que chamamos homem, o forte, criador, só se torna vivo por alguns minutos, de que o homem só é homem enquanto se encontra no estado de excitação, no entusiasmo, no estar-em-deus. *La Creazione dell'uomo*: o deus que o homem cria é inerente ao homem, o homem se torna homem por intermédio do homem, não da mulher, nem da criança, ele se torna criatura e criador pela idéia do humano, da visão da trindade de ser humano. O homem é visionário na breve hora do ser humano, que sempre se repete, fantasia inconsciente é pai e mãe do homem. A pintura de Michelangelo conta igualmente alguma coisa da mulher: a mulher olha para o homem, porém mesmo na tempestade da paixão abraça a criança, não pensa na criança, pensa no homem, mas a criança tem isso consigo: a mulher é sempre mãe. Todos poderiam e deveriam saber que o homem quando abraça também pensa na criança, querendo ou negando, a mulher nunca pensa na criança quando abraça, somente no homem, não precisa pensar nela porque a tem sempre consigo, desde a sua primeira hora de vida: quando evita a gravidez, só o faz por causa do homem, só o faz porque adivinha seus pensamentos e escrúpulos. As mulheres são muito inteligentes, e não são nunca e em nenhuma circunstância escravas da paixão: Cupido tem os olhos vendados, Vênus enxerga sempre. A única mulher que traz a venda nos olhos é Têmis, a justiça, não porque julga com imparcialidade, mas porque a justiça, para poder julgar, tem de ser cega para o bem e para o mal, porque ela pode julgar segundo o parecer. Não julgueis! – Deixai-o para as mães! Elas têm de julgar, para preparar a criança para a vida, e para isso se lhes coloca a venda do amor e do ódio maternos.

O latim *vir*, segundo os entendidos, está ligado à palavra "*vis* = força, gr. *iphi* (ιφι)". A perfeição com que a palavra correspondia ao conceito do exclusivamente masculino, prova-a o adjetivo *virilis*, que ainda hoje no inglês e no francês designa a força do homem; e na expressão *virago* = mulher masculina no sentido pejorativo, encontramos a confirmação disso. – Na posição desimpedida do leigo sentimo-nos justificados a associar também à palavra *vir* o vocábulo *virgo* =

virgem; mas a etimologia protesta e afirma que *virgo* se relaciona com "*virga* = verga flexível, vara". Claramente, ela usa o conceito de "flexível, verdejante, crescente" para criar uma aproximação também no significado das duas palavras; a esse respeito, Walde se reporta ao latim *talea* = talinho, estaca e ao afim grego *talis* (τᾶλις) = noiva, moça núbil. Não quero discutir por causa disso, a mulher ter algo de flexível, apenas isso não acaba com a virgindade; mas fica a pergunta se *virga* não pertence de algum modo a *vir*, e acredito nisso. Supõe-se que *virga* se relaciona com *uiz-ga*, que como verbo quer dizer "torcer" e como substantivo "feixe, molhinho, vassoura". Supondo-se que está correta essa conexão estabelecida por cientistas reconhecidos (Walde, Kluge), impõe-se a idéia de que na palavra são designados ambos os sexos (*vir* – *virgo*) unidos no símbolo original, pois a união dos dois corpos é um abraçar-se mútuo. O terceiro membro da equação do ser humano, a criança, também estaria contido na palavra no sentido de "rebento, vergôntea"; as imagens poéticas do tronco de árvore envolto pela hera, do homem – também às vezes da mulher – abraçado pela serpente, grinalda e coroa na cabeça, exprimem a mesma idéia, e mesmo a expressão vulgar em alemão "*fegen, kehren*" para designar a cópula leva diretamente à imagem do feixe de varas flexíveis. Mas *virga* está ligada à palavra *vir* de outro modo, existe uma palavra composta, *virga divina* = varinha mágica; que o falo é uma varinha mágica não se pode negar. Se usarmos o idioma alemão como ilustração, ocorre-nos, primeiramente, que a tradução costumeira de *virga* é *Rute* (verga), uma expressão muito usada até algumas décadas atrás para designar o membro masculino. A designação da vara de medir como *Rute* leva-nos à agricultura, tanto quanto *virga* entre os romanos, e a relação entre o Eros humano e os campos da terra são demonstráveis em sua harmonia simbólica em todos os idiomas e costumes. Se usarmos a tradução *Stab* (bastão) em vez de *Stange* (vara; que é usual para designar o membro ereto), ou *Rute* (verga), a relação se torna ainda mais clara: *Stab* leva ao antigo alto alemão *staben*, ao indogermânico *sthap* = ser firme, rígido, e ao sânscrito *stapay* = fazer parar. À mesma raiz pertence o grego *astemphes* (αστεμφης) = firme, e essa palavra conduz a um símbolo muito conhecido do masculino e da união homem-mulher "*staphyle* (σταφυλη) = cacho de uva, videira". É digno de nota que *staphyle* seja também a úvula; reencontramos aqui, mediante um longo rodeio, o simbolismo dos órgãos do corpo. O Isso usa de maneira surpreendente como símbolo do erotismo a laringe junto com as amígdalas e a úvula; as inúmeras inflamações da garganta nas crianças – pelo visto as crianças conhecem esse simbolismo –, mas também nos adultos, em quem sempre retornam as inflamações das amígdalas ou faringite, acham-se quase sempre relacionadas com repressões na área sexual; suponho mesmo que as doenças diftéricas também são dependentes desse simbolismo, embora na prática me falte a oportunidade de prová-lo. A úvula simboliza de modo natural o membro – o batoque macho cabe no buraco da barrica fêmea, fecha e abre – enquanto as amígdalas são usadas ou como representantes dos testículos, ou da abertura sexual feminina; o conjunto da faringe é na sua função de engolir a alegoria da conjunção ou do parto. – A expressão latina é *uvula* (de *uva*); existe portanto concordância entre os dois idiomas antigos. *Uva* leva a um passo mais adiante, pois se relaciona lingüisticamente com *oe* (οη) = sorveira, sorva, mas a sorveira é árvore da fecundidade; de sua madeira obtém-se a vara da vida, cujo toque torna fecundos os humanos e os animais. Está claro que *Zapfen* (batoque) e *Zäpfchen* (úvula), no seu significado funcional, também têm relação com o membro; isso é confirmado pela única palavra afim de *Zapfen*, *Zipfel* (ponta do rabo, do gorro), que geralmente é usada para designar o membro sexual masculino.

Uma outra tradução da palavra *virga* é *Gerte* (= varinha); a bissexualidade é expressa tanto quanto em *virga* pelo uso feminino da palavra em contraposição à derivação masculina – *Gerte* é afim do latim *hasta* = lança; *hasta caelibaris* era para os romanos um pequeno espeto com que se arrumava o cabelo da noiva: o sentido simbólico do espeto como símbolo do falo é tanto mais compreensível quanto, no alemão e no latim, assim como nos outros idiomas indogermânicos, a arma de estocar e de arremessar é considerada originária do poder simbólico de Eros. Diante da justiça a lança enquanto símbolo do masculino desempenha desde sempre um papel importante, e isso ainda hoje se traduz na conhecida expressão hasta pública. No alemão, *Lanze* (lança), *Spiess* (espeto), *Speer* (alabarda), *Dolch* (punhal), *Degen* (espada), mas também *Pfeil* (flecha), *Flinte* (mosquete), *Revolver* (revólver) são designações habituais para o membro masculino.

Especialmente instrutiva é a palavra *Pfeil* (flecha), derivada do latim *pilum* (dardo). Walde declara categoricamente que *pilum* = dardo nada tem a ver com seu homônimo *pilum* = pilão; para ele, a primeira deriva de uma raiz *pig*, *pik* (francês *piquer* = picar) e liga-a a *pingo* = pintar; a outra deve ligar-se a *pinso* = triturar, moer. Isso pode estar correto, mas poder-se-ia, partindo do simbolismo, chegar à conclusão de que tanto *pingo* como *pinso* têm algo a ver com a raiz etimologicamente chocante *puh-*, *fuh-*. – O próprio Walde fornece uma espécie de fundamento para isso: ele diz que a palavra *pingo* = pintar vem de uma raiz *peik-* e assim haveria uma raiz paralela *peuk-*, da qual derivaria *pungo* = picar, mas também *pugil* = pugilista e *pugna* = luta com os punhos, combate, *pugio* = punhal; todas essas palavras se ligam aos vocábulos gregos *pyx* (πυξ) = com o punho, *pygme* (πυγμη) = punho, *pygmes* (πυγμης) = pugilista, das quais é afim, segundo Kluge, o alemão *Faust* (punho). O importante, porém, é que os gregos não entendiam *pygme* como o nosso punho fechado, mas a mão fechada com o dedo médio estendido; mas esse é um dos símbolos típicos do falo, ou, melhor, símbolo do homem de membro ereto, e a luta com os punhos seria, assim, a luta de homens excitados pela mulher. – Compreende-se melhor a afinidade *pingo* – *pungo* mediante dois outros significados de *pingo*: um é "picar com a agulha" (ao bordar), o outro é arranhar (al. *ritzen*). *Pingo* = *ritzen* = arranhar leva ao russo *pizda* (lituano *pyzda*, letão *pida*) = vulva, fresta (alemão *Ritze*); pertencem à mesma raiz o antigo prussiano *peisda* = ânus e o lituano *pisti* = copular. No significado "bordar com a agulha" aparece igualmente a ligação erótica: o manejo da agulha é condicionado pelo sexo, como se pode comprovar facilmente pela maneira diferente como bordam o homem ou a mulher ou a criança. – Fiquemos com o som da palavra *pingo*: chegamos a suspeitar de que o vocábulo alemão *pinkeln* (urinar) está ligado a ela; só que não devemos acreditar que tal afinidade seja examinada com mais detalhes nas obras de etimologia. Mas se refletirmos que todo rapaz tenta pintar na areia ou na neve com a urina e que existe razão para relacionar a tendência a pintar com o fato de que todo bebê é um pintor nato de fraldas, chama a atenção ainda que os romanos chamassem o pincel de *penicillus* = pequeno rabo, pequeno pênis, uma associação que também é verdadeira para o alemão *Pinsel* (pincel). Ambos os idiomas também chamam o imbecil dessa maneira. A palavra etimologicamente aparentada *Faust* faz a ligação com a raiz *fuh-*.

Tudo o que foi dito até agora torna verossímil a derivação de *pilum* = dardo, da mesma raiz que *pingo*. A segunda palavra *pilum* = pilão remonta a *pinso* = triturar, moer. No caso a relação sexual é clara: o pilão é em toda parte um símbolo do falo = *Pfahl* = estaca, e também, por exemplo, a palavra *Viesel*, *Fasel* = membro masculino (a primeira também é usada para designar as partes sexuais femininas) é relacionada etimologicamente com *pinso* e seus derivados (alto alemão médio *visel* = pilão, irlandês antigo *cisel* = diabo – a relação entre diabo e membro é usada de modo especialmente bonito numa novela de Boccaccio –, lituano *pisti* = copular, *pinso* levaria a *pissen* = urinar). – Para rematar, ainda entre os romanos havia um casal de irmãos de deuses do casamento, Pikumnus e Pilumnus, pertencendo Pikumnus – derivado de *picus* = pica-pau (grego *dryokolaptes*, inglês *woodpecker*, ambos escavadores de madeira, a ave de fogo de Prometeu) – a *pilum* = dardo, *pingo* = pintar, riscar, e Pilumnus a *pilum* = moinho, *pinso* = triturar. – Uma estranha palavra da mesma família é *pilarium* = local da sepultura onde se guardavam as cinzas dos mortos. Segundo Walde, ela se relaciona ou com *pila* = pilões, ou com *pila* = pilar. Pode-se interpretar isso como o feminino no qual permanecem as cinzas do fogo amoroso masculino, ou que o almofariz (*pilum*) tenha pisado no pilão ou que o pilar se tenha desmoronado no *pilarium*.

Resumindo, gostaria de dizer que para mim não existe razão para negar a afinidade de *virga* e, assim, de *virgo* com *vir* e *vis* = força.

Uma palavra que deriva certamente de *vir* é *virtus*, que é usada exclusivamente para o homem, masculinidade, virtude masculina. No francês ela se tornou *vertu*, uma virtude feminina, da mesma maneira que para o sentimento alemão *Tugend* (virtude) é primeiramente um atributo da mulher; a tônica, no entanto, sempre se refere ao comportamento na vida sexual. *Tugend*, por derivar de *taugen* (servir), *tauglich* (útil), também parece ter sido originariamente uma virtude igualmente masculina; pelo menos Kluge relaciona essas palavras com uma raiz indogermânica *dhugh*, à qual pertencem o lituano *dauksinti* = aumentar e os gregos *tyche* (τυχη) = felicidade, *tykane* (τυχανη) = malho, *tykos*, *tychos* (τυχος, τυχος) = martelo, formão, símbolos masculinos. Na sua transformação moderna em atributos da mulher, evidencia-se a bissexualidade de todos os símbolos, o reconhecimento pelo inconsciente da natureza masculino-feminina do ser humano (emancipação das mulheres).

A relação da palavra *virus* = veneno com *vir* é complicada. Walde não menciona uma afinidade, mas sublinha que *virus* significava inicialmente uma umidade viscosa, seiva, muco (o afim *gwyar* no cimério significa sangue). O grego *ios* (ιος), de raiz afim, significa igualmente veneno (existe uma palavra homônima *ios*, que quer dizer flecha, que me chama a atenção como indicador do intercurso sexual), que, segundo Prellwitz, pertence a uma raiz *veiso* = ejacular. Os entendidos unanimemente derivam as palavras *verwesen* (decompor-se) e *welken* (murchar) da mesma origem de *virus*, *ios*; parece querer-se acentuar com isso a qualidade da espessura (hindu antigo *vesati* significa derreter). Acrescente-se a isso o alemão *Gift* (veneno) e obtemos um exemplo quase completo do fato de o inconsciente conhecer relações entre amor e morte, não só entre os gregos, que o demonstram claramente em sua arte – as representações da dança da morte nas pinturas medievais e recentes dizem o mesmo, da mesma forma que os quadros da Ressurreição –, mas também entre todos os homens. Foi no alemão que essas relações se conservaram melhor: *Gift* é designado pelo nome nas palavras *Mitgift* e *Brautgift* (dote da noiva) (*jemanden vergeben* = envenenar alguém em vez de *jemanden vergiften* era usual no uso lingüístico de outrora e ainda continua vivo na literatura); o veneno é o esperma – espesso = *virus*, *vir* –, o envenenamento é a ejaculação – *veiso* = ejacular –, o envenenamento é a gravidez (a raça é envenenada pela fecundação pelo plasma germinativo inferior também no futuro, filhos do segundo casamento da mulher são parecidos com o primeiro marido) e o relaxamento da ereção. *Verwesen* (decompor-se), que pertence à primeira família, coloca o grupo em relação com a raiz *puh-*, tratada tão timidamente pela etimologia (*puteo* = feder, *putridus* = podre etc.); insinua-se aqui o pantanoso da mulher excitada. Pantanoso, apto a apodrecer é também o espaço entre o prepúcio e a glande (secreção espessa, de cheiro forte das glândulas sebáceas, inflamações locais); já que o prepúcio é compreendido pelo inconsciente como parte feminina do órgão masculino (circuncisão), é presumível a derivação da palavra *praeputium* = prepúcio da raiz *puh-*; Walde liga-a a *puer* = menino, *pubes* = órgãos genitais, mas que pertencem também à raiz *puh-*. – A *virus* pertencem ainda as palavras latinas *viesco* = murchar, fenecer (inglês *wither* = decompor-se) e *vietus* = murcho, encolhido. Também o vocábulo *viscum* = *Vogelleim* = visco é afim de *virus* (*Vogel* = pássaro é talvez o símbolo mais conhecido do membro masculino, e *Leim* = cola, visco com que se prende o pássaro é o *virus* pegajoso e úmido da mulher; o costume inglês do beijo sob o ramo de visco se espalha aos poucos por toda a Europa).

O grupo *Laocoonte* mostra o quanto o inconsciente da Antiguidade sentia que o abraço do masculino pelo feminino representava um envenenamento mortal: três figuras masculinas são mortas pelas duas serpentes enviadas pela deusa, que são o símbolo duplo do feminino; até este ponto o símbolo já é dado pela lenda. A obra de arte em si continua a moldar a alegoria à sua maneira. A força masculina do trio atrai o olhar imediatamente, porque o homem entre os dois rapazes – o falo entre os testículos – é desproporcionalmente grande e forte; mesmo o rapaz maior mal chegaria ao quadril do pai e, no entanto, ele não é retratado como uma criança, mas no físico e na expressão como um adolescente em formação. O símbolo do número dois como mulher é também fortemente acentuado: as figuras das serpentes estão tão artisticamente entretecidas que mal se pode distinguir os animais isoladamente em suas sinuosidades, cria-se a impressão de um único ser vivo, de um no dois, de uma fêmea com coxas envolventes. E o fato de o enlaçamento do masculino se repetir tantas vezes que até se duvida se é a mordida venenosa (*virus*) ou o abraço premente que causa a morte produz o calafrio que todo mundo sente às vezes quando vê a paixão feminina: sucumbir ao abraço é deleite, mas o homem sente às vezes indistintamente o perigo do veneno, já que nunca sabe se é ao amor ou ao ódio que ele sucumbe, se a mulher o eleva novamente a semideus ou o subjuga como escravo (Dalila, Ônfale). Se se observar o traçado do grupo é possível ver as três fases do Eros masculino; à direita do observador a excitação em seu começo, simbolizada na figura do menino maior: o masculino está sendo tomado pela excitação, mas ainda não sucumbiu a ela. A linha condutora passa então para o homem gigantesco que, indissoluvelmente seduzido pelo Eros, à mordida ameaçadora da serpente abre a boca para soltar um grito, e termina na figura menor, na figura do menino que relaxa frente à morte, de cujos lábios semi-abertos escapa o último sopro de vida. – Considerando-se que a serpente e o número dois também são usados como símbolo do masculino, o veneno feminino seria totalmente expelido desse modo, e a morte do homem por amor seria representada pela sua masculinidade, pelo entregar de suas *vires* (forças) e pela perda do sêmen (*virus* = veneno, líquido espesso). O fato de Laocoonte prevenir os troianos a abrir um buraco nos muros da cidade denota a primeira interpretação, pois a cidade com seus muros só pode ser compreendida como símbolo feminino: a mulher se vinga no inimigo das mulheres.

A partir do latim tardio, a palavra *"Intoxikation* = envenenamento" passou para o uso lingüístico, e em seguida dá origem a uma série de palavras usadas especialmente na linguagem médica (tóxico, toxina - antitoxina). Essa palavra, mista do grego e do latim, deve sua difusão ao conhecimento inconsciente do caráter de envenenamento que tem o ato de amor. O grego *toxon* (τοξον) é originariamente o arco, mas uma intoxicação não pode ser provocada pelo arco, mas somente pelo disparo do arco, pela flecha envenenada. Os derivados da palavra *toxon* (*toceyo* [τοξευω] = disparar, *toxotes* [τοξοτης] = arqueiro) já insinuam que o arco e a flecha foram compreendidos como uma unidade. Na mitologia grega, os irmãos Apolo e Ártemis aparecem armados com arco e flecha, e a *Ilíada* menciona explicitamente que Apolo usava flechas envenenadas, mortíferas: seu disparo provocava epidemias. Além dessas duas divindades, Eros sobretudo é que aparece armado de arco e flecha; seu projétil não mata, mas envenena. Está claro que com o arco, com relação à sua tensão, se quer indicar a ereção, enquanto disparo e veneno se referem ao ato sexual e à ejaculação; naturalmente, tendo em vista a natureza complicada do amor sexual, a ereção, o desejo mútuo ou unilateral, já é obra da arma erótica. Do fato da gravidez pode-se deduzir facilmente que o mito acentua em primeiro lugar o envenenamento da mulher, acrescentando-se a isso que a Antiguidade conhecia tanto quanto nós conhecemos hoje como a fêmea animal é envenenada, no sentido genuíno da palavra, com a fecundação por um macho inferior ou de raça diferente. No entanto, a ejaculação – o disparo da flecha – também provoca o envenenamento temporário, ou mesmo a morte temporária do masculino, de modo que arco e flecha são também simbólicos para o ato sexual feminino. O povo tem acreditado desde sempre que para a relação normal, sobretudo para a realização da gravidez, é necessário um encontro do sêmen com a secreção da mulher produzida pela excitação, uma opinião que a ciência não discute mais, embora ela pudesse estar correta. Na etimologia encontra-se, para a idéia de que arco e flecha são também símbolos femininos, um apoio débil no latino *arcus*, que Fick relaciona com o cimério *arffe* = colo (armênio *argand* = útero). – Várias hipóteses estranhas são dadas pelo fato de que a arma mortífera arco – flecha é carregada tanto pela docemente casta Ártemis, a deusa da lua e do parto, quanto por Apolo, o deus do sol ardente. Para os gregos Ártemis não era a virgem; presumiu-se talvez que ela carregasse o pior veneno da mulher, o falso pudor.

Enquadra-se nesse contexto um quadro de Jan Steen, que está na Galeria München, denominado *O Médico* (ilustração 5); e para nós médicos é como que a exegese de um dos fatos mais importantes do médico, a transferência. Talvez não se perceba isso ao primeiro olhar, pois a figura predominante do quadro é mantida sabiamente no fundo: uma estátua de Cupido encontra-se em cima de um armário junto à parede do fundo, ela está segurando a flecha na mão, não para dispará-la, mas para lançá-la à doente, uma jovem mulher. A arma irá feri-la apenas de leve, mas será arremessada e tem de acertar, para que tenha início o tratamento da doente: faz parte do tratamento a transferência, o sentimento inconsciente do doente necessitado de ajuda, não importa se é homem ou mulher, se é jovem ou velho, o sentimento no qual o doente é criança e o médico, sem saber e sem pensar, se transforma em pai e mãe. Na maioria das vezes, essa relação estranha e única já está presente antes mesmo de o médico encontrar o doente, a palavra "médico" faz parte da magia; mas somente o encontro pessoal é que decide, e mesmo assim por breve tempo. A transferência, ou seja, o ferimento inofensivo e envenenamento do doente pela flecha arremessada por Eros, é a base de todo tratamento: sem ela nenhuma ferida pode sarar, a farpa no dedo irá supurar quando ela não existe, toda operação falhará, toda doença fica pior. Não é aqui o lugar de falar com mais detalhes sobre esse mistério entre aquele que procura ajuda e aquele que ajuda – quem ajuda não tem de ser necessariamente o médico, nem mesmo ser humano, nem mesmo animal ou objeto, os acontecimentos também ajudam; basta dizer que o artista, que certamente queria apenas fazer troça, foi obrigado pelo inconsciente a pintar a verdade mais profunda. O quadro o prova. Eu já disse: a flecha é lançada com a mão, portanto não pode ferir com gravidade; mas essa flecha está envenenada. De que tipo é o veneno da transferência? – Em primeiro lugar, pensa-se naturalmente no perigo de produzir-se uma séria relação de amor, e esse perigo está tanto mais próximo quanto a simpatia de quem ajuda para com aquele que precisa de ajuda é o pressuposto de toda ajuda – não apenas da ajuda médica. Esse perigo – se é que é perigo, e a experiência ensina que o veneno de tal relação de amor no fim mata o médico, e não o doente – esse perigo é prevenido pela lei e pela moral; no entanto, deve-se saber que ao médico não é estranho nada de humano, também nenhum erro humano, portanto, que a lei e a moral falharão muitas vezes. No entanto, tal relação de amor entre médico e doente pode ser sempre uma exceção, abstraindo-se disso que na maioria das vezes isso ocorre sem maiores danos, isso só se pode desenvolver via de regra no caso de uma doente feminina. Todavia, outro veneno adere à flecha de Eros, o veneno que conhecemos pelo nome de resistência, e esse não se importa com sexo nem idade, está sempre presente. No momento em que a flecha de Eros – ou, digamos melhor, a transferência – acerta aquele que busca ajuda, e mesmo que somente o arranhe, nasce no interior do ser humano consciente esse veneno da resistência que luta contra o restabelecimento – o cair doente e o estar doente parecem ser para o inconsciente a salvação do perigo; conseqüentemente, ele procura diminuir, desvalorizar tudo e todos que poderiam trazer a cura, o remédio, o banho, o clima, o ambiente, o enfermeiro e sobretudo o médico.

Decerto, pode-se tratar doentes, também com sucesso, sem conhecer o mínimo de resistência; pode-se até dizer que é a regra. No entanto, quem observa com atenção o tratamento médico logo vê que a ação técnica consciente é acompanhada e, se tudo for bem, dirigida por um apaziguamento inconsciente. Assim, portanto, o á-bê-cê da terapia é na verdade o tratamento da resistência, qualquer que seja a doença. Provocar ou cultivar propositadamente a transferência é bastante perigoso; ela está sempre presente em medida suficiente. Que ela nem sempre é dirigida exclusivamente para o médico (ele é apenas um portador da transferência), mostra-o o quadro de Steen com um pequeno traço que faz rir todo aquele que o observa. A mulher doente abre as pernas, mas esse convite à dança não é dirigido ao médico, que nem mesmo o percebe, mas a um símbolo composto da cavidade da mulher e do falo ereto, um aparelho indispensável no quarto do doente, que também já aponta lascivo para o campo de jogos de Eros.

Os médicos experientes aprenderam e os talentos pressentem de antemão que o fogo do amor e o afeto do doente não são dirigidos à sua pessoa, mas à compulsão cega do Eros. Esse fogo de aparente gratidão só queima por amor ao fogo. O guardião no quarto da doente, o cão, sabe disso, ele sabe que o coração mais íntimo de sua dona não corre perigo, ele vê na atitude e na expressão da doente a resistência. – Um segundo Eros está no quadro atrás da cama, mas ele também está morto. – Não se deve despertá-lo.

No grego a palavra mais usada para designar o homem viril é *aner* (ανηρ). A raiz parece ser *nar* e sublinha a força. Há quem relacione *aner* com o sabino *neriosus* = forte; houve outros que foram buscar em outras línguas uma porção de palavras que pela mesma raiz acentuam o vigoroso. Com isso, porém, não se vai muito longe; a questão é: a que se refere a força? Brugmann pressupõe uma afinidade com as palavras *neura* (νευρα), *neuron* (νευρον), lat. *nervus* = nervo, mas outros põem em dúvida. Se seguirmos Brugmann, lembramo-nos de "*iphi* (ιφι) = com força", que mencionamos no caso de *vir*. O nominativo seria *is* (ις) e significaria tendão, corda. *Aner* sublinharia, pelo rodeio de *neriosus* – *nervus* – *aner*, a capacidade de entesar-se da corda e portanto do arco; desse modo, chegar-se-ia novamente à igualdade simbólica entre arma e masculino, ao Eros masculino. Se complementarmos a idéia de arco e flecha com as palavras gregas e latinas para "entesar" – lat. *tendo*, gr. *teino* (τεινω), da qual faz parte *tonus* – então o sentido literal de *aner-nervus* se aprofunda e se amplia significativamente; nesse caso compreender-se-ia mais facilmente por que o vocábulo *nervus* adquiriu pouco a pouco a sua importância central na vida humana:

assim, *nervus* entra na mais estreita relação com a vida amorosa, com o problema do ser humano homem-mulher-criança-morrer-ser. O lat. *tendo* significa primeiramente entesar, estender, mas a ele corresponde no hindu antigo *tandate* = relaxa, *tantra* = abatimento (cansaço), *tanuh* = tênue (lat. *tenuis*, alto alemão moderno *dünn*). O ambivalente no homem, a passagem inevitável de frouxo para forte e de forte para frouxo (anão-gigante-anão) se expressa nesse jogo de significado da mesma raiz *ten-*. O alemão *spannen* = tender, expandir parece estar relacionado com a raiz *span*, alto alemão médio *spana* = atrair, o que eventualmente poderia ser referido ao erótico; o vocábulo *Spanne* (palmo) como medida faz lembrar a opinião popular de que a extensão do membro ereto corresponde à palma da mão.

À conexão arma-masculino pertence um vocábulo da teoria grega da arte (teoria é visão, opinião, juízo subjetivo), *kanon* = cânon; era usada, como ouvi dizer, para designar a estátua do Doríforo (lanceiro) de Policleto, que a crítica grega considerava a medida ideal da arte. O gr. *kanon* (χανων) significa vara reta, cano. Não se pode duvidar da derivação do membro ereto. Acho que uma palavra como *kanon* diz mais sobre o poder do Eros em todas as esferas da vida do que longas dissertações.

O estranho na denominação é que o próprio lanceiro está de pé, mas suas duas armas, a lança e o membro, não são retratadas no momento do combate, estão apenas prontas e preparadas para a luta. O lanceiro não só é um cânon do masculino, mas também em sua tranqüila disposição é o próprio símbolo do ser humano, do homem-mulher-criança. (O prepúcio deve ser avaliado sempre como o feminino no masculino, a obra de arte não precisa sublinhar o feminino no homem nu.)

O mesmo simbolismo se expressa na designação "doríforo". A palavra *dory* (δορυ) = madeira, lança deriva da raiz *der-*, que significa "fender, esfolar": enquanto o sentido literal "esfolar" se refere ao desnudamento da glande na ereção, "fender" indica a relação com a mulher. Afim de *dory* é *drys* (δρυς) = carvalho, árvore, que sobrevive no inglês *tree*; da mesma forma *dendron* (δενδρον) = árvore lhe é aparentada. – O alemão *Baum* = árvore (*Stammbaum* = árvore genealógica) exprime a sua relação com o Eros já pela expressão *sich bäumen* = empinar-se; da mesma forma o lat. *arbor* = árvore que, pertencendo ao lat. *arduus* = alto, sublinha o crescimento. *Phoros* (φορος) faz parte de *phero* (φερω) = carregar, lat. *fero*, raiz *bhar*, da qual deriva o sueco *barn* = criança (alemão *gebären* = parir). A característica de fender, de esfolar do masculino está relacionada com o feminino da gravidez e do parto e com o infantil.

No inglês existe uma palavra *pal*, que significa algo como companheiro, camarada. É perdoável que, no caso, ocorra ao leigo a palavra falo; imagina-se que *pal. phallos* deve ser a mesma coisa que o alemão *Pfahl* (pau) e o latim *palus*. Mas tais idéias não se ajustam à erudição.

O latim *palus*, do qual se origina o alemão *Pfahl*, deve remontar com certeza a *paciscor* = concluir um contrato (*pax* = paz). Questiona-se apenas se o ser humano entendeu a paz, não como a calma depois da luta amorosa, mas o relaxamento depois da ereção. Eu ficaria satisfeito com uma hipótese como essa.

Do Viver e Morrer

Parece muito boa a opinião de que um indivíduo, depois que foi decomposto violentamente no sexo, anseia por uma nova reunião. Pode-se desse modo elucidar a compulsão a aproximar os dois sexos; o anseio de voltar a reunir os dois segmentos, mulher e criança, de um mundo individual tornaria os importantes desejos incestuosos entre filho e mãe independentes dos acontecimentos após o nascimento e lhes atribuiria o caráter de necessidade humana inevitável; e mesmo as paixões homossexuais seriam reconduzidas a uma espécie de base original. Ver-nos-íamos diante da possibilidade de compreender que a própria vida é dependente do impulso à união de uma trindade partida em dois. O efeito do conceito indivíduo estender-se-ia assim a todas as relações do ser humano com o ser humano, ou mesmo com o mundo todo. Em tudo e em toda parte, não haveria homem e não-homem, mas sempre e apenas homem-deus, homem-mesa, homem-dia, homem-mundo, não sujeito e objeto, mas algo novo, um sujeito-objeto. A partir do meu ponto de vista de médico, ressalto que uma tal formação de um novo indivíduo doente-médico é o gonzo em torno do qual gira o tratamento. Deixo para o leitor a aplicação ao problema do livre-arbítrio e da necessidade; por outro lado, quero enfatizar que as relações entre indivíduo e sexo se tornam mais claras tão logo se inclui nelas a questão do livre arbítrio. Na verdade, não conheço outro caminho para entender o fenômeno do todo na parte e da parte no todo. Se restringirmos o olhar aos fenômenos do indivíduo humano, ressaltam claramente duas dessas tentativas de uma reunião: o começo e o fim, o conceber e o morrer.

Já por diversas vezes chamei a atenção para a estreita afinidade entre concepção e morte. A morte do masculino (ejaculação com subseqüente relaxamento) é a condição do ser. Essa verdade se impôs de maneira grandiosa na lenda do pecado original, que situa a árvore da vida ao lado da árvore do conhecimento (conhecer = copular), coloca o morrer ao lado do ser.

A palavra *sterben* (morrer; ingl. *to starve* = morrer de fome) parece significar originariamente "esforçar-se, trabalhar" (nórdico antigo *starf* = trabalho, *starfa* = esforçar-se, *stjarfe* = tétano). A mesma sinonímia encontra-se no grego, no qual *kamno* (χαμνω) quer dizer "esforçar-se", *kamontes* (χαμοντες) os mortos (raiz: *kam-, cema-, cme-* = cansar, esforçar-se). Palavras gregas afins esclarecem a relação entre "esforçar-se" e "morrer". *Kamara* (χαμαρα) significa a abóbada (lat. *camera, camur* = abobadado, alto alemão moderno *Kammer* = câmara; nórd.ant. *hamo* = capa, alto alemão moderno *Hamen* = rede de pássaros, alto alemão moderno *Hemd* = camisa, gótico *himins* = *Himmel* = céu, grego *kaminos* [χαμινος] = forno, forno = útero, no qual a criança é assada, *Backofen* [forno de assar] ainda hoje é a designação para útero). *Kamaros* (χαμαρος) é lagosta (a tesoura é símbolo da atividade sexual feminina), a mesma palavra é usada para cevadilha e veneno (sêmen), *kamax* (χαμαξ) é vara, pau, *kamasso* (χαμασσω) = balançar, sacudir, *kmelethron* (χμελεθρον) = telhado, casa, todos símbolos sexuais (raiz: *crampo-, kep-* = curvar; hindu antigo *capam* = arco, *capalam* = ser inquieto).

Se nos ativermos ao significado anterior de morrer = trabalhar, mal se pode reprimir a lembrança do pecado original. "Comerás o teu pão do suor do teu rosto", diz a maldição com que Adão é expulso do Paraíso. Dificilmente algo caracteriza melhor o nosso modo moderno de pensar do que o fato de julgarmos o trabalho como algo desejável; falamos do direito ao trabalho, e não da obrigação de trabalhar, como se fosse o trabalho uma medida de valor para o homem. A confusão entre fazer, ocupar-se e trabalhar é fatídica. Nunca vi nem ouvi falar que criancinhas trabalham. No entanto, ocupam-se ininterruptamente quando não estão dormindo. E tampouco encontro no Novo Testamento o mais leve indício de que Cristo tenha trabalhado. Esforço e trabalho, que, segundo parece, têm a mesma acepção, fazem parte da vida humana, mas considerá-los o sentido mais profundo da vida não parece certo. Não há um ser humano que possa trabalhar por muito tempo seguido, digamos por mais de meia hora; decorrido esse tempo, o trabalho se transforma em ocupação, na maioria das vezes até num fazer que acompanha a vida interior. Tudo o que existe de essencial é produzido pelo irracional, que certamente faz, mas não trabalha. Trabalho esforço é e permanece restrito a períodos de tempo muito breves, jamais leva ao sucesso, mas ocasionalmente é empregado pelo Isso em sua atividade de criação, de modo nenhum para o bem-estar do homem

– *Mühe* (esforço) é afim de *müde* (cansado) –, mas porque ocasionalmente é necessário.

Já que a minha opinião, que dificilmente pode ser fundamentada com a ajuda dos fatos fisiológicos e psicológicos, contradiz as opiniões da época, cito algumas associações de palavras que me chamaram a atenção. Os latinos possuem a palavra *labor* para significar esforço, trabalho (*ora et labora*). Segundo Walde, *labor* deriva de uma raiz indogermânica *lob-*, que no grego produz *lobe* (λωβη) = maus tratos, sevícias. – Isso se torna ainda mais claro se tomarmos como ponto de partida a palavra *Mühe* (esforço, trabalho), em vez do vocábulo *Arbeit* (trabalho), que originariamente tinha um sentido muito diferente. Segundo Kluge, *Mühe* deriva de uma raiz indogermânica genérica *mô-*, da qual provêm o termo latino *moles*, *molior* = esforço e os gregos *molos* (μωλος) = esforço e *molys* (μωλυς) = cansado devido ao esforço. *Molys* (μωλυς), segundo Prellwitz, está ligado ao gótico *ga-malvjan* = moer, que conduz, ainda segundo o mesmo autor, à palavra *aleo* (αλεω) = *mahlen* = moer, *zermalmen* = triturar, que deve estar ligado ao termo latino *molo* = *mahlen* = moer e *Mehl* = farinha. Prellwitz diz que o significado "moer" é europeu, que no indo-germânico era "esfregar", "passar algo", "triturar" e também "sujar". Já enfatizei anteriormente que o conceito de "moer" tem certas semelhanças com a atividade sexual, a rigidez masculina é triturada pelo feminino (latim *molo* afim de *mollis* = mole; *mollis*, segundo Walde, está na origem talvez da palavra *mulier*). Segundo os dois pesquisadores (Walde e Prellwitz), o vocábulo grego *blax* (βλαξ) e o latino *flaccus* = mole, fraco, estão ligados a *aleo* e *molo*. Walde acrescenta ainda a palavra *blenna* (βλεννα) = muco, de tal modo que se torna ainda mais manifesta a relação de todo esse grupo de palavras com o intercurso sexual, com a secreção do esperma e com o relaxamento do membro. Com isso deparamo-nos com a questão de saber se primitivamente não se entendia por trabalho apenas e tão-somente o cultivo do próprio campo e não correspondia ao simbolismo do esforço masculino em arar o campo feminino, de saber como isso também pode ser projetado na lenda do Paraíso; dessa forma, um trabalho satisfeito resulta do trabalho ameno. Esse simbolismo da palavra *Arbeit* (trabalho) é confirmado pelo vocábulo, afim tanto pela raiz quanto pelo sentido, *orbus* = roubado, que no grego está ligada a *orphanos* (ορφανος) = órfão, no alemão à palavra *Erbe* = herança (gótico *arbi*, alto alemão antigo *arbi*, *erbi*, irlandês antigo *orbe* = herança). Também aqui é evidente a relação de *Arbeit* (trabalho) com o masculino-feminino-infantil. Do conceito *Erbe* = herança desenvolveu-se, em seqüência lógica, um vocábulo pré-germânico *orbho* = servo, um eslavo antigo *rabu* = servo, porque o germano livre deixava a cultura da terra (herança) aos servos e às mulheres.

Sterben = morrer, *starve* = morrer de fome, *starfa* = esforçar-se, *stjarfe* = tétano derivam, segundo Walde, da raiz indogermânica *sterb-*, uma ampliação de *ster-*, da qual se origina a palavra *starr* = rígido (grego *strephenios* [στρεφηνιος]). Kluge associa *sterben* também ao latim *torpeo* = estar rígido. *Starre* (rigidez) aproxima ainda mais o simbolismo de morrer e sexo. Enquanto no morrer, o chamado fim da vida, as relações com os aspectos sexuais humanos são recalcadas no inconsciente, no ser, no nascer, no chamado início da vida elas se encontram plenamente visíveis. *Entstehen* (nascer) faz parte do conceito de *stehen* (ficar em pé), que está ligado estreitamente à vida do masculino. Sobre a palavra *werden* (ser, devir) e suas relações com o latino *verto* = virar, já falei em ocasião anterior. A virada decisiva do homem ocorre no parto, no qual aquilo que estava embaixo vira para cima (a cabeça antes do parto e depois do parto). Outros campos se abrem mediante os vocábulos latinos *orior* = levantar-se, alçar-se, originar-se, *origo* = origem. É afim no grego: *ornymi* (ορνυμι) = excitar, mover; e mais: *orora* (ορωρα) = estou agitado, *orto* (ωρτο) = levantou-se, *anoruo* (ανορυω) = levanto-me de um salto, *ernos* (ερνος) = broto, galho ("algo erguido de um salto", como o norueguês *rune* = galho, islandês antigo *renna* = crescer rápido); a raiz, segundo Prellwitz, é *ore* = honra, à qual pertencem *eretes* (ερετης) = o remador (remar = símbolo sexual), *erchomai* (ερχομαι) = vir ("a natureza vem"), *ornis* (ορνις) = pássaro, alto alemão moderno *Aar* = águia (símbolo!).

De todas essas palavras afins se deduz que *orior* = originar-se sublinha a influência masculina na evolução, exprime a idéia de que o ser só é possível pela morte do masculino. O grego *gignesthai* (γιγνεσθαι) e o latim *nasci* (raiz *gen-*, reconhecer) apontam para a mesma direção: somente o homem conhece a mulher, não a mulher ao homem, somente o homem morre, de seu morrer origina-se o ser.

Se se seguir essa opinião, surge o desejo também de ligar a palavra *werden* = tornar-se (*vertere* = virar, voltar) ao princípio masculino. Presumo que na palavra *vertere* está contida, além da virada do mundo infantil, que da posição "cabeça para baixo" se vira para a de "cabeça levantada", a mudança de direção na fecundação e no parto, sêmen e criança, a direção para dentro se transforma em direção para fora.

Encontra-se em Dresden um quadro de Jan Davidsz de Heem, denominado *A Grande Natureza-morta com o Ninho de Pássaros* (ilustração 6). À extrema direita do quadro está pintada uma árvore em cujo tronco se enrosca um galho; tanto o galho quanto o tronco estão semeados de alusões jocosas, cuja descrição poderia ocupar-nos por muito tempo. São importantes duas caretas: uma, com nariz achatado e boca sorridente, é formada por um nó cicatrizado; a outra, ao seu lado, na extremidade de um tronco, assemelha-se a um macaco. Essas caretas elucidam como se deve encarar o conjunto. Fome, amor, vida, morte aparecem nas múltiplas representações. Na parte de cima vê-se um pássaro colorido, com as asas abertas, enquanto o seu parceiro jaz morto no chão. Entre os dois, perto da morte, está pintado o ninho; dentro dele dois ovos, um terceiro está quebrado em duas metades, mas a gema não escorreu. Num galhinho de que foi feito o ninho aparece uma borboleta com as asas meio fechadas, separada de uma lagarta por um talo de trigo dobrado. Esse talo também separa o pássaro morto do ninho e do ovo quebrado e, em cima, ele termina em um ramo de carvalho com duas bolotas e uma casca de bolota vazia. E, para completar o paralelismo, está pintado um segundo talo ereto, cuja espiga está voltada para uma forquilha, enquanto a espiga do talo dobrado, bem como a de um terceiro talo apontam para o chão. O trinômio reaparece também na disposição do ramo de carvalho partido em três, do qual uma parte se ergue falicamente; em sua ponta mais extrema está pousada uma segunda borboleta colorida, com as asas largamente abertas, cheia da alegria de vida e do prazer amoroso. No galho enroscado da árvore, simbolizando o desejo em sua forma brutal, caminha um besouro, em cujos inequívocos desejos sexuais todas as crianças sabem excitar-se. Mais para a extremidade vê-se um escaravelho, que representa em corpos e tenazes de um modo duplamente simbólico o homem e a mulher. E, totalmente escondida, arrasta-se a morte: da forquilha para a qual está voltada uma das espigas uma aranha cai sobre um mosquito. Mas não longe daí, sobre uma folha de carvalho, está pousada uma vespa, para de novo povoar o mundo. E todo esse formigueiro de vida e morte, de amor e procriação, está sendo observado por uma lesma, que, figura de duplo sentido, se encaminha para a comida. Aqui uma abóbora levanta o seu talo, lá uma mosca se delicia no suco que se formou na fenda de um grande melão. Vêem-se lagartas e centopéias, a duplamente simbólica libélula, o voraz gafanhoto, castanhas rebentadas como símbolos da ejaculação e do parto, camundongo e salamandra, rã e inseto; e tal como uma mosca se deleita na fenda do melão, uma segunda, menor, faz a mesma coisa no pêssego, o símbolo do traseiro. No canto esquerdo, porém, estão pintados cardos, que com suas flores mostram no alto um buraco na abóbada do muro em ruínas.

O emprego maciço do símbolo torna verossímil que de Heem intencionalmente contou na natureza-morta a história da vida, do amor e da morte. Imediatamente ao lado de sua pintura está pendurado um segundo quadro, pintado por seu contemporâneo Mignon (ilustração 7), que reproduz quase os mesmos símbolos que os de De Heem. Ressaltam muito mais as diferenças. Primeiramente, são acentuados os números ímpares três, cinco e sete, e o dois expressa o feminino com mais ênfase. Em compensação, falta qualquer alusão à morte. Ambos os pássaros estão vivos, um dos quais está construindo um ninho e o outro está pousado perto, diante de um pequeno ramo com cinco groselhas. O mosquito, que no quadro de De Heem está fadado a morrer, não corre qualquer perigo na pintura de Mignon, pois a sua inimiga não está pintada junto. A pintura de De Heem tem a atmosfera de decadência por demais asfixiante; a de Mignon é totalmente serena em alegre fecundidade. Isso é causado, no essencial, pela maneira diferente de construir o ninho: em De Heem ele está caído ao chão, desarrumado e flanqueado pelo cadáver do pássaro e pelo ovo quebrado. O ninho de Mignon está deitado no cesto de frutas, e os ovos estão inteiros. Está cercado por símbolos do amor, e não é a morte, mas a fecundidade que está representada em mil variações: de uma folha enrolada se esgueira uma corrente de pequenos verminhos. Esses também são vistos no quadro de De Heem, mas aqui não se encontram em relação tão estreita com o ninho, aqui eles destroem, enquanto em Mignon indicam o futuro. A abóbora ornamental com a sua semelhança de falo está colocada perto do ninho (em De Heem ela aparece na vizinhança de um gladíolo), do outro lado um raminho se enfia no anel da alça do cesto, e nesse símbolo feminino da alça está pousado o pássaro. Três ameixas e três pêssegos encostam-se no ninho, e está pendurado um cacho de uva de três ramos. A abóbora masculina, com seu cabo ereto, está posta ao lado do melão feminino, ainda inteiro, e, para esclarecer o momento da feliz união, a castanha aberta está colocada entre as duas frutas, à sua frente. Na fruteira que está diante do casal estão misturadas amoras pretas e framboesas vermelhas. Aqui o inconsciente faz alusão às coisas caprichosas do Eros: três bagas de beladona aparecem entre a fruteira e a abóbora-melão, cruzadas por um cardo pendente; é a terceira flor do cardo (em De Heem só estão pintadas duas). Ela corta a cabeça da bolota da frente, emasculando-a. Mas na asa da fruteira está pousada a mosca, para atacar o grupo de cinco nêsperas. Em torno da flor de cardo pendurada estão agrupados feijões, que sabemos muito bem ser um símbolo da criança.

Três ovos no ninho, o ninho deitado no cesto que guarda as frutas, rodeado de doçura e vida, e tudo envolto pela abóbada materna: não se deve acreditar aqui no poder do símbolo?

Óvulos e espermatozóides são, em termos de sexo, tão nitidamente distintos quanto é possível. No entanto, são ao mesmo tempo indivíduos completos em si mesmos, contêm a trindade homem, mulher, criança. Se lhe oferecermos, mediante a relação entre homem e mulher, a oportunidade de se constituírem em novo indivíduo, o espermatozóide começa a trabalhar no verdadeiro sentido da palavra, cheio de diligente vitalidade ele sobe em direção ao óvulo, para despertar nele a vida futura (*erquicken* = despertar para a vida, sendo *quick* (esperto) afim do termo latino *vivus* = vivo; *Quecksilber* (mercúrio), *keck* (ousado), ingl. *the quick and the dead*). A condição para o nascimento dessa nova vida é a morte da semente que dá vida, do falo ereto. Ocorre de modo muito diferente com os dois indivíduos homem e mulher.

O impulso para a união de fato existe e determina de modo essencial a vida individual e pessoal de homem e mulher, mas a união num único indivíduo nunca se concretiza, chega-se apenas a uma aproximação.

As denominações para esse processo da aproximação são numerosas em todos os idiomas, uma prova clara de que as relações dos sexos se arraigam estreitamente em todos os processos vitais. É característico que justamente os gregos, cujo senso da língua é em outros casos tão preciso, usem a expressão *meignysthai* (μειγνυσθαι) = misturar-se, o que se pode julgar muito bem como um indício de que o seu caráter estava impregnado especialmente do poder de Eros. Uma outra palavra, *syneinai* (συνειναι) = estar juntos, nos transmite a mais profunda poesia de que é capaz uma língua. – Os latinos usam *coire* = andar juntos. É significativo que as mulheres achem engraçada a expressão, porque na verdade é somente o homem que caminha ritmicamente. Isso é importante, porque na nossa época ignorante os homens têm a estranha idéia de que uma mulher só seria arrastada pela paixão do intercurso, quando ela por seu lado tenta ultrapassar os movimentos do homem que se esforça no trabalho. Todo homem poderia e deveria saber que esse tipo de paixão ostensiva é falso. O ser feminino fica quieto e imobiliza os membros diante do poder subjugador. Uma outra expressão muito usada ainda hoje é *cohabitare* = morar juntos. – Em sueco existe a bela palavra *samlaga* = deitar juntos. Expressa mais ou menos a mesma idéia o nosso vocábulo alemão *begatten* = acasalar-se, que continua a viver no inglês *together* = juntos. – Das profundezas do inconsciente provém a expressão alemã *Beischlaf* (coito, literalmente dormir juntos). Insinua um dos segredos mais profundos do homem e da mulher, que, até onde sei, nenhum outro idioma revela. Na maioria das palavras é acentuado o fato de gozarem juntos o prazer; mas o nosso termo reverencia a idéia de que o homem no coito se torna uma criança desamparada, necessitada de proteção e cujo sono a amante vela como se fosse uma mãe.

Até que ponto essa idéia se tornou estranha à consciência indicam não só as expressões cotidianas com que nos referimos ao homem e à mulher, sexo fraco e sexo forte, igualdade de direitos etc.; isso também levou a que um homem como Michelangelo – certamente sem pressentir a maldade que ele pintou na *Creazione della Donna*, que já mencionei anteriormente – conferisse à mulher o caráter de Dalila que, dando as costas ao homem sem forças que está dormindo, se volta para a essência da masculinidade. A mulher é por natureza duplamente orientada, para o homem e para a criança. A mulher por natureza tem de servir a dois senhores, e nenhuma carece dos momentos em que ela trai o homem em favor da criança ou a criança em favor do homem. O único meio termo, ver no homem o primogênito, raramente ela encontra. É verdade que a natureza lhe deu uma força especial para agüentar tal conflito subterrâneo sem danos; ela, como a Deusa da Justiça, não enxerga o que é justo e o que é injusto. As mulheres possuem uma consciência ambígua.

O delírio apaixonado no qual os sexos procuram a união não atinge a sua finalidade: o indivíduo homem-mulher se decompõe já no unir-se, mas do homem se cindiram bandos de filhos, que contêm em si mesmos a força criadora. Depois que o masculino morreu há muito tempo, eles ficaram para procurar a noiva que os está aguardando, e neste ficar o idioma alemão formou a sua palavra mais importante, a palavra *Leben* = vida.

Já me referi anteriormente ao fato de *leben* = viver (inglês *live*, sueco *leva*) estar ligado estreitamente à palavra *bleiben* = sobrar, ficar (*beleiben* = dar o corpo), ao fato de estar próximo do grego *liparein* (λιπαρειν) e igualmente ao latim *lippus* = gotejante.

A raiz indogermânica de *lippus* é *leip* = graxa; hindu antigo *liptah* = pegajoso, *lepah* = sujeira. Vê-se que o entrelaçamento fatal de amor sexual e manchar, de sêmen e sujeira, já era conhecido pelas forças do inconsciente formadoras da língua e conhecido concludentemente. – O grego *lipos* (λιπος) = gordura e *liparos* (λιπαρος) = gorduroso levam à palavra *Leber* = fígado, latim *jecur*, grego *hepar* (ηπαρ), o que é importante para a observação médica desse órgão. A aversão à gordura, a idéia de que a gordura é indigesta, se deve a uma identificação com sêmen; manchas na roupa-branca.

O alemão *kleben* = grudar pertence a esse conjunto lingüístico. No grudento encontra-se a vida eterna; a aparente aversão da mulher ao contato com o sêmen masculino (contaminação, mal-estar ao sentir o cheiro da flor do castanheiro) é, na verdade, medo de tocar a sagrada vida eterna, deve-se à mesma veneração inconsciente que impossibilita a mulher de, mesmo em legítima defesa do estupro, esmagar os testículos do homem, o que a libertaria imediatamente do seu antagonista. – A raiz *leib-*, segundo Walde, é presumivelmente uma extensão do indogermânico *lei*, que se manteve na palavra latina *lino* = sujar-se. Uma raiz idêntica significa *sich anschmiegen* = cingir-se (alto alemão moderno *lind*, bávaro *len* = mole, brando etc.). Walde relaciona a isso, aliás com certa hesitação, o latim *limax* = lesma (símbolo bissexual), *limus* = lodo, alto alemão moderno *Schleim* = muco, *Lehm* = barro (criação de Adão – *humus* – *homo*) etc., também *lubricus* = escorregadio. Walde inclui nesse contexto igualmente "*libo* = verter, sacrificar, mas também provar algo, gozar". Acrescenta que seria praticamente impossível reunir sob um denominador comum todos os significados existentes. Tão logo incluímos na análise as relações ligadas ao sexo, desaparecem todas as dificuldades. Sim, quase se impõe no caso a hipótese de que também a palavra latina *libet* = compraz faz parte dessa série, isto é, do conceito e da palavra *leben* = viver. Mas a nossa palavra alemã *Liebe* (inglês *love*) é aparentada mais estreitamente com *libet*, *libido*.

Com as palavras *Liebe, lieben* (amor, amar) adentramos uma área de confusão de conceitos, que não se pode imaginar pior e mais perigosa. O melhor é não se preocupar com nada que não faça parte claramente da palavra. Por certo, também nunca seremos capazes de devolver à palavra o seu sentido simples. Um impulso profundamente arraigado no ser humano, a cobiça, tem-se intrometido na palavra e a tem transformado, da mesma maneira que a cobiça tem deformado as palavras *Gold* (ouro; originariamente brasa, aurora, lat. *aurum – aurora*, gr. *chrysos* (χρυσος) = cinza), e *Geld* (dinheiro; originariamente óbolo). A raiz da palavra *lieben* (inglês *love*) é a indogermânica *leubh-*, e dessa raiz derivam ainda as palavras *Lob* (elogio), *geloben* (prometer) e *glauben* (crer). Sem hesitar, podemos associar o sentido com a palavra *gefallen* (gostar; lat. *libet*). *Ge-fallen* é "cair junto com algo" (holandês *medfallen*. Kluge, que traduz a sílaba *ge-* por junto, interpreta a palavra *gefallen* como *zufallen* [caber por sorte]; um indício de como age aquilo que é recalcado). O conceito *Liebe* (amor) está em relação muito estreita com a palavra grega *Symbol* (símbolo); acredito mesmo que é a mesma coisa. Amamos o que nos é simbólico, o que nós mesmos somos. De que modo poderia ser diferente? A conhecida palavra de Cristo, que aparentemente se tornou o sentido e expressão do moderno cristianismo europeu: "Ama a teu próximo como a ti mesmo!", exprime isso claramente no "como" (gr. *hos*, ὡς). Somente poderíamos amar o que nos pertence como símbolo, como algo acreditado e permitido pelo humano mais profundo. É essa a verdade. Pelo menos é a minha verdade.

No entanto, o grego *symballein* (συμβαλλειν) não significa apenas *zusammenfallen* (cair junto), mas também *zusammenwerfen* (juntar), portanto designa uma ação do eu (*lieben - belieben*, amar e agradar, são análogas a Isso). A mim me parece residir aqui a raiz do mal. O gostar, o amar é uma atividade evidente do Isso; o querer ser amado, o agradar, o desejar portam a máscara do eu. O mundo humano do símbolo sempre está obscurecido pelo mundo igualmente humano do pensamento, da presunção, do "aparecer como se fosse". Assim ocorreu com a raiz *leubh-*, que produziu, além de *"libet* = compraz" e *"lieben, geloben, glauben"*, as palavras *"libido* = desejo" e *"verliebt"* = enamorado. *Liebe* pode originariamente ter sido aplicável ao "indivíduo" humano, enquanto o "sexo" do "indivíduo" usava a expressão *"freien"* (cortejar) para a sua relação com a "*persona*" do ser humano.

Segundo parece, o idioma grego sentiu que as palavras designativas de "amor" (*philein* [φιλειν], *erasthai* [ερασθαι] sofreram um obscurecimento na época em que se formava o cristianismo, quando passou a ser importante reconhecer, em vez da "pessoa", novamente o "indivíduo", e sentiu com tanta profundidade que incluiu a palavra *agapan* (αγαπαν) = amar como modo de expressão dos Evangelhos; *agapan* é composto de *megas* (μεγας) = grande e *paomai* (παομαι, raiz *pah-*) = aceitar. Não é fácil de traduzir; o mais correto seria talvez "aceitar alguma coisa com veneração". Menciono isso porque também nessa tentativa de acomodar a palavra ao "indivíduo" humano o "sexo" se intromete, já que *pah-* pertence ao grande grupo *puh-*, *fuh-*, que certamente é acentuado no mais alto grau não só sexual como também genitalmente.

Apesar dessa amálgama indissolúvel entre "sexo" e "indivíduo" também nas palavras, deve-se tentar estabelecer, para determinados fins, uma diferenciação entre amor e amor, e seja dito pois, que ele, em seus milhares de formas, ora atua mais pelo mundo dos símbolos, o do Isso, ora mais pelo mundo da presunção, do eu. Ambos os amores não estão um acima do outro. É possível observar o humano sem participar da discussão sobre o valor e o desvalor do sexual, do sensual, sim, na minha opinião, é difícil observar apenas um dos lados.

Sob certas circunstâncias, as pinturas contam mais do que as palavras sobre a misteriosa mistura do indivíduo e da pessoa, do *agape* e da *philia*, do amor terreno e do amor celestial, para usar esse vocábulo estranhamente pouco elucidativo.

Quem examina o inconsciente do quadro às vezes conhece coisas que estão lá e são parte da vida, embora quase nunca sejam mencionadas. Muito se tem dito que amor e paixão são duas coisas diferentes, mas não se considera que a paixão quase nada tem a ver com o amor, que este é despertado por coisas muito diferentes da presença do objeto amado. É de admirar que o ser humano não queira reconhecer isso, embora seja bastante manifesto. Até o casal enamorado só raramente está apaixonado: seu amor é um equilíbrio calmo; se esse equilíbrio for rompido em favor da paixão, é que estão em ação forças ocultas, que bem merecem ser chamadas sagradas, que de qualquer modo são tão incompreensíveis que ao homem resta apenas contentar-se em reconhecer o mágico. De vez em quando cintila um raio de luz e permite ver exatamente tanta coisa para sentir ainda mais forte a obscuridade do mágico. Menzel pintou uma vez o gabinete de trabalho de Frederico, o Grande: pela porta aberta em par vislumbram-se a escrivaninha, o sofá e duas cadeiras. O quadro convida ao amor, seduz imperceptivelmente ao mais terno delírio de amor: tudo está pronto, o símbolo feminino da escrivaninha envolto pela trindade aguarda a mão afetuosa do Eros, que na quietude profunda, calorosa da salinha evoca sutilmente ao observador os encantos da amada. E os batentes abertos da porta sussurram para a mocinha o que pode acontecer, o que ela deve desejar.

Ou se pode observar a escadaria de Sans-Souci do mesmo artista. Três árvores interpretam silenciosamente o sentido dos degraus para o amor, o sentido do fato de o inconsciente ter escolhido exatamente essa composição, em que Cupidos no jogo erótico emolduram o retrato da união. Por certo, pode-se explicar isso tudo de modo diferente, deve-se interpretar isso de forma diferente, disso não há dúvida. Mas isso não impede que, mil vezes na vida, árvores, escadas e amor afetuoso unam intimamente duas pessoas, que ainda assim no mesmo instante se achavam bastante separadas em suas idéias e desejos. – Assim, Menzel dá a uma outra pequena pintura o nome de *Projetos de Viagem*, mas o inconsciente diz aonde a viagem irá levar. Uma mulher sobe a escada, apontando a sombrinha aberta para o chão e colhendo ligeiramente o vestido. Os dois homens na mesa ainda não sabem nada dela, mas vive neles um leve pressentimento: um está meio levantado, e o cachorro atrás deles espia a senhora. Ambos estão fumando, estão maduros para o amor; e em frente daquele que está meio levantado encontra-se um grande vaso com uma planta e ao redor do vaso serpenteia como que uma cobra. Entre o vaso e o homem vê-se o horário de trens, apoiado por uma caixa. Ao seu lado está uma garrafa vazia, uma xícara vazia e uma colher de chá, tudo são coisas que falam. E o que elas dizem reconhecemos pelas duas senhoras que estão em pé ao lado, com as costas para nós, enquanto a árvore se estende por sobre os homens de maneira fortemente acentuada. Amor satisfeito nem sequer olha para o novo desejo que desperta. Projetos de viagem? Quem sabe aonde leva a viagem?

Mil coisas que somente o inconsciente conhece povoam os quadros dos pintores: como elas agem e o que fazem, ninguém sabe. Somente nos momentos de feliz excitação o homem responde ao quadro com sentimentos cuja fonte ele desconhece e cuja fonte lhe é indiferente no momento exato da excitação. No entanto, o amante da arte procura – com razão, pois o conhecimento do inconsciente só o iria confundir – algo diferente do misterioso claro-escuro da pintura inconsciente.

Existe um quadro de Millet, denominado *L'Amour Vainqueur*. Três rapazes – outra vez o trinômio – arrastam uma mocinha seminua, que opondo uma pequena resistência tenta segurar o vestido sobre os quadris. Seria supérfluo mencionar o quadro, porque seu simbolismo involuntário está evidente. Mas há nele um quarto rapaz, que empurra a mocinha para trás. Isso é algo novo: o que acontece atrás de nós é passado. É pouco provável que o pintor tenha sabido o que retratava com essa adição, ou seja, a verdade básica de que nunca existe um primeiro desejo, um primeiro amor, mas que, além da esperança do prazer, também a lembrança do prazer experimentado inflama o homem e torna-o sem resistência, além do futuro, também o passado. Muito antes da introdução da psicanálise mito e arte já conheciam o estranho fato de que todo amar nosso é repetição do amor anterior da infância, e de que exatamente as circunstâncias secundárias é que são repetidas. Esse é o motivo mais profundo de os Cupidos serem representados como meninos. Millet sublinha, talvez inconscientemente, essa conexão mediante o rapaz que empurra. – Acerca do fato dessa compulsão à repetição não há o que discutir; mas parece ser pouco conhecido quão profundamente o passado influencia o presente orgânico. Há mães que, no dia das bodas da filha, costumam assistir à noite nupcial em pensamento, mas não raro essa experiência se torna real, elas testemunham nessa noite, pela dolorida contração da vagina e de sangramento, a nova defloração que se repete nelas. Há um outro acontecimento na vida da filha que atua com muito mais força sobre o organismo da mãe: é o parto da filha. Muitas vezes aparecem em tal ocasião, no corpo da avó, dores lombares, ou mesmo claras imitações das dores do parto, e também não raro ocorrem sangramentos.

Na nova Pinacoteca de München encontra-se um quadro de Menzel com o título significativo de *À Luz do Candeeiro*. O título chama a atenção porque a figura principal do quadro, uma mocinha, não está iluminada pela luz do candeeiro, mas pela vela acesa em sua mão. O candeeiro ilumina o interior do quarto, e sua luz cai sobre a contrafigura da moça, uma mulher que faz renda. Quem deu o nome à pintura – presumivelmente o próprio Menzel – deve ter sentido, consciente ou inconscientemente, que para contemplar o quadro seria melhor partir do candeeiro e daquilo que ele ilumina. Candeeiro e luz estão colocados em contraste, significam algo. A luz de um candeeiro é delimitada, circunscrita, a vela da moça bruxuleia; não o faria, se tivesse vidro e cúpula. O Cupido, que está pendurado no teto entre a mulher e a moça, conta o que é insinuado: ambas as figuras estão sob o domínio do amor. No entanto, enquanto a mulher está sentada tranqüilamente ao lado do candeeiro, em seu trabalho caseiro – o bilro passa continuadamente pelas malhas dos fios, um símbolo inconfundível da convivência matrimonial, acentuado ainda pela cúpula e pelo vidro do candeeiro, feminino e masculino –, portanto, tem suas relações amorosas reguladas pelo casamento, a moça está encostada no umbral da porta aberta de par em par, olhando ansiosamente para o futuro que ela sonha. Segura a vela diante de si, ilumina aquilo que está fora do quarto confortável, no futuro, e, esperando a luz que sua vida amorosa lhe irá oferecer, apóia-se no umbral rígido da porta aberta totalmente. Quem não sabe que a mulher desejosa deixa abertas as portas do quarto?

Termino aqui as considerações sobre o problema do amor. A mim me importava expor à luz clara o entrelaçamento entre o mundo dos símbolos e o mundo pessoal. E, para a mesma finalidade, ouso externar uma conjectura etimológica, que talvez possa ser aniquilada imediatamente pelos críticos.

Não considero impossível que as palavras latinas *vita* = vida e *vivere* = viver pertençam ao grupo lingüístico de *vir* = homem e *vis* = força, e poderia acrescentar também as palavras gregas *bios* (βιος) = vida e *beiomai* (βειομαι) = viver, *bia* (βια) = força. Não tenho outra prova senão a semelhança de som e a afinidade simbólica entre vida e amor, entre "morrer e ser".

Por outro lado, tenho de voltar mais uma vez à igualdade de "amor e morte". Kluge relaciona a palavra *Tod* = morte (inglês *death*, *die* = morrer, sueco *dö*) com a palavra irlandesa antiga *duine* = ser humano, mortal, e com o vocábulo latino *fumus* = funeral, enterro. Walde também admite essa possibilidade de explicação. O funeral, porém, é justamente – pelo menos para o pensamento moderno – um ato simbólico de amor, um dormir no regaço da mãe-terra até a ressurreição. Prellwitz parece fazer inconscientemente a mesma tentativa de explicação; para ele a palavra grega *thanatos* (θανατος) = morte deriva do hindu antigo *dhvanayat* = *hüllte ein* = embrulhava, do antigo norueguês *dvina* = sumir e da raiz *dhven* = *sich verhüllen* = velar-se. Não preciso explicar com mais pormenores que *Hülle* (invólucro) e *sich verhüllen* (velar-se, cobrir-se) são símbolos do feminino receptivo.

A raiz indogermânica mais difundida para o conceito *sterben*, *Tod* (morrer, morte) é *mor*, que aparece no alemão *Mord* = assassinato (lat. *mors* = morte, *morior* = morrer, *mordeo* = morder, "morder o pó"). Nela se manifesta mais uma vez o parentesco entre morte e amor, porque ela se relaciona com o indogermânico *mer-*, *merax* = morrer, moer; o latim *marco* = ser murcho, mole e o alto alemão moderno *mürbe*, *morsch* (murcho) são afins. Inclui-se aqui também a palavra latina *mortarium*, alto alemão moderno *Mörser* = morteiro, cuja ligação com o sexual já comentei anteriormente, bem como *morbus* = doença. No grego a derivação é *maraino* (μαραινω) = desgastar, *marasmos* (μαρασμος) = murchar e *marnamai* (μαρναμαι) = lutar. A mim me parece importante nesse contexto a palavra grega *stergio* (στεργιω) = amar. Não pude encontrar nada sobre sua origem, mas no som ela lembra tão fortemente *sterben* (morrer) que as relaciono, principalmente porque *stereos* (στερεος) = rígido, que tem som semelhante, apóia essa opinião. Nesse caso, *sterilis* = estéril entra também no mesmo círculo semântico (alto alemão moderno *Stärke* = novilha). O conceito *Starrheit* (rigidez) contém as duas coisas: vida de amor e morte de amor (ereção atuante com as palavras *stark*, sueco *stor* = grande, alto alemão antigo *stoeren* = sobressair, baixo alemão e sueco *stärt* = rabo, por outro lado a rigidez ainda existente do membro após a ejaculação diante do relaxamento da força, a rigidez infértil, a rigidez da morte). – Presumivelmente, fazem parte disso o latim *stercus* e o grego *sterganos* (στεργανος) = excremento. Foge ao meu conhecimento se o francês *merde* = merda pertence a *marieo* = *merax*, mencionado anteriormente.

No contexto amor-morte, morrer-ser, menciono ainda o número da morte, treze. Dizem que os pitagóricos consideravam um o número da mulher e três a união mulher-um com o homem-dois; então no treze, o membro intermediário de dois, o homem morreu. Está mais próximo da nossa própria época tomar o um como pai e o três como símbolo do filho; nesse caso, o dois entre um e três é o regaço da mulher no qual o homem moribundo verte a semente fértil; o treze é símbolo da morte e da ressurreição, a verdade do morrer e ser encontra-se, pois, no meio da fecundidade do treze. Chega-se à mesma conclusão quando se interpreta o um como membro em repouso, o dois como ereto, o três como membro relaxado. Na arte européia, o número treze é empregado sobretudo nas representações da Última Ceia, e é provavelmente a essa representação que se deve atribuir o medo especial de colocar treze pessoas à mesa. Nesta Ceia estão presentes duas pessoas destinadas a morrer, Judas e Cristo. Antigamente, o inconsciente da arte parece ter preferido a idéia de que Judas deve morrer; pelo menos na maioria das pinturas importantes até o quadro de Leonardo, Judas é pintado separado dos outros comensais; ele está sentado sozinho, do outro lado da mesa: é dado apenas o símbolo da morte, os quadros não mostram nenhum sinal da ressurreição, está excluída toda esperança. Já que cada dia nos ensina que nós, assim como todos os homens, temos a natureza de Judas, que a traição do próximo, do próximo mais querido e adorado de todos, é um atributo humano inevitável que, a cada momento da nossa vida, influi sobre o nosso modo de pensar, de sentir e de agir, surge em cada um de nós, nesse ou naquele instante, o desejo envergonhado, desesperado de deixar que dentro de nós este Judas morra para sempre, de matá-lo de modo que nunca mais ressurja. Por Judas representar o ser humano, ser nosso parente íntimo em todas as suas fibras é que ele nos atrai tanto, da mesma maneira que o criminoso, o mau nos comove mais profundamente do que o bom, do que o servo da lei; pois todos somos criminosos, todos temos em nós mesmos a possibilidade, a avidez mesmo de que o nosso próximo sofra. Assim, o isolamento de Judas nas pinturas da Última Ceia é uma conseqüência da dupla natureza do bem e do mal no ser humano e uma tentativa de subtrair-se, pelo menos no símbolo, a essa dupla natureza, em favor daquilo que é sempre chamado de bom. Na verdade, isso não ajuda em nada, mas é desse modo que o ser humano quer ser uno, tem de querer, e que ele tenta, pela fantasia, pelos pensamentos e pelas ações, fugir da sua natureza diurna e da sua natureza noturna.

No mais famoso de todos os quadros da Última Ceia, o de Leonardo, o próprio Cristo é que está destinado à morte, o décimo terceiro; se ele é o princípio do bem, está expresso no quadro – que mesmo agora, quando quase nada mais resta dele, é considerado uma obra-prima da pintura – o desejo criminoso, porém muito conhecido de todo aquele que é honesto consigo mesmo, de se libertar de remorsos, de levar à morte o bem que existe em nós. A coragem de confessar e de representar as profundezas sombrias do coração humano explicaria em parte o efeito incomparável desse quadro sobre os contemporâneos e sobre a posteridade. Involuntariamente impõe-se ao autor a hipótese de que aqui está o motivo principal que impediu o artista de terminar o quadro; poder-se-ia perceber que Leonardo recuou diante da revelação do mistério não só da essência cristã, mas de tudo o que é humano; ou mesmo poder-se-ia quase supor que a destruição do quadro foi exigida logicamente pelo inconsciente do homem: o segredo envergonhado da inveja e do ódio que o humano sente pelo divino é revelado nesse quadro com ironia quase sobre-humana. "Quem foi tolo bastante para não manter a plenitude de seu coração foi desde sempre queimado e crucificado" – é válido não somente para a opinião que o homem tem de seu próximo, vale também para a nossa conduta conosco mesmos: devemos manter a plenitude do nosso coração em face de nós mesmos, só a nós mesmos podemos revelar o nosso caráter até um limite determinado, estreito. Quem quiser ultrapassar essa fronteira verá dentro de si Cristo vivo, e logo renegará e crucificará esse Cristo a si mesmo, ao divino. Para o homem só a noite e o dia convêm, o erro; a luz é de Deus. Quando pintou Cristo em vez de Judas como o décimo terceiro, Leonardo apresentou, de uma maneira comovente, talvez com plena consciência, no arquifenômeno do morrer ao mesmo tempo o do ser; os doze discípulos estão todos coordenados em grupos de três, doze é quatro vezes três, três é o homem, quatro a mulher, quatro vezes três é a união e treze é a morte e a ressurreição, o renascimento, a criança, a eternidade. O fato de a cabeça de Cristo nunca ter sido pintada é símbolo inconsciente do ser, há futuro no inconcluso. Morra e seja! Diante desse quadro, cujo pintor estava certamente entre os homens mais humanos, encontramo-nos novamente diante do fato de que o sentido da realidade do inconsciente sentia perfeitamente que não se pode e não se deve representar o rosto de Cristo. O filho do homem é símbolo e não se deixa retratar como indivíduo. Cristo não tem rosto, é um erro pintá-lo. Aos judeus não é permitido pronunciar o nome do símbolo da humanidade, e Fausto diz: "Quem o pode pronunciar e quem pode confessar: eu creio nele"?

Quase ao mesmo tempo em que Leonardo criava a sua *Ceia*, uma outra obra era produzida a partir das profundezas do inconsciente, uma obra que ainda conserva plena beleza, a *Pietá* de Michelangelo. Trata-se de uma estranha escultura, estranha porque com certeza a ninguém que não conheça as relações pode ocorrer que a bela jovem é a mãe do homem morto que jaz em seu regaço. Terá sido por sede de beleza que o artista representou a mãe dessa maneira? Pode ter sido outro o motivo. Mas para torná-lo compreensível o autor deve primeiramente fixar o ponto a partir do qual a obra pode ser contemplada à sua maneira.

Se se observar a cruz, ela pode adquirir vida, então ela é uma pessoa com braços estendidos para abraçar. A essa pessoa predisposta ao amor é juntada uma outra, também de braços abertos; também ela está predisposta ao amor. Todavia, nem a cruz pode abraçar – pois é madeira insensível – nem o homem que nela está pendurado – porque está pregado. E ele dá as costas à cruz. A única coisa que pode acontecer é que o homem morra. Após a sua ressurreição ele pode, abraçando, salvar o mundo inteiro, a cruz já não o prende, só ficaram os estigmas. A cruz, no entanto, persiste no estado de solicitude e de incapacidade de abraçar, insensível, sem vida, falsa; já estava morta antes de Cristo morrer nela, Cristo, o filho do homem. O que é a cruz pela qual ele, bem pregado nela, deve morrer para que a humanidade seja salva? A cruz só pode ser a mãe. Em alemão chamamos de cruz o osso no qual se sentem as dores do parto; os latinos o chamaram, muito antes de existirem cristãos, de *os sacrum*, o osso sagrado. A cruz é a mãe que abraçaria o filho se não fosse madeira, e por cujo gesto insensível de amor o filho vivo é pregado em amor, para que ele morra desse amor para a ressurreição. Poderia ser assim: o filho do homem se transforma em salvador quando morre pela cruz e quando, depois de ser tirado desta, é colocado no regaço da terra para a ressurreição.

Talvez a alma mais obscura de Michelangelo tenha sido invadida por sentimentos semelhantes quando colocou o corpo morto do crucificado sobre os joelhos de uma mulher jovem. Essa mulher não está triste, está resignada: seu gesto com a mão o diz.

Resignar é assinar uma e outra vez, apor seu signo de que se é homem e não se conhece nada além do humano, que para nós nada existe além da trindade homem-mulher-criança.

O termo *signum* deriva da palavra básica *secare* = cortar, assim como a palavra *sexo*. Existirá por acaso um melhor sinal (*signum*) do humano que o seu destino de ser ao mesmo tempo indivíduo e sexo, um todo indivisível e um segmento do círculo integral do mundo? É esse o seu destino, e aceitar esse destino com alegre melancolia é o dever do homem, é a força do homem.

A Melancolia de Dürer

Dizem que Dürer fez a sua famosa gravura da *Melancolia* como um consolo contra o medo que o imperador Maximiliano tinha de Saturno. Se se partir desse relato, a gravura deve ter aspectos humorísticos. No observador incauto o quadro causa a impressão de melancolia, mas, como Dürer tinha senso de humor, para o imperador esta poderia estar escondida em algum lugar. De fato, existe algo de estranho no quadro, algo que chama a atenção. Procura-se o sentido dessa estranha falta no desenho. A impressão se modifica, e finalmente se vê, não sem divertimento, de que forma um grande pintor troçou do mundo e, portanto, também do seu público.

Num canto do alto à direita, está pendurado um sino, e um sino serve para chamar a atenção das pessoas. E debaixo desse sino está o quadrado mágico muito comentado, com a soma 34. Nesse quadrado vê-se um número, o 5 da segunda fileira, de cabeça para baixo.

Já se chamou a atenção muitas vezes para o fato de a figura de mulher que domina o quadro, e representa supostamente a melancolia, estar sentada no meio de muitos instrumentos da atividade de criação, mas ela mesma não faz nada. Obviamente, não *quer* fazer nada, pois a desordem em que se encontram os objetos é disposta de modo tão metódico que a mulher não pode fazer nada, e quem poderia ter feito isso de forma tão artística senão ela própria?

Em primeiro lugar, não há lugar para trabalhar. O martelo encontra-se longe dos pregos, o alicate está meio escondido sob o vestido. A sua haste descansa no serrote de bico, e o serrote, por seu turno, jaz atravessado por sobre a régua. A pia é inacessível por causa de uma pedra de muitos cantos, a chamada escada planetária de sete degraus, encostada num local, onde fica, sem sentido. A balança não pode ser movida, porque, se alguém a usasse, roçaria na parede do pilar e bateria no rapaz sentado na pedra de moer. A seringa de irrigação, esse instrumento provado para eliminar acessos de melancolia, de fato está à mão, mas pelo local em que pode ser vista livremente não está apropriada ao uso. Debaixo do seu braço vê-se um livro fechado, ela segura o compasso de tal maneira que não pode ser usado. Para as chaves e a bolsa de dinheiro ela nem olha. Ela é alada e coroada, mas nenhum brilho festivo justifica essa coroa, e as asas não a levam ao reino da fantasia. Ela está posando. Assim, é apenas o olhar de uma pessoa que quer parecer infeliz.

Existe vida no quadro? Sim, até uma vida muito estranha. Primeiramente, nele voa, no canto esquerdo de cima, iluminado pelas estrelas e emoldurado pelo arco-íris, um dragão de boca enorme que está latindo, que mostra ao mundo um papel comprido: "Melencolia § 1". Melencolia? Será uma piada de Dürer ele ter transformado o *a* num *e*, ou ele realmente não sabia? E para que serve o § 1? E por que esse nome voando pelo céu como uma propaganda de avião, que sai para fora do quadro?

Vivo também está o fogo debaixo do pote de cola, que comumente se chama de cadinho de alquimista, mas a Dona Melencolia § 1 não pode ver o fogo. A cola que derrame.

Vivo está o animal magro; não se sabe se é um cachorro ou alguma outra coisa que funga debaixo da saia da mulher. Ele funga com toda a força, e bem ao lado se encontra o turíbulo, sem proveito.

Mas está viva sobretudo a figura do centro, um pequeno Cupido. Ele também *faz* algo. Imitando de forma infantil o olhar artificialmente triste de sua vizinha, ele escreve com um dos grandes pregos na tampa de um livro fechado. Esboça um sorriso em toda a sua seriedade. Se ele esperar com paciência, talvez Dona Melencolia o note. Em cima da fria pedra de moer na qual está sentado ele estendeu cuidadosamente um bonito pano para não se resfriar. Ele espera. Quem, no entanto, conhece símbolos sabe que com essa mulher ele espera em vão.

E finalmente temos também a marca da morte, a ampulheta. Mas seu mostrador e os ponteiros apontam na direção errada. O mostrador começa com 9 e termina com 4, formando assim a soma 13, que ao lado de 21 predomina no quadrado mágico. O ponteiro menor está parado exatamente entre 12 e 1 (soma: 13), e o grande, entre 3 e 4, a soma do quadrado mágico.

Sorte do pintor que pode rir da morte.

Visita a um Museu

Algum tempo depois, os dois voltaram a se encontrar no museu. Thomas parecia estar num daqueles seus dias de mutismo, e Keller-Caprese forçava, portanto, o seu gênio inventivo para animar a conversa. No instante em que estava em via de alongar-se sobre o tom dourado de Tiziano e de contrapô-lo ao fundo prateado da pintura de Moretto, Thomas o interrompeu com impaciência.

"São coisas óbvias estas. Tiziano sabia viver e, como nunca possuiu dinheiro bastante, ele pintava. A mim isso não interessa. Devo ter visto quase todas as galerias públicas do mundo, e o resultado é que fiquei totalmente abobalhado: não vejo mais a coisa essencial de um quadro. O essencial é a moldura. Se não vos tornardes iguais às criancinhas, não entrareis no reino dos céus, diz a Bíblia, e para as crianças a moldura é muito mais atraente do que o quadro. Também estou convencido de que a criança tem razão nisso, pois que vantagem se tem do mais belo Tiziano, se ele fica enrolado num canto qualquer? Todavia, por mais que eu me esforce, não consigo mais sentir a alegria necessária para a moldura. O essencial nas coisas é a apresentação. Sei disso muito bem, mas em vez de me alegrar, fico irritado com isso. A maneira como a humanidade é induzida a considerar isso ou aquilo como belo, como nobre e bom, me interessa quando me ocupo disso em grandes contextos, quando vejo por assim dizer uma moldura grande, gigante, berrante. O essencial do acontecimento isolado, isso eu nem vejo. Conseqüentemente, sou enganado e riem de mim. E isso é só porque tenho sido um fanfarrão desde a infância, tenho brincado de adulto. Para mim, nada era bastante elevado, bastante grande, bastante amplo. Por isso, eu me tornei tão alto, tão gordo e tão burro." Ele suspirou fundo e caiu num pesado silêncio.

Keller-Caprese cofiava a sua barbicha com impaciência. Esses humores do seu protetor lhe eram altamente incômodos, ele sabia que tempos magros estavam próximos quando Thomas se tornava taciturno. Decidiu provocar o bobo gordo com a contradição.

"É uma tolice fenomenal o que o Sr. está dizendo. A substância, o conteúdo, o próprio quadro é que é importante. A moldura talvez seja necessária, mas não é essencial. O Sr. quer realmente afirmar que a moldura da Sistina, à qual o Sr. recentemente entoou tão grande hino de louvor, é mais importante que o quadro?"

Thomas foi tomado de tal fúria que a saliva se lhe escapou como um chuvisco dos lábios. "É para isso que me esforço com o Sr. há semanas, para que me recite agora o Cacangelho dos filisteus. Vá agora mesmo à Galeria Nacional e veja lá que monstruosidades foram obras-primas há vinte, trinta anos, apenas porque os jornais e a igrejinha da arte, isto é, as molduras, provocaram celeuma. Um se tornou famoso porque deixou cair um caracol na testa, outro porque tratou as mulheres como prostitutas, mais um porque ofereceu bons jantares, e ainda um porque contou piadas sujas, e ao lado disso o Sr. encontra uma pintura incomparável, que foi admirada porque o pintor pintou de vermelho o que é verde, ou mesmo porque ele nem pintou, mas fez esboços de postais com carvão. E com os quadros antigos não é diferente. A Sistina? Século e meio atrás ela foi vendida por um preço vil. Ninguém se interessou pelo quadro, e mesmo um homem medianamente inteligente como Goethe não se deu ao trabalho de sequer mencioná-la. Naquele tempo ainda era uma obra realmente de Rafael. Mas, depois, ela foi restaurada e repintada de maneira tal que nenhuma pincelada nela é mais do próprio Rafael, e agora ela se tornou famosa, a pérola da pintura. O falatório dos nossos historiadores de arte e estetas, cuja profissão é falsificar a verdade, do mesmo modo que os historiadores da história, é isso o essencial na Sistina, em Michelangelo, em Rembrandt, em Rubens. Se nós todos não sofrêssemos de flatulências estéticas, ninguém iria dedicar um olhar às excreções oleosas desses pintores, exceto alguns colecionadores para quem elas teriam mais ou menos o mesmo valor de extravagância que tem atualmente um exemplar único para o colecionador de selos. A grandeza do homem só é criada pela gritaria, pela gritaria de pessoas que por si sós são demasiado impotentes para criar, mas se fazem de adultos, de entendidos, como os garotos que artificialmente falam com voz de baixo profundo. No fundo, não existe diferença entre os homens grandes e a pessoa mediana. A verdadeira grandeza do homem nem mesmo depende dos seus feitos, mas do modo como ele pensa sobre esses feitos. Quem cacareja como uma galinha que botou um ovo tem seu mérito. E que eu sempre me esqueça disso, que me deixe enganar pela pretensão dos homens infantis de serem adultos, isso me irrita. Um livro infantil como o *João Felpudo** vale dez vezes mais do que todo esse museu aqui e é mil vezes mais profundo que todo esse embuste de Rembrandt, e mil vezes mais importante também. Do *João Felpudo* emana uma fonte de sabedoria."

Keller-Caprese achou aconselhável jogar azeite no fogo. "Acabo de imaginar", disse ele, e se deixou cair num dos assentos, "por que sinto tanta dificuldade em permanecer de pé, e agora que o Sr. mencionou o *João Felpudo*, de repente vejo o motivo disso. É que me lembrei imediatamente de *Max e Moritz* de Busch. A figura em que os gansos tiram o alfaiate da água, e então percebi que, durante todo o tempo em que o Sr. falava, eu estava fitando a *Leda com o Cisne* de Correggio. Gansos e cisnes têm relação entre si. Havia dois colegiais diante do quadro, e pela expressão de seu rosto se via o que se passava neles. Isso despertou em mim lembranças muito pesadas."

Thomas ficou como que eletrizado. Sentou-se ao lado do pintor, tomou-o pelo braço e riu divertido. "Veja só o efeito que isso me faz. Já me sinto obrigado a enfiar meu braço no círculo entre o seu braço e o seu corpo. – Aí o Sr. tem de novo um pedaço da moldura que torna famosos os pintores, os objetos que eles pintam. Todos os nossos conceitos de beleza são derivados do desejo de encontrar uma abertura na qual nos possamos enfiar. Homem e mulher, forma esticada e forma redonda, aí o Sr. tem tudo. Acrescente ainda o triângulo, o que significa o homem, está claro, o que é belo. A trindade, é isso. Outro dia lhe falei sobre isso. Incidentalmente testículos: *testis* = criar, testemunhar, procriar. Lembre-se do dito: "pela boca de duas testemunhas se conhece a verdade". Essas testemunhas, o latim o prova da mesma maneira que o alemão, são os testículos, e o que é sua boca, o Sr. sabe. Quem quiser pesquisar a verdade que pergunte à sua varinha mágica. Lá ele a encontrará. Mistério."

O bobo desvencilhou seu braço do braço do vizinho e juntou reverentemente as mãos.

---

* A obra já foi tratada neste livro. (N. da T.)

COLEÇÃO ESTUDOS

1. *Introdução à Cibernética*, W. Ross Ashby.
2. *Mimesis*, Erich Auerbach.
3. *A Criação Científica*, Abraham Moles.
4. *Homo Ludens*, Johan Huizinga.
5. *A Lingüística Estrutural*, Giulio C. Lepschy.
6. *A Estrutura Ausente*, Umberto Eco.
7. *Comportamento*, Donald Broadbent.
8. *Nordeste 1817*, Carlos Guilherme Mota.
9. *Cristãos-Novos na Bahia*, Anita Novinsky.
10. *A Inteligência Humana*, H. J. Butcher.
11. *João Caetano*, Décio de Almeida Prado.
12. *As Grandes Correntes da Mística Judaica*, Gershom G. Scholem.
13. *Vida e Valores do Povo Judeu*, Cecil Roth e outros.
14. *A Lógica da Criação Literária*, Käte Hamburger.
15. *Sociodinâmica da Cultura*, Abraham Moles.
16. *Gramatologia*, Jacques Derrida.
17. *Estampagem e Aprendizagem Inicial*, W. Sluckin.
18. *Estudos Afro-Brasileiros*, Roger Bastide.
19. *Morfologia do Macunaíma*, Haroldo de Campos.
20. *A Economia das Trocas Simbólicas*, Pierre Bourdieu.
21. *A Realidade Figurativa*, Pierre Francastel.
22. *Humberto Mauro*, Cataguases, Cinearte, Paulo Emílio Salles Gomes.
23. *História e Historiografia do Povo Judeu*, Salo W. Baron.
24. *Fernando Pessoa ou o Poetodrama*, José Augusto Seabra.
25. *As Formas do Conteúdo*, Umberto Eco.
26. *Filosofia da Nova Música*, Theodor Adorno.
27. *Por uma Arquitetura*, Le Corbusier.
28. *Percepção e Experiência*, M. D. Vernon.
29. *Filosofia do Estilo*, G. G. Granger.
30. *A Tradição do Novo*, Harold Rosenberg.

31. *Introdução à Gramática Gerativa*, Nicolas Ruwet.
32. *Sociologia da Cultura*, Karl Mannheim.
33. *Tarsila sua Obra e seu Tempo* (2 vols.), Aracy Amaral.
34. *O Mito Ariano*, Léon Poliakov.
35. *Lógica do Sentido*, Gilles Delleuze.
36. *Mestres do Teatro I*, John Gassner.
37. *O Regionalismo Gaúcho*, Joseph L. Love.
38. *Sociedade, Mudança e Política*, Hélio Jaguaribe.
39. *Desenvolvimento Político*, Hélio Jaguaribe.
40. *Crises e Alternativas da América Latina*, Hélio Jaguaribe.
41. *De Geração a Geração*, S. N. Eisenstadt.
42. *Política Econômica e Desenvolvimento do Brasil*, Nathanael H. Leff.
43. *Prolegômenos a uma Teoria da Linguagem*, Louis Hjelmslev.
44. *Sentimento e Forma*, Susanne K. Langer.
45. *A Política e o Conhecimento Sociológico*, F. G. Castles.
46. *Semiótica*, Charles S. Peirce.
47. *Ensaios de Sociologia*, Marcel Mauss.
48. *Mestres do Teatro II*, John Gassner.
49. *Uma Poética para Antonio Machado*, Ricardo Gullón.
50. *Burocracia e Sociedade no Brasil Colonial*, Stuart B. Schwartz.
51. *A Visão Existenciadora*, Evaldo Coutinho.
52. *América Latina em sua Literatura*, Unesco.
53. *Os Nuer*, E. E. Evans-Pritchard.
54. *Introdução à Textologia*, Roger Laufer.
55. *O Lugar de Todos os Lugares*, Evaldo Coutinho.
56. *Sociedade Israelense*, S. N. Eisenstadt.
57. *Das Arcadas do Bacharelismo*, Alberto Venancio Filho.
58. *Artaud e o Teatro*, Alain Virmaux.
59. *O Espaço da Arquitetura*, Evaldo Coutinho.
60. *Antropologia Aplicada*, Roger Bastide.
61. *História da Loucura*, Michel Foucault.
62. *Improvisação para o Teatro*, Viola Spolin.
63. *De Cristo aos Judeus da Corte*, Léon Poliakov.
64. *De Maomé aos Marranos*, Léon Poliakov.
65. *De Voltaire a Wagner*, Léon Poliakov.
66. *A Europa Suicida*, Léon Poliakov.
67. *O Urbanismo*, Françoise Choay.
68. *Pedagogia Institucional*, A. Vasquez e F. Oury.
69. *Pessoa e Personagem*, Michel Zeraffa.
70. *O Convívio Alegórico*, Evaldo Coutinho.
71. *O Convênio do Café*, Celso Lafer.
72. *A Linguagem*, Edward Sapir.
73. *Tratado Geral de Semiótica*, Umberto Eco.
74. *Ser e Estar em Nós*, Evaldo Coutinho.
75. *Estrutura da Teoria Psicanalítica*, David Rapaport.
76. *Jogo, Teatro & Pensamento*, Richard Courtney.
77. *Teoria Crítica I*, Max Horkheimer.
78. *A Subordinação ao Nosso Existir*, Evaldo Coutinho.
79. *A Estratégia dos Signos*, Lucrécia D'Aléssio Ferrara.
80. *Teatro: Leste & Oeste*, Leonard C. Pronko.
81. *Freud: a Trama dos Conceitos*, Renato Mezan.
82. *Vanguarda e Cosmopolitismo*, Jorge Schwartz.
83. *O Livro dIsso*, Georg Groddeck.

84. *A Testemunha Participante*, Evaldo Coutinho.
85. *Como se Faz uma Tese*, Umberto Eco.
86. *Uma Atriz: Cacilda Becker*, Nanci Fernandes e Maria Thereza Vargas (org.).
87. *Jesus e Israel*, Jules Isaac.
88. *A Regra e o Modelo*, Françoise Choay.
89. *Lector in Fabula*, Umberto Eco.
90. *TBC: Crônica de um Sonho*, Alberto Guzik.
91. *Os Processos Criativos de Robert Wilson*, Luiz Roberto Galizia.
92. *Poética em Ação*, Roman Jakobson.
93. *Tradução Intersemiótica*, Julio Plaza.
94. *Futurismo: uma Poética da Modernidade*, Annateresa Fabris.
95. *Melanie Klein I*, Jean-Michel Petot.
96. *Melanie Klein II*, Jean-Michel Petot.
97. *A Artisticidade do Ser*, Evaldo Coutinho.
98. *Nelson Rodrigues: Dramaturgia e Encenaçes*, Sábato Magaldi.
99. *O Homem e seu Isso*, Georg Groddeck.
100. *José de Alencar e o Teatro*, João Roberto Faria.
101. *Fernando de Azevedo: Educação e Transformação*, Maria Luiza Penna.
102. *Dilthey: um Conceito de Vida e uma Pedagogia*, Maria Nazaré de Camargo Pacheco Amaral.
103. *Sobre o Trabalho do Ator*, Mauro Meiches e Silvia Fernandes.
104. *Zumbi, Tiradentes*, Cláudia de Arruda Campos.
105. *Um Outro Mundo: a Infância*, Marie-José Chombart de Lauwe.
106. *Tempo e Religião*, Walter I. Rehfeld.
107. *Arthur Azevedo: a Palavra e o Riso*, Antonio Martins.
108. *Arte, Privilégio e Distinção*, José Carlos Durand.
109. *A Imagem Inconsciente do Corpo*, Françoise Dolto.
110. *Acoplagem no Espaço*, Oswaldino Marques.
111. *O Texto no Teatro*, Sábato Magaldi.
112. *Portinari, Pintor Social*, Annateresa Fabris.
113. *Teatro da Militância*, Silvana Garcia.
114. *A Religião de Israel*, Yehezkel Kaufmann.
115. *Que é Literatura Comparada?*, Brunel, Pichois, Rousseau.
116. *A Revolução Psicanalítica*, Marthe Robert.
117. *Brecht: um Jogo de Aprendizagem*, Ingrid Dormien Koudela.
118. *Arquitetura Pós-Industrial*, Raffaele Raja.
119. *O Ator no Século XX*, Odette Aslan.
120. *Estudos Psicanalíticos sobre Psicossomática*, Georg Groddeck.
121. *O Signo de Três*, Umberto Eco e Thomas A. Sebeok.
122. *Zeami: Cena e Pensamento Nô*, Sakae M. Giroux.
123. *Cidades do Amanhã*, Peter Hall.
124. *A Causalidade Diabólica I*, Léon Poliakov.
125. *A Causalidade Diabólica II*, Léon Poliakov.
126. *A Imagem no Ensino da Arte*, Ana Mae Barbosa.
127. *Um Teatro da Mulher*, Elza Cunha de Vicenzo.
128. *Fala Gestual*, Ana Claudia de Oliveira.
129. *O Livro de São Cipriano: uma Legenda de Massas*, Jerusa Pires Ferreira.
130. *Kósmos Noetós*, Ivo Assad Ibri.
131. *Concerto Barroco às peras do Judeu*, Francisco Maciel Silveira.
132. *Sérgio Milliet, Crítico de Arte*, Lisbeth Rebollo Gonçalves.
133. *Os Teatros Bunraku e Kabuki: Uma Visada Barroca*, Darci Kusano.
134. *O diche e seu Significado*, Benjamin Harshav.
135. *O Limite da Interpretação*, Umberto Eco.

136. *O Teatro Realista no Brasil: 1855-1865*, João Roberto Faria.
137. *A República de Hemingway*, Giselle Beiguelman-Messina.
138. *O Futurismo Paulista*, Annateresa Fabris.
139. *Em Espelho Crítico*, Robert Alter.
140. *Antunes Filho e a Dimensão Utópica*, Sebastião Milaré.
141. *Sabatai Tzvi: O Messias Místico I, II, III*, Gershom Scholem.
142. *História e Narração em Walter Benjamin*, Jeanne Marie Gagnebin.
143. *A Política e o Romance*, Irwing Howe.
144. *Os Direitos Humanos como Tema Global*, J. A. Lindgren.
145. *O Truque e a Alma*, Angelo Maria Ripellino.
146. *Os Espirituais Franciscanos*, Nachman Falbel.
147. *A Imagem Autônoma*, Evaldo Coutinho.
148. *A Procura da Lucidez em Artaud*, Vera Lúcia Gonçalves Felício.
149. *Memória e Invenção: Gerald Thomas em Cena*, Sílvia Fernandes Telesi.
150. *Nos Jardins de Burle Marx*, Jacques Leenhardt.
151. *O* Inspetor Geral *de Gógol/Meyerhold*, Arlete Cavalière.
152. *O Teatro de Heiner Müller*, Ruth Röhl.
153. *Psicanálise, Estética e Ética do Desejo*, Maria Inês França.
154. *Cabala: Novas Perspectivas*, Moshe Idel.
155. *Falando de Shakespeare*, Barbara Heliodora.
156. *Imigrantes Judeus / Escritores Brasileiros*, Regina Igel.
157. *A Morte Social dos Rios*, Mauro Leonel.
158. *Barroco e Modernidade*, Irlemar Chiampi.
159. *Moderna Dramaturgia Brasileira*, Sábato Magaldi.
160. *O Tempo Não-Reconciliado*, Peter Pál Pelbart.
161. *O Significado da Pintura Abstrata*, Mauricio Mattos Puls
162. Work in Progress *na Cena Contemporânea*, Renato Cohen
163. *Mito e Tragédia na Grécia Antiga*, Jean-Pierre Vernant e Pierre Vidal-Naquet
164. *A Teoria Geral dos Signos*, Elisabeth Walther
165. *Lasar Segall: Expressionismo e Judaísmo*, Cláudia Valladão Mattos
166. *Escritos Psicanalíticos sobre Literatura e Arte*, Georg Groddeck
167. *Norbert Elias, a Política e a História*, Alain Garrigou e Bernard Lacroix
168. *A Cultura Grega e a Origem do Pensamento Europeu*, Bruno Snell
169. *O Freudismo – Esboço Crítico*, M. M. Bakhtin

Impressão e Acabamento
Bartira
Gráfica
(011) 4123-0255